UN HOMME SANS ALLÉGEANCE

DU MÊME AUTEUR

Un viol sans importance, roman, Sillery, Septentrion, 1998.

La Souris et le Rat, roman, Gatineau, Vents d'Ouest, 2004.

Un pays pour un autre, roman, Sillery, Septentrion, 2005.

L'été de 1939, avant l'orage, roman, Montréal, Hurtubise HMH, 2006.

La Rose et l'Irlande, roman, Montréal, Hurtubise HMH, 2007.

Haute-Ville, Basse-Ville, roman, Montréal, Hurtubise, 2009 (réédition de *Un viol sans importance*).

Saga Les portes de Québec

Tome 1, *Faubourg Saint-Roch*, roman, Montréal, Hurtubise HMH, 2007 (réédité dans la collection Compact en 2011).

Tome 2, *La Belle Époque*, roman, Montréal, Hurtubise HMH, 2008 (réédité dans la collection Compact en 2011).

Tome 3, *Le prix du sang*, roman, Montréal, Hurtubise HMH, 2008 (réédité dans la collection Compact en 2011).

Tome 4, *La mort bleue*, roman, Montréal, Hurtubise, 2009 (réédité dans la collection Compact en 2011).

Saga Les folles années

Tome 1, *Les héritiers*, roman, Montréal, Hurtubise, 2010.

Tome 2, *Mathieu et l'affaire Aurore*, roman, Montréal, Hurtubise, 2010.

Tome 3, *Thalie et les âmes d'élite*, roman, Montréal, Hurtubise, 2011.

Tome 4, *Eugénie et l'enfant retrouvé*, roman, Montréal, Hurtubise, 2011.

Saga Félicité

Tome 1, *Le pasteur et la brebis*, roman, Montréal, Hurtubise, 2011.

Tome 2, *La grande ville*, roman, Montréal, Hurtubise, 2012.

JEAN-PIERRE CHARLAND

UN HOMME
SANS ALLÉGEANCE

Roman

Hurtubise

Catalogage avant publication de Bibliothèque et Archives nationales du Québec et Bibliothèque et Archives Canada

Charland, Jean-Pierre, 1954-

    Un homme sans allégeance

    2ᵉ éd.

    Publ. antérieurement sous le titre : Un pays pour un autre. Sillery, Québec : Septentrion, 2005.

    ISBN 978-2-89647-942-9

    1. Canada - Histoire - 1866-1870 (Invasions des Fenians) - Romans, nouvelles, etc. I. Titre. II. Titre : Un pays pour un autre.

PS8555.H415P39 2012   C843'.54   C2011-942634-X
PS9555.H415P39 2012

Les Éditions Hurtubise bénéficient du soutien financier des institutions suivantes pour leurs activités d'édition :

- Conseil des Arts du Canada ;
- Gouvernement du Canada par l'entremise du Fonds du livre du Canada (FLC) ;
- Société de développement des entreprises culturelles du Québec (SODEC) ;
- Gouvernement du Québec par l'entremise du programme de crédit d'impôt pour l'édition de livres.

Conception graphique de la couverture : René St-Amand
Photographie de la couverture : Jacob A. Riis, Getty Images
Maquette intérieure et mise en pages : Folio infographie

ISBN : 978-2-89647-942-9 (version imprimée)
ISBN : 978-2-89647-943-6 (version numérique PDF)
ISBN : 978-2-89647-944-3 (version numérique ePub)

Dépôt légal : 3ᵉ trimestre 2012
Bibliothèque et Archives nationales du Québec
Bibliothèque et Archives Canada

Diffusion-distribution au Canada :
Distribution HMH
1815, avenue De Lorimier
Montréal (Québec) H2K 3W6
www.distributionhmh.com

Diffusion-distribution en Europe :
Librairie du Québec/DNM
30, rue Gay-Lussac
75005 Paris FRANCE
www.librairieduquebec.fr

Imprimé au Canada
www.editionshurtubise.com

Personnages du roman

Donovan, John : Avocat new-yorkais, militant de la Fenian Brotherhood, il en viendra à promouvoir le terrorisme comme moyen d'action.

Langevin, David : Ses parents étant décédés lors de leur venue en Amérique, David Devlin est adopté par une famille de Rivière-du-Loup. Enrôlé dans l'armée nordiste, il s'essaie à l'espionnage en 1863. Il utilise aussi les noms de David Devlin et d'Étienne De Lahaye.

Ryan, Eithne : Jeune orpheline qui chante dans les tavernes pour assurer sa subsistance. David en fait sa femme. Elle a une jeune sœur appelée Máire.

Personnages historiques

Archibald, Édith (1854-1936) : Fille du consul Archibald, née à Terre-Neuve, éduquée à Londres et à New York, elle n'épousa jamais un agent secret, mais son cousin. Elle figura parmi les premières suffragettes de la Nouvelle-Écosse et se distingua dans la lutte en faveur de la prohibition de l'alcool.

Archibald, sir Edward Mortimer (1810-1884) : Avocat, fonctionnaire à Terre-Neuve, il fut consul britannique à New York pendant trente-six ans. Dans le cadre de cette fonction, il dirigea un véritable réseau d'espionnage.

Atzerodt, George Andreas (1836-1865) : L'un des conspirateurs mêlé à l'assassinat d'Abraham Lincoln.

Beach, Thomas Miller (1841-1894) : D'abord marchand, il vint en Amérique en 1861 pour s'engager dans l'armée, prenant le nom de Henry Le Caron. Sous ce pseudonyme, il espionna la Fenian Brotherhood pendant vingt-cinq ans. Il publia ses mémoires en 1892.

Booth, John Wilkes (1838-1865) : Comédien assez connu, il assassina Abraham Lincoln, puis fut tué lors de la poursuite pour le capturer.

Cartier, George-Étienne (1814-1873): Avocat, il combattit à Saint-Denis lors de la rébellion de 1837. Politicien et ministre, il compte parmi les «pères» de la fédération canadienne.

D'Arcy McGee, Thomas (1825-1868): Politicien, journaliste, il invitait ses compatriotes d'origine irlandaise à participer à la création de la nouvelle identité canadienne. Ses attaques contre le mouvement révolutionnaire lui attirèrent des ennuis. Il sera assassiné en 1868.

Ermatinger, Frederick William (1811-1869): Avocat, militaire et policier, il travailla à réprimer l'agitation sociale à Montréal. Il participa à la surveillance des frontières pour prévenir les incursions sudistes et féniennes.

Le Caron, Henry: Voir Beach, Thomas Miller.

McMicken, Gilbert (1813-1891): Marchand, brièvement député conservateur, il commença à recueillir des informations sur la menace fénienne en 1864. Il sera nommé commissaire de la Police du dominion en 1869.

O'Mahony, John (1816-1877): Après avoir participé au soulèvement irlandais de 1848, il fonde aux États-Unis la Fenian Brotherhood, dont il assumera la direction pendant quelques années.

Pinkerton, Allan (1819-1884): Immigrant d'origine écossaise, il crée à Chicago la Pinkerton National Detective Agency. Membre des services secrets américains pendant la guerre de Sécession, il reprit son travail de détective une fois la paix revenue.

Roberts, William Randall (1830-1897) : Marchand à New York, il prit la tête du mouvement fénien en 1865. Dans les années 1870, il effectua deux mandats à la Chambre des représentants sous la bannière démocrate.

Seward, William Henry (1801-1872) : Secrétaire d'État dans le gouvernement d'Abraham Lincoln, il échappa à une tentative d'assassinat en 1865.

Stephens, James (1825-1901) : Membre fondateur de la Irish Republican Brotherhood. Après avoir participé au soulèvement de 1848, il fit une tournée de recrutement aux États-Unis. Il sera arrêté peu avant un soulèvement armé en 1865 : son secrétaire, Nagel Pierce, travaillait pour le compte des autorités britanniques.

Surratt, Mary (182?-1865) : Propriétaire d'une maison de chambres à Washington, elle sera exécutée en 1865 pour avoir participé au complot d'assassinat de Lincoln.

Sweeny, Thomas William (1820-1892) : Militaire dans l'armée américaine, il a planifié l'invasion du Canada de 1866 pour le compte de la Fenian Brotherhood.

Warne, Elizabeth (?-1868) : Première femme embauchée comme détective à l'agence Pinkerton, elle participe aux opérations de renseignements pendant la guerre de Sécession.

Whelan, Patrick James (1840-1869) : Tailleur, soupçonné de sympathies féniennes, il est accusé d'avoir assassiné Thomas D'Arcy McGee et exécuté. Il avait épousé Bridget Boyle.

Chapitre 1

Les rues de New York grouillaient de vie. En rupture d'atelier, des hommes allaient en tous sens, des groupes se formaient spontanément, donnaient de la voix, proposaient un objectif. Parfois, quand celui-ci les ralliait tous, ils se mettaient en route comme une petite armée survoltée ; souvent, le détachement se dissolvait après trois minutes, chacun cherchant des compagnons dont la colère ferait un meilleur écho à la sienne.

David Devlin se demandait dans quel état il arriverait à l'hôtel *Dundee*. À la hauteur de la 47e Rue, son cocher l'avait fait descendre. Le vieil homme ne s'était pas trop formalisé des pierres qui l'avaient raté, parfois de peu ; la brique dans le flanc de son cheval tua toute sa résolution. Pas question d'estropier l'animal. Son passager n'avait pas sitôt mis le pied sur le trottoir que déjà il faisait tourner sa voiture pour repartir vers le nord.

Continuer à pied, presser le pas, chercher un moyen de se fondre dans la foule. Sa vareuse, un peu sale et déchirée à une manche, de même que sa casquette, dont il avait tourné la visière vers l'arrière, donnaient à David l'air d'un ouvrier. Quelle heureuse idée il avait eue de ne pas revêtir son uniforme ! Sous ses yeux, quelques rues plus haut, une foule en colère s'était lancée à la poursuite d'un militaire et à en juger par la haine sur les visages, leur gibier serait mis en pièces. Tout ce désordre tenait à la loi de conscription : par tirage au sort, le gouvernement voulait recruter trois cent mille hommes pour les troupes de l'Union*. Déjà, le samedi précédent, les noms de plusieurs milliers de ces « heureux gagnants » avaient été rendus publics. Si le dimanche s'était déroulé à peu près sans incident, dès les premières heures de ce lundi, le 13 juillet 1863, plutôt que d'aller travailler, les ouvriers étaient montés à l'assaut des bureaux de recrutement, des domiciles des membres éminents du Parti républicain au pouvoir et des installations des journaux leur étant favorables.

Quoique sans organisation, les émeutiers s'avéraient néanmoins d'une redoutable efficacité. Les lignes télégraphiques étaient systématiquement coupées afin que les forces de police ne puissent coordonner leurs actions. Un groupe se formait pour attaquer un objectif, s'évanouissait dès que la résistance se révélait trop forte, puis renaissait un peu plus loin. Des barricades bloquaient déjà quelques artères importantes. Sans être un grand stratège, David Devlin devinait que l'ordre serait difficile à rétablir.

À la hauteur de la 43ᵉ Rue, un pupitre s'écrasa sur le trottoir avec fracas, à deux pas devant lui. D'autres meubles scolaires faisaient éclater les fenêtres du grand édifice de pierres grises, pour venir choir sur les pavés. Le large panneau dominant l'entrée principale lui apprit qu'il s'agissait du Colored Orphan Asylum, un orphelinat. Si les pupitres n'intéressaient pas les émeutiers, la porte et les fenêtres du rez-de-chaussée laissaient passer des femmes,

---

* Lors de la guerre de Sécession, l'Union était formée des États du Nord ; la Confédération rassemblait quant à elle les États du Sud qui avaient proclamé leur indépendance pour, entre autres choses, conserver le droit de posséder des esclaves.

quelquefois des hommes, les bras chargés de butin. Les pillards s'emparaient de tout ce qui pouvait être utile : chaises, matelas, lits, vaisselle, pots de chambre même. Les objets trop lourds pour être portés se trouvaient détruits à grands coups de hache.

Par une porte de côté, se tenant par la main, sortirent bientôt des enfants afro-américains terrorisés. Les plus grands, tout au plus âgés de douze ou treize ans, tenaient des bébés dans leurs bras. Plusieurs employées, surtout des Noires mais aussi quelques Blanches, essayaient de les calmer de la voix, même si elles paraissaient tout aussi effrayées que leurs protégés.

— Égorgez tous ces sales nègres !

Le hurlement, fort à briser les cordes vocales, fit sursauter David. La femme de trente-cinq ans peut-être, échevelée, le visage crasseux, continua de vociférer. Sa robe ample et son tablier ne suffisaient pas à dissimuler sa grossesse. Une deuxième mégère, sur un ton tout aussi haineux, enchaîna :

— Comme des cochons ! Tranchez-leur la gorge !

Le cri se trouva repris par des centaines de voix, toutes irlandaises. Les enfants les plus petits commencèrent à geindre, une flaque d'urine allait s'élargissant sous les pieds nus des plus âgés. David dut se faire violence pour ne pas leur crier de s'enfuir. Ouvrir la bouche, afficher de la sympathie pour ces gamins l'exposerait à mourir sur place. Les femmes avaient apporté avec elles de grands couteaux ou des tranchoirs, dépouillant leur cuisine de ces outils de tous les jours. Quant aux hommes, la plupart portaient des manches de hache ou de pioche, en guise de gourdins. Ils les agitaient au-dessus de leur tête en rugissant.

Le directeur de l'établissement sortit enfin de l'édifice, les vêtements en désordre, la face blanche comme un drap.

Un filet de sang allait de la ligne des cheveux jusque sur le col de sa chemise ; un autre, coulant de sa narine gauche, donnait une teinte écarlate à sa moustache. Son état témoignait de ses efforts pour calmer les émeutiers. Le pas chancelant, il se mit à la tête de la petite communauté pour la guider dans les rues. Quelques jours plus tard, les journaux préciseraient que ces deux cent trente-trois enfants avaient trouvé refuge au poste de police de la 35e Rue, où ils étaient demeurés avant d'être évacués vers Blackwell's Island.

Une odeur de fumée s'échappait des fenêtres défoncées. L'édifice serait bientôt rasé par les flammes, alors que les émeutiers empêcheraient les pompiers volontaires d'agir. S'attarder sur place ne servait à rien. David pressa le pas. Après trois pâtés de maisons, un groupe de quatre hommes dépenaillés lui barra la route. Ils jouaient de leurs gourdins tout en lui adressant un regard mauvais. Le plus vieux d'entre eux esquissa un sourire édenté avant de demander, goguenard :

— Tu as l'air pressé. Tu vas où comme ça ? Rejoindre la troupe ?

— Je ne parle pas bien l'anglais.

Surtout, le vis-à-vis de David trahissait son origine irlandaise par un lourd accent. Le jeune homme avait adopté le même, pour enchaîner cette fois en gaélique :

— Je vais rejoindre mes amis. Ils connaissent les maisons d'abolitionnistes pleins de fric.

— Oh ! Si tu sais où se trouve le chaudron de pièces d'or, nous te suivons !

La proposition ne se discutait pas. Ils lui emboîtèrent le pas, lui fournissant le meilleur des sauf-conduits : une petite troupe d'Irlandais en quête d'un mauvais coup à commettre. Ce jour-là, et pendant toute la semaine, il s'agirait du meilleur moyen de passer inaperçu. Les habitants de cette partie de la ville qui ne voulaient pas se livrer au pillage se terraient dans des caves obscures, avec l'espoir que personne ne vienne les débusquer.

Pour le jeune homme, le tout serait de pouvoir fausser compagnie à ces mauvais garçons sans coup férir !

❦

L'hôtel *Dundee* se trouvait au coin de la 5ᵉ Avenue et de Broadway. David Devlin sortit le revolver glissé dans sa ceinture, entre ses reins, et en menaça ses compagnons afin de parcourir seul les cent dernières verges. Pendant un moment, ils le suivirent à distance, essayant de convier d'autres pillards à se joindre à leur chasse. Ce fut peine perdue : personne ne voyait l'intérêt de s'attaquer à un individu visiblement pas plus riche qu'eux, armé de surcroît, alors qu'il se trouvait tellement de jolies maisons à saccager. Dans le hall du petit hôtel, le jeune homme dut convaincre une demi-douzaine d'employés munis de gourdins et de fusils de chasse qu'il avait bien rendez-vous avec un certain monsieur Smith. Ils avaient été avertis de sa venue ! Un peu plus tard, David frappait à la porte de la chambre numéro seize, au second étage de l'établissement qui en comptait quatre. Elle s'ouvrit sur un homme de taille moyenne, plutôt gras, jovial, le visage orné d'une barbe. Tout comme les cheveux, elle avait déjà été couleur carotte, mais le mélange de gris lui avait enlevé de son allure.

— Monsieur Devlin ! Vous êtes en retard d'une bonne demi-heure.

— Circuler en ville devient un peu difficile, aujourd'hui.

David parlait maintenant un anglais sans accent… ou plutôt avec le plus pur accent yankee. Son hôte lui désigna l'un des fauteuils placés près de la fenêtre. La clameur de la rue s'entendait à peine dans cette chambre située à l'arrière de l'établissement. Le jeune homme aperçut une grande femme brune sur une chaise dans un coin de la pièce. Il la salua de la tête en disant « Madame ». Même dans une pénombre relative — les rideaux avaient été tirés —, elle lui parut élégante, un chapeau tout fleuri posé bien droit sur son crâne. Sa main gantée de dentelle reposait sur un guéridon à sa droite, à deux pouces d'un fusil à deux canons. Ceux-ci, tout comme la crosse, avaient été coupés. La portée de l'arme devait être très limitée, mais les deux charges de chevrotines lancées simultanément suffiraient à déchiqueter les tripes d'une personne n'importe où dans la pièce. La jeune femme lui rendit son salut d'une légère inclinaison de la tête et tira les percuteurs du calibre douze.

Smith prit quelques feuilles de papier sur une commode avant de prendre place en face de lui.

— Monsieur David Devlin, caporal au sein du Fighting 69th depuis 1861. Vous avez participé à la bataille de Bull Run. Une sale affaire !

— Une affaire meurtrière.

— Ce régiment se compose essentiellement d'Irlandais ?

Cela ne méritait pas de réponse. Les Irlandais formaient l'effectif de plusieurs régiments levés dans les États de New York ou du Massachusetts. Avant la fin de la Guerre Civile, ils seraient près de deux cent mille à avoir servi dans les armées du nord.

— Vous portez aussi le nom de David Langevin. Un nom français ?

— Je suis né en Irlande, mais j'ai été élevé et éduqué au Bas-Canada. C'est celui de mes parents adoptifs.

— Vous êtes un immigrant de la Grande Famine. Vos père et mère sont morts pendant la traversée.

De 1845 à 1848, l'Irlande avait été touchée par une disette épouvantable, qui avait entraîné, en quelques années, une diminution du quart de la population du pays. Plus d'un million de personnes étaient mortes de faim, à peu près le même nombre avait immigré en Amérique du Nord. Les Devlin avaient quitté Cork déjà très affaiblis, entassés sur un navire par un propriétaire terrien qui trouvait plus simple d'expédier ses ouvriers agricoles à l'autre bout du monde plutôt que de leur venir en aide. Celui-là avait du cœur : la majorité des propriétaires les regardait simplement mourir de faim, tout en continuant d'exporter du blé vers l'Angleterre. Pendant l'interminable traversée, plusieurs cadavres, dont ceux de ses parents, furent envoyés par le fond, cousus dans une toile à voile. Âgé de sept ans, le petit David avait été accueilli dans une famille de Rivière-du-Loup.

— Vous parlez irlandais ?

— Plus exactement, *gaeilge*, ou gaélique, si vous préférez. C'est ma langue maternelle.

— Je constate que vous connaissez aussi très bien l'anglais. Mieux que moi en tout cas, pour des oreilles américaines.

Ce Smith s'exprimait avec le plus pur accent écossais. David avait assez d'oreille pour deviner qu'il avait affaire à une personne issue de la classe ouvrière et originaire de la région de Glasgow. Sa vie au Bas-Canada, puis ses deux années dans l'armée nordiste lui avaient enseigné ces distinctions. Et son intelligence l'amenait à conclure que cet accent cadrait mal avec un patronyme comme Smith.

— J'ai sous les yeux une lettre du colonel Corcoran. Il m'écrit que vous êtes courageux, capable d'affronter le feu de l'ennemi sans sourciller, intelligent. Il ajoute : « trop intelligent même, toujours en train de discuter les ordres, poser des questions, vouloir savoir le pourquoi et le comment des opérations... »

Le silence convainquit David que ce jugement méritait une défense.

— Puisque c'est dans ma carcasse que le plomb risque de finir sa course, j'aime bien savoir pourquoi les officiers me demandent de me faire tirer dessus.

Le motif de cette rencontre échappait complètement à David : son lieutenant était simplement venu lui dire que pour avoir de l'avancement, il aurait intérêt à se présenter à l'hôtel *Dundee* à dix-sept heures.

— Corcoran m'écrit aussi que vous vous exprimez très bien en français, que vous avez effectué de longues études.

— Le collège, jusqu'au baccalauréat.

— Je pourrais vous embaucher. Cependant, pour cet emploi, il faut d'abord être capable de garder sa langue. Rien de ce qui se dira ici ne doit être répété. Vous répondrez personnellement de toute indiscrétion. Je ne dors jamais, j'ai toujours l'œil ouvert, et je retrouve mon homme, même si je dois aller le chercher au bout du monde !

— C'est à tout le moins ce que soutient votre publicité dans les journaux, monsieur Pinkerton !

L'autre demeura bouche bée, regardant la femme qui caressait du bout des doigts la culasse du fusil posé sur le guéridon. David tourna la tête vers elle. Ses yeux s'étaient habitués à la pénombre, assez pour voir un sourire sur ses lèvres.

— Vous avez l'esprit aussi vif que le dit Corcoran.

— Pourtant ce n'est pas bien difficile. Les mots que vous venez de prononcer se trouvent dans tous les journaux, dans les publicités de votre agence de détectives. Les journalistes les ont rappelés chaque fois qu'ils ont évoqué vos entreprises. Qu'elles aient été couronnées de succès ou non.

L'autre changea de position sur sa chaise et enchaîna après un court silence :

— Si vous avez étudié si longtemps, pourquoi vous être enrôlé dans l'armée de l'Union dès le déclenchement de la guerre ?

— Je n'avais ni le goût ni l'argent nécessaire pour entreprendre des études de théologie, de droit ou de médecine. Rien d'autre ne s'offre aux Canadiens français. Puis l'aventure…

Sur ces derniers mots, le jeune homme esquissa un sourire dépité. Marcher au pas, un fusil à la main, vers les lignes ennemies, ne ressemblait en rien aux actes militaires héroïques qu'il imaginait, collégien. Pourtant, des milliers de ses compatriotes avaient fait la même chose que lui. Le Bas-Canada offrait si peu de perspectives d'emploi ! Avant la guerre, les jeunes gens prenaient déjà le chemin des États-Unis en grand nombre pour travailler dans des manufactures, en forêt ou dans des fermes. Maintenant, l'armée recrutait tous les volontaires.

— Vous avez décidé de renouveler votre engagement. Actuellement, vous n'êtes pas démobilisé.

— Je soignais une blessure. Le colonel Corcoran vous l'a sûrement écrit.

— À la jambe droite. Il me dit aussi que vous êtes prêt à retourner au front. Vous croyez en la cause de l'Union ?

David était devenu soldat parce qu'il n'avait pas mieux à faire et l'abolition de l'esclavage lui paraissait un motif suffisant pour accepter bien des sacrifices. Le président Lincoln venait d'annoncer que les esclaves des États confédérés seraient légalement libres à la fin de l'année. Cela avait suffi à raviver l'enthousiasme de tous les abolitionnistes de la Nouvelle-Angleterre.

Le jeune soldat se contenta d'acquiescer après un instant de réflexion.

— Vous savez qui je suis, vous devinez ce que je veux : un agent capable de s'exprimer de façon impeccable en français, pour agir en territoire confédéré.

— Vous ne vous occupez plus des services secrets. La chose a été évoquée dans les journaux.

— Un service retenant l'attention de la presse n'est plus tellement secret. Maintenant, je peux me rendre utile au gouvernement dans la plus grande discrétion.

Cette explication en valait une autre.

— Pourquoi faut-il s'exprimer en français ?

— Pour utiliser l'identité d'un Français. Un Américain qui se pointerait à Richmond serait immédiatement suspect aux yeux des autorités confédérées. Vous êtes sujet britannique, mais cela n'aide en rien : pour utiliser cette identité, vous devriez posséder des lettres de créance du gouvernement du Royaume-Uni. Mais les Anglais ne nous donneront pas ce genre de documents. Ils font semblant d'être neutres pour mieux aider nos ennemis !

Dans toute l'Union, l'attitude de la Grande-Bretagne suscitait la plus grande colère. Tout en affectant la neutralité, elle appuyait la Confédération, s'affichait comme sa complice. La situation empirerait un an plus tard, quand des militaires sudistes mèneraient une attaque contre le Vermont à partir de Montréal.

— Les journaux français publient des articles sur la guerre, continua le détective. Un journaliste pourra rencontrer des officiers, discuter avec eux. Attentif, il apprendra un tas de choses : le moral dans l'armée ennemie, la qualité de l'équipement, les mouvements de troupes. En plus de publier des articles de journaux plutôt admiratifs envers les sudistes pour faire taire les soupçons, il pourra envoyer à Washington des messages codés.

— Le Sud a sûrement ses représentants en France, et les moyens de savoir si le journaliste en question existe. Il s'agirait seulement de chercher ses écrits dans la presse, là-bas, pour s'en assurer.

— Mais le journaliste dont je parle aura vraiment une identité, un passeport, ses articles seront publiés. Tout cela est déjà réglé. Il ne nous manque que la personne désireuse de jouer ce rôle.

— Un rôle terriblement dangereux. Je me souviens de ce qui est arrivé à Webster.

David aurait pu évoquer Pinkerton lui-même : le détective avait été identifié à deux reprises alors qu'il recueillait des informations dans le Sud, s'en tirant de justesse à chaque fois. Mais Webster avait fini une corde autour du cou, à giguer les pieds dans le vide !

— Une vraie connerie, cette histoire-là. Nous avions capturé tout un réseau d'espionnes à Washington, avec à leur tête une dame très respectable. Les idiots à l'esprit chevaleresque de la capitale n'ont pas voulu les pendre, ni même les emprisonner. Elles sont d'abord restées dans la maison de la femme qui les dirigeait, sous surveillance, puis on les a expédiées en territoire ennemi, à Richmond. À leur arrivée, elles sont allées vivre à l'hôtel où habitait Webster et l'ont reconnu dans la salle à manger : il avait enquêté sur elles ! Un hasard malencontreux, après une décision stupide.

Le détective secouait la tête, amer. Webster était un ami, l'une des premières personnes recrutées dans son agence. Il ajouta après un bref silence :

— Pour cette raison, il convenait que je ne m'occupe plus d'affaires secrètes… officiellement ! Si les militaires ignorent ce que je fais, ils ne pourront pas faire tuer mes hommes. Seul le commandant en chef doit savoir.

Le commandant en chef, c'était le président, Abraham Lincoln. Avocat de sociétés ferroviaires quelques années plus tôt, il avait engagé Pinkerton pour mettre fin à des activités criminelles. L'amitié s'était développée entre eux, la collaboration aussi.

— Et qu'est-ce que le pseudo-journaliste gagnerait à l'aventure ?

— Jouer un rôle significatif dans la défaite du Sud.

La mine du jeune homme, qui haussa les sourcils, convainquit Pinkerton que cela ne suffisait pas.

— Une paie de cent dollars par mois.

— Et le risque de finir comme Webster. Les espions ne sont pas faits prisonniers. Dans le pire des cas, ils sont torturés avant d'être exécutés.

— Les sudistes ne font pas cela…, commença Pinkerton.

Argumenter ne suffirait pas.

— Deux cents dollars par mois, opposa-t-il en grimaçant, comme s'il s'agissait de son propre argent. C'est presque la solde d'un colonel, c'est beaucoup trop pour un caporal !

— Avez-vous un colonel sous la main pour effectuer le travail ?

Ces mots valaient un assentiment. David sentit un vertige. L'argent bien sûr — jamais il n'en avait possédé autant —, l'aventure aussi, lui montaient à la tête. Plutôt que la frayeur, une excitation suspecte s'emparait de lui.

— La dame au fusil de chasse, au fond, recommença Pinkerton, s'appelle Elizabeth Warne. Elle dirige le personnel féminin de l'agence. Elle verra à votre éducation. Vous avez à peine deux semaines pour vous familiariser avec les usages du Sud, mais surtout pour apprendre comment chiffrer un message et nous le faire parvenir. Je présume que les deux dernières années vous ont montré comment tuer pour éviter de l'être.

Le détective se leva sur ces mots. David fit de même et alla vers la jeune femme qui s'avançait. Plus belle que simplement jolie, grande, bien faite, à peine trente ans, elle le gratifia d'un sourire chargé d'ironie.

Cinq minutes plus tard, riche de deux cents dollars — les paiements se continueraient tout au long de son séjour au sud de la frontière —, il quittait la chambre en compagnie de sa maîtresse en espionnage, un étui à violon à la main. Le fusil de chasse tronçonné y entrait tout juste.

— Passez tout de suite au New Jersey, avant que les choses ne s'enveniment trop ici, murmura Pinkerton avant de refermer la porte sur eux.

❧

— Curieuse occupation, pour une femme.

Comme elle ne répondait pas, David jugea utile de préciser :

— Espionne… Je sais bien que les sudistes en ont utilisé plusieurs, mais tout de même. Cela ne me paraît pas très naturel.

— Le patriotisme d'une femme vaut celui d'un homme, rétorqua-t-elle de mauvaise grâce. Comme elle ne peut aller combattre sur les champs de bataille, il ne lui reste pas beaucoup d'autres façons de contribuer à la cause.

Ils avaient pris vers l'ouest dans la 9e Rue, s'enfonçant dans Greenwich Village. Même si le couple improbable qu'ils formaient — une femme très élégante et un ouvrier — attirait l'attention des émeutiers, ils progressèrent sans encombre jusqu'à la rue Christopher. Cependant, plus près des quais, les gens semblaient frénétiques. Les cris de ralliement « À bas la conscription » et « Mort aux républicains » cessaient de se faire entendre, alors que « Tuez les nègres » résonnait de toutes parts.

Le soldat choisit de satisfaire sa curiosité plutôt que de laisser monter son inquiétude.

— Et comment faites-vous pour recueillir les informations que vous désirez?

— Les hommes qui participent à une opération militaire s'empressent d'entretenir de leurs prouesses leur femme, leur fiancée, leur maîtresse, ou alors la première prostituée venue. Ils se comportent en héros dans le seul but de pouvoir s'en vanter après. Et les femmes se meurent d'envie de trouver une amie afin de lui raconter ce qu'elles ont entendu. Je suis l'amie.

Présenté ainsi, cela paraissait terriblement simple. Il devait en aller autrement dans la réalité. En s'approchant du port, ils devaient fendre la foule. Le jeune homme se sentait totalement ridicule, son étui à violon pressé contre sa poitrine, frayant un chemin à une dame au large chapeau fleuri et à la silhouette élargie par une crinoline. Aussi décidèrent-ils d'emprunter une ruelle qui paraissait déserte.

Mal leur en prit, ils ne parcoururent pas dix verges avant de se retrouver encerclés par une demi-douzaine de personnages antipathiques, des gourdins ou des couteaux à la main.

— Où allez-vous comme cela? fit le plus grand d'entre eux, dont le gabarit l'autorisait à jouer au chef.

— Sur un navire, déclara David en cherchant la fermeture de son étui à violon. Laissez-nous passer.

— Embarque-toi si tu veux, mais ta bourgeoise reste avec nous.

Les hommes s'approchaient d'Elizabeth Warne les mains tendues, baladeuses.

— Quel cul elle a, Bill! lança un gringalet.

Bill, le chef de la petite bande, paraissait désireux de vérifier si le devant offrait des rondeurs aussi généreuses que l'arrière. Il eut juste le temps d'empaumer un sein, la détonation retentit. L'air surpris, les yeux écarquillés, un trou rond à la racine du nez, il s'affala de tout son long sur le dos. La jeune femme avait levé sa main gantée, serrée sur un tout petit pistolet, un derringer au canon long d'un pouce et demi à peine. À la quantité de jupons qu'elle portait, elle pouvait en avoir dissimulé une dizaine comme celui-là.

David réussit enfin à sortir le fusil de son étui à violon, alors que les assaillants reculaient de deux pas. Mieux valait ne pas leur donner le temps de se ressaisir. Ils continuèrent leur chemin, pour arriver jusqu'aux quais couverts de monde. Des Noirs cherchaient à monter sur des grands vaisseaux ou de plus petites embarcations, canots ou chaloupes, susceptibles de leur faire traverser le fleuve Hudson pour passer au New Jersey. Avant la fin de la journée, ce serait accrochés à des pièces de bois, ou alors tout simplement à la nage, que certains tenteraient leur chance.

Quelques douzaines de policiers protégeaient les passerelles des bâtiments amarrés au quai. Sur le pont de ceux-ci, des hommes armés de fusils s'efforçaient de ramener un semblant d'ordre dans l'opération d'embarquement. David avait pu remettre son arme dans son étui. Sans trop de mal, ils grimpèrent à bord d'un vapeur sur le point de partir. Elizabeth Warne incarnait la dame respectable cherchant à fuir la ville, sans avoir pris la peine de préparer un sac de voyage, n'apportant que son violon, dont un domestique se chargeait. Déjà, les cheminées crachaient une fumée noire et grasse : les roues à aubes étaient sur le point de se mettre en marche. Une dizaine de personnes eurent le temps de monter avant que ne soient larguées les amarres.

La femme avait payé très cher le droit d'aller en première classe. Le capitaine ne ratait pas l'occasion d'un bon profit :

sur le quai, des gens tendaient des poignées de billets de banque pour pouvoir monter. Ils se retrouvèrent à l'avant du navire, sur le pont supérieur, profitant d'une vue panoramique sur la rue en front de mer alors que le bateau s'engageait vers le sud. De très nombreux édifices flambaient. Dès que les émeutiers repéraient un Noir isolé, ils se mettaient à sa poursuite pour le battre à mort. Les victimes étaient ensuite jetées au fleuve, personne n'en connaîtrait jamais le nombre exact.

Certaines n'avaient pas même la chance de perdre conscience après quelques coups de gourdin. Du bastingage, le couple voyait clairement une foule agitée autour d'un lampadaire. Quelques hommes tiraient sur un câble, bientôt le corps agité de soubresauts d'un jeune Noir s'éleva dans les airs, les deux mains accrochées à la corde au-dessus de lui, pour retarder l'instant où il serait étranglé. Une voix féminine se fit entendre, venue de la foule :

— Faites griller le cochon, faites-le griller !

Une torche passa sous les pieds nus du pendu arrosé de kérosène. Il s'enflamma aussitôt. Un cri déchirant sortit de sa poitrine, alors que la joie éclatait chez ses tortionnaires. Portés par le vent, les hurlements de la victime et ceux de la foule parvenaient jusqu'au navire, de même qu'une odeur de chair brûlée. Heureusement, le capitaine obliqua vers l'ouest, faisant disparaître de sous leurs yeux le spectacle horrible.

— De vrais sauvages. Même pas, des singes soûls !

Elizabeth Warne, très pâle dans la lumière dorée du soleil couchant, avait murmuré ces quelques mots. Pendant les trente prochaines années, jamais les journaux américains ne caricatureraient, les Irlandais autrement qu'avec un faciès de chimpanzé, un gourdin dans une main, une bouteille d'alcool dans l'autre.

UN HOMME SANS ALLÉGEANCE

— Ils ont peur de crever de faim, une situation qu'ils redoutent pour l'avoir vécue en Irlande. Déjà, la misère est leur lot quotidien. Avec la loi d'émancipation, les esclaves en fuite vont envahir les villes du Nord, leur faire concurrence pour des emplois.

— Et pour contrer cette menace, rien de mieux que de brûler vifs des hommes innocents !

— Les sentiments esclavagistes, le racisme, le mépris des Nègres, les Américains du Parti démocrate les leur ont appris. Cela ne figurait pas dans leur bagage d'immigrant.

La belle Elizabeth Warne allait lui montrer comment chiffrer un message, lui expliquer où les déposer en divers endroits de Richmond, et lui donner les noms de quelques personnes sûres à qui s'adresser en dernier recours, si l'étau sudiste se refermait sur lui. Cependant, elle le regardait comme le représentant d'une race de dégénérés superstitieux. En cela, elle ne se distinguait pas de la majorité de ses compatriotes.

~

Pendant quatre jours, l'orgie de violence sévit dans la ville de New York. Les bureaux du gouvernement, les centres de recrutement de l'armée, les résidences des républicains et des abolitionnistes furent attaqués et pillés. Quant aux Afro-Américains, plusieurs dizaines furent mutilés, massacrés, parmi lesquels des femmes et des enfants. Une mère vit son nouveau-né arraché de ses bras et jeté par une fenêtre. Les logements, les commerces qui les recevaient, y compris les bordels, furent systématiquement réduits en cendres. Les Blanches qui partageaient l'existence d'un Noir, tout comme les prostituées qui les acceptaient comme clients, furent attaquées par la foule. Comme l'État de New York refusa d'utiliser la milice, le gouvernement fédéral dépêcha des troupes depuis Gettysburg pour ramener l'ordre. Au terme de ces affrontements, un millier de personnes avaient perdu la vie.

Chapitre 2

La veuve Surratt dirigeait une pension de famille assez modeste au 541, rue H, à Washington. Si David Devlin habitait là, en décembre 1864, cela tenait moins aux qualités d'hôtesse de la maîtresse des lieux qu'aux rumeurs tenaces qui circulaient jusqu'à Richmond. Des officiers sudistes lui avaient confié que les amis de la cause confédérée fréquentaient l'endroit. Un télégramme de monsieur Dupont lui avait demandé de passer à Washington afin de jeter un peu de lumière sur les projets d'attentats formulés dans les cercles favorables à l'ennemi. Cherchant un pseudonyme à consonance française, Pinkerton n'avait rien trouvé de mieux que le patronyme d'un entrepreneur qui amassait des millions en fabriquant des explosifs pour l'armée nordiste.

Déjà, une balle avait percé le haut-de-forme d'Abraham Lincoln alors qu'il chevauchait dans la nuit. À cette époque, un changement de président aurait pu mettre fin à l'effort de guerre du Nord, ou à tout le moins conduire le gouvernement à négocier une paix honorable, incluant la reconnaissance du fait accompli de la sécession. Pour une frange importante et croissante de la population, des dizaines de milliers de morts, c'était trop cher payé pour conserver l'unité du pays. Avec un chef un peu moins déterminé, moins habile à rallier les électeurs du Nord, la paix serait devenue inévitable.

Mais à la fin de l'année 1864, même une stratégie aussi désespérée que l'assassinat politique ne servait plus à rien. Les États confédérés allaient perdre la guerre. Continuer encore le combat paraissait pure folie. Cela ne pouvait conduire qu'à plus de morts, plus d'infirmes et à la destruction de territoires entiers. La poursuite des hostilités tenait d'un désir d'annihilation morbide de la part des dirigeants sudistes. Alors que les services secrets officiels relâchaient leur attention, parce que le sort du conflit était désormais joué, David Devlin gardait la conviction que les risques s'étaient accrus. Toutes les personnes attachées à la cause du Sud devaient rêver de punir celui qui les avait mises en échec.

— Quel dommage que vous n'écriviez pas en anglais !

Mary Surratt regardait une copie du *Petit Journal*, où un texte portait la signature d'Étienne De Lahaye. David Devlin vivait depuis quinze mois sous cette identité. Mary était venue le rejoindre dans le salon mis à la disposition des locataires, le dernier de sa série d'articles sur la résistance de Richmond à la main.

— Ce serait plein de fautes. À l'écrit, mon accent est encore pire qu'à l'oral !

— Ne dites pas cela, votre anglais est très bon, votre accent, charmant.

Elle lui fit un grand sourire. À quarante ans bien sonnés, Mary Surratt était toujours une belle grande femme. Veuve, elle élevait seule une jeune fille adolescente. Ses locataires lui permettaient de vivre décemment. Elle se montrait particulièrement agréable avec le nouveau venu. David avait volontairement laissé traîner des copies du journal où il publiait. Cela établissait son alibi, tous pouvaient voir les textes qu'il envoyait en France, à l'état de manuscrit, revenir imprimés quatre semaines plus tard, après un aller-retour sur l'Atlantique. Pas un instant il n'avait douté que son courrier fût ouvert par les autorités.

Mary Surratt avait surmonté sans difficulté l'obstacle de sa méconnaissance du français. Des amis francophiles lui traduisaient les passages les plus touchants. Afin d'avoir accès aux politiciens, et même aux officiers de Richmond, David avait su trouver le ton juste. Sans jamais reconnaître la légitimité d'une société fondée sur l'esclavage, ni celle de la sécession de certains États de la fédération américaine, il présentait les armées du Sud comme vaillantes, d'un courage inébranlable, ses officiers comme de fins stratèges à l'esprit chevaleresque. Au gré de ses écrits, l'espion voyait les sourires de ses vis-à-vis devenir plus engageants, les confidences se faire plus intimes et les invitations affluer en plus grand nombre. Les sudistes percevaient ses textes comme l'expression de la reconnaissance de leur cause par la France… alors que jamais ce pays n'était allé jusque-là.

Les premiers articles de David avaient été l'objet d'un travail d'édition considérable. Les derniers paraissaient sans la moindre modification. Non seulement le jeune homme avait compris comment composer avec les attentes de la presse périodique, mais il s'était pris au jeu. La guerre ne durerait pas toujours, il se promettait de tenter ensuite sa chance dans le journalisme, en anglais ou en français. Le plus difficile, pendant tout son séjour à Richmond, avait été de gommer sa prononciation yankee, acquise dans les troupes nordistes, pour s'exprimer dans un anglais grammaticalement exact, mais avec le lourd accent français que son hôtesse trouvait si charmant.

Comme celle-ci s'était assise dans un fauteuil placé près de la cheminée — décembre à Washington se révélait pluvieux et froid —, David remit *The Tribune* sur la pile de journaux à proximité de sa chaise et lui adressa son sourire le plus encourageant. Elle se mordit la lèvre inférieure, hésitante, puis demanda sur le ton de la conspiration :

— Vous êtes demeuré longtemps à Richmond ?

— Une quinzaine de mois. En réalité la moitié, puisque j'ai visité tous les États de la Confédération. Je voulais les présenter au public français. Mes compatriotes ne sont pas très forts en géographie.

— Donc, vous connaissez très bien la situation là-bas.

Là se trouvait tout l'intérêt de la stratégie de Pinkerton. Un journaliste étranger pouvait aller partout, poser les questions les plus naïves et finalement tout voir. David gardait son sourire engageant. Mary Surratt se compromit :

— La situation est-elle vraiment sans espoir ?

— J'en ai peur. Avec sa population, ses manufactures, sa richesse, le Nord peut imposer sa volonté.

— Vous voulez dire sa dictature.

Tous deux marchaient sur une glace très mince. Se reconnaître, entre conspirateurs, présentait bien des risques. Comment être sûr des convictions de l'autre sans se mouiller soi-même ?

— Tout cela à cause de ce monstre qui se comporte en tyran tout en se réfugiant sous le couvert de la légalité, fit la femme dans un soupir.

David affichait son visage le plus sérieux.

— Cette guerre est franchement horrible, murmura-t-il enfin.

— Tout cela à cause d'un seul individu. Il lui faudra bien payer, un jour.

Le jeune homme regarda en direction de la porte, comme s'il craignait des oreilles indiscrètes, puis conseilla :

— Faites attention, si quelqu'un vous entendait…

— Mais nous sommes entre amis, ici. Enfin, je crois que je peux vous compter parmi mes amis.

— Oui, bien sûr !

Ces mots se teintèrent d'un peu de compassion pour cette patriote. Les échanges portèrent ensuite sur des sujets anodins. Cependant, une réserve était tombée. Désormais, à table, au moment des repas, ou dans le petit salon, les autres ne changeraient plus de sujet de conversation à son arrivée. Au contraire, les invitations à se joindre à eux venaient spontanément. Un thème dominait les échanges : la catastrophe qui s'abattait sur le Sud n'avait qu'un seul responsable. Au mieux, s'il arrivait malheur à Abraham Lincoln, le cours des choses changerait peut-être. Au pire, une simple vengeance serait un baume sur des plaies.

❦

Depuis trois ans, la plus grande crainte avait été que les sudistes s'emparent de Washington, puisqu'elle se trouvait si près de la frontière. Les rues de la capitale grouillaient de militaires qui assuraient la défense de la ville. S'ajoutaient à eux tous les individus à la recherche d'un contrat ou d'une position. En plus des occasions d'affaires liées à l'effort de guerre, il était maintenant beaucoup question de la reconstruction des États confédérés que l'on n'avait pas encore fini de détruire. Ce serait chose faite dans quelques mois.

En se dirigeant vers l'hôtel *Willard*, David Devlin effectua un détour pour passer devant la Maison Blanche, située aussi avenue Pennsylvania. Pendant longtemps, il se joignit aux curieux massés sur le trottoir. Les plus audacieux s'engageaient sur la pelouse, s'avançaient pour converser avec les quelques sentinelles postées près de l'édifice. Parmi ces badauds se trouvaient sans doute des agents confédérés, ou à tout le moins des sympathisants prêts à relayer des informations. Cent personnes déterminées auraient suffi à s'emparer de l'édifice.

— Et dix, à se rendre maîtres de ce grand dadais! chuchota David entre ses dents.

Abraham Lincoln mesurait deux bonnes verges. Son chapeau haut de forme ajoutait encore à sa silhouette longiligne. Il montait justement dans sa voiture stationnée sous le porche. Une calèche! Un tout petit peloton aurait suffi à faire main basse sur lui, car il s'engagea bientôt dans la rue, accompagné d'une demi-douzaine de cavaliers seulement. Surtout, dans ce véhicule découvert, une personne rompue à la chasse au dindon sauvage, armée d'une carabine, aurait pu lui régler son compte. Tous les États confédérés regorgeaient de chasseurs!

De la Maison Blanche, quelques minutes suffisaient pour atteindre l'hôtel *Willard*, un grand établissement moderne de pierres grises, haut de douze étages. Même en plein après-midi, une certaine agitation régnait. Il s'y déroulait plus de tractations politiques ou financières que dans n'importe quelle officine gouvernementale. Pinkerton occupait une table à l'écart dans un angle du bar, de façon à ce que personne ne puisse échapper à son regard ni le surprendre par-derrière. Après l'avoir rejoint, David commanda une bière. Aucun des deux hommes ne dit rien avant que le serveur ne soit revenu porter le verre.

Peu doué pour les conversations anodines, Pinkerton préférait l'économie de mots.

— Alors, qu'en est-il du nid d'espions de la bonne madame Surratt?

— C'est bel et bien un nid d'espions et, plus important, de conspirateurs prêts à obtenir vengeance, s'ils doivent renoncer à tout espoir de victoire.

— Toute la population du Sud veut se venger. Cela lui passera dès la fin des hostilités, surtout que le président leur consentira des conditions de retour dans l'Union très bénignes. Après tout ce carnage, les sudistes seront heureux de la paix retrouvée.

— Les nations vaincues gardent leur rancœur longtemps, parfois des siècles.

David s'exprimait en bon Irlandais. L'hécatombe de la bataille de la Boyne et les mesures tyranniques qui avaient suivi, plus de cent cinquante ans plus tôt, lui demeuraient en travers de la gorge, comme à tous ses compatriotes. Il glissa une feuille soigneusement pliée vers le détective. Celui-ci l'empocha discrètement. Le geste passa inaperçu. À cet endroit, trop d'enveloppes s'échangeaient, dessus ou dessous les tables, pour que cela trouble qui que ce soit.

— Si vous croyez que cela est important, vous pouvez garder l'œil sur eux encore quelques semaines. Nos relations vont tout de même prendre fin au milieu de janvier. La guerre se termine. Il s'agira de voir si l'ennemi attendra jusqu'à ce qu'il n'y ait plus pierre sur pierre dans les États confédérés, ou s'il aura la sagesse de céder avant.

Un congédiement! Cela expliquait le rendez-vous dans un endroit aussi public que le *Willard*. Pinkerton était connu dans la ville. Qu'un journaliste français le rencontre paraîtrait bien improbable à tous les témoins de la scène… au point de détruire sa couverture. Celle-ci devenait inutile, tout simplement.

— Vous avez fait un travail remarquable. Vous pourriez rester à l'emploi de l'agence pour vous occuper d'affaires criminelles, plutôt que militaires. Les conditions financières différeraient toutefois. Pas de prime de risque!

La mise à pied s'accompagnait d'une offre d'emploi, la pilule s'en trouvait moins amère.

— Il faudrait voir les conditions…

— Et le travail à effectuer, interrompit le détective. J'ai déjà un client pour vous. L'adresse de celui-ci se trouve dans l'enveloppe, et la date d'un premier rendez-vous. Si vous décidez de ne pas vous y rendre, faites-le-moi savoir, tout simplement. Je lui proposerai un autre agent.

À son tour, Pinkerton glissa un pli en travers de la table, vida son verre d'un trait, se leva après un salut et quitta la salle, plus laconique qu'à leur première rencontre.

David ouvrit son enveloppe : sa paie jusqu'au 15 janvier, pas un sou de plus malgré tous les risques courus ! En plus des billets de banque, il trouva la carte de visite du consul du gouvernement du Royaume-Uni à New York. Au verso, une date, le 16 janvier 1865, un moment, quinze heures.

❧

À la mi-janvier, après avoir envoyé une dernière série d'articles à Paris, David Devlin quittait la pension de Mary Surratt. Elle se tenait dans le vestibule, particulièrement élégante dans sa robe grise, ses cheveux noirs ramenés en bandeaux de chaque côté du visage et attachés sur la nuque.

— Nous ne nous verrons plus. Je vous regretterai, fit-elle, la voix chargée de tristesse.

— Mon journal m'a rappelé en France. Pour eux, l'intérêt est tombé, maintenant que l'issue du conflit est connue.

— Pourtant, il peut se passer encore bien des choses.

Elle avait redressé la tête, affichant tout d'un coup un air de défi. Tellement que le jeune homme jugea utile de dire :

— Faites attention. Il serait dommage de courir des risques alors que le sort en est jeté.

Les heures de conversation avaient fait naître chez lui une réelle admiration pour cette femme déterminée, enflammée pour une cause perdue qu'elle se plaisait à appeler la liberté. Là se trouvait l'ironie de la situation : les sudistes se déclaraient prêts à mourir pour continuer à tenir la moitié de la population de leur territoire en esclavage !

— Ne vous en faites pas pour moi. Votre gentillesse me touche, cependant. Vous devez passer par New York ?

— La moitié des transatlantiques y arrivent ou en partent. Ce sera plus simple pour rentrer chez moi.

— Alors, vous pourriez me rendre un dernier petit service ? Remettre une lettre à un ami ?

— Oui, bien sûr.

Elle prit une enveloppe posée sur un guéridon. David vérifia qu'elle portait le nom du destinataire, un certain John Wilkes Booth, et l'adresse d'une pension de famille. Il la glissa dans la poche intérieure de sa veste. Très maladroitement, ils se serrèrent la main sur un dernier adieu.

En train, quelques heures séparaient Washington de New York. David arriverait à destination au matin du 16 janvier 1865. Pour ce dernier jour de son travail d'espion, le jeune homme s'était payé un compartiment privé. Au cours des prochains mois, il risquait de voyager sur les banquettes de bois de la deuxième classe. Autant profiter encore d'un certain luxe. Les jambes allongées sur les coussins moelleux, il prit connaissance de la missive de Mary Surratt à l'intention de John Wilkes Booth. L'enveloppe était fermée avec un peu de cire à cacheter. Un fil d'acier chauffé au-dessus d'une lampe à gaz lui permit de soulever en partie le cachet. Plus tard, il pourrait refermer le pli en le plaçant à nouveau près de la flamme. Rien n'y paraîtrait. La lettre ne comptait que quelques mots : « S'il n'est pas possible de capturer le Grand Singe, le mieux est de tuer la bête enragée pour qu'elle ne nuise plus. » Les mots étaient écrits en lettres carrées, aucun destinataire, aucune signature. Rien n'indiquait que Booth et Surratt correspondaient ensemble. L'enveloppe portait bien un nom, mais la logeuse pourrait toujours dire qu'elle n'y avait pas mis le message sibyllin.

David pouvait tirer beaucoup de ces quelques mots. Le nom de Booth ne lui était pas totalement étranger. Il s'agissait de celui d'un comédien assez connu, qui ne jouissait toutefois pas du statut de vedette. Le message lui-même ne pouvait être plus limpide : le Grand Singe, *the Big Ape* en anglais, à la place de *the Great Abe*, le grand Abe, le surnom d'Abraham Lincoln. Partout dans le Sud, on s'était amusé à changer la lettre du milieu de ce diminutif.

Avant d'ouvrir la banquette pour dormir, David mit un point final à son travail d'espionnage auprès des sudistes en rédigeant un rapport à l'intention de Pinkerton. L'opération de « chiffrage », pour se protéger des regards indiscrets, dura jusqu'à minuit passé. Chômeur, il se coucha satisfait d'avoir mené à bien sa dernière mission, convaincu que quelqu'un prendrait le relais et suivrait cette piste.

❦

David Devlin ne connaissait pas vraiment New York. Tout de suite après sa descente du train, en 1861, il s'était retrouvé dans les baraquements du Fighting 69th et ne les quitta que pour partir au combat. Son passage dans la ville, en 1863, avait été aussi bref que mouvementé. Lors de son arrivée, au matin du 16 janvier 1865, il découvrait la cité. Elle comptait plus d'un million d'habitants, ce qui n'incluait pas ceux de Brooklyn, plus petite ville située de l'autre côté de la East River. Les grandes bâtisses et la foule laissaient pantois l'enfant de Rivière-du-Loup. Les cicatrices des désordres causés par la loi de conscription demeuraient nombreuses. Sur Broadway, la plupart des édifices détruits en 1863 par les émeutiers n'avaient pas été reconstruits. Les blessures infligées aux hommes se montraient plus cruelles encore. Dans la gare ou la rue, des dizaines d'estropiés erraient, un membre en moins, aveugles, ou alors la moitié du visage arrachée. Ces vétérans laissés à eux-mêmes dépendaient de la charité, individuelle ou organisée.

Aux victimes de la guerre s'ajoutaient celles de la science. Une nouvelle découverte, la morphine, avait permis à des blessés d'échapper à leurs souffrances. Les médecins ne connaissaient pas encore les risques d'accoutumance au médicament. De très nombreux soldats ne revenaient à la santé que pour consacrer tous leurs efforts à se procurer leur dose quotidienne. Prêts à tout, ils représentaient autant de criminels en puissance. D'autres, sans jamais avoir profité du produit en contexte hospitalier, poursuivaient la même quête, menée au hasard d'une expérience, juste pour en expérimenter l'effet.

Pendant ses premières minutes dans la ville, pris de pitié, David avait distribué quelques dollars en aumônes. Un cortège de miséreux s'accrocha à ses basques, chacun quémandant sa pièce, une procession d'hommes la main tendue derrière lui. Il dut finalement invectiver les plus tenaces, accélérer le pas pour les semer, avant de retrouver un peu de paix. Leurs besoins dépassaient les moyens d'un individu, inutile de vider ses poches pour ne rien changer à la misère ambiante. Plutôt apprendre à se durcir le cœur.

❧

Ne connaissant pas la ville, David décida de se présenter à la réception de l'hôtel *Dundee*, un établissement fréquenté par de petits commerçants venus s'approvisionner en produits importés pour la prochaine année. Une chambre, louée pour trois jours, lui donnerait le temps d'avoir une meilleure idée de son avenir. Le consulat de la Grande-Bretagne ne se trouvait pas très loin. Il fit sa toilette et chercha un endroit où manger avant de s'y rendre. À quinze heures pile, le heurtoir de bronze signifiait sa présence à la porte du 161, 4ᵉ Rue Ouest. À la jeune femme qui vint lui ouvrir, il se présenta comme Étienne De Lahaye.

— Je crois que sir Archibald m'attend, précisa-t-il.

Elle hésita, s'effaça en disant « Veuillez entrer », referma soigneusement la porte et la verrouilla avant d'enchaîner un « Suivez-moi ».

Dans la bibliothèque, un monsieur assez vieux était assis dans un fauteuil de cuir, une théière pleine et deux tasses à portée de la main. Il se leva, le temps de remercier sa fille, Édith, puis invita son visiteur à s'asseoir de l'autre côté de la table. Ce gros homme barbu, à la physionomie débonnaire, dirigeait un véritable réseau d'espionnage et envoyait régulièrement à son gouvernement des dépêches riches en informations pertinentes.

Quand ils furent seuls dans la pièce, le diplomate commença :

— Monsieur Devlin, ou préférez-vous que je vous appelle monsieur Langevin ?

— Depuis mon septième anniversaire, je porte le nom de mes parents adoptifs. Mais au Canada, les gens utilisent l'un ou l'autre des patronymes, ce qui me convient très bien.

Son interlocuteur avait fait ses devoirs avant cette rencontre.

— Pour ce que je souhaite vous offrir, votre identité irlandaise conviendrait mieux. Vous avez laissé un souvenir positif au curé de la paroisse où vous avez grandi, et même aux professeurs du Collège Sainte-Anne. Vos supérieurs dans l'armée vous ont reconnu des qualités réelles, ne trouvant à redire qu'au sujet de votre rapport à l'autorité. Surtout, votre dernier employeur se montre emphatique à votre endroit : courageux, prudent, rusé, posé, habile analyste des situations politiques.

Jamais David n'aurait cru que Pinkerton avait une aussi bonne opinion de lui !

— Cependant, il y a une chose que j'ignore. À qui va votre fidélité ? En tant que Canadien, vous êtes un citoyen britannique. Vous l'êtes doublement, puisque vous êtes né en Irlande. Une bonne proportion de vos compatriotes conteste cette appartenance. Puis vous vous battez pour le compte du gouvernement américain depuis bientôt quatre ans ! De quelle identité vous réclameriez-vous, devant un Allemand ou un Suédois qui vous poserait la question ?

Bien sûr, le consul de Grande-Bretagne ne voulait pas recourir à ses services pour retrouver une pipe égarée. Il devait connaître son allégeance. S'attendre à la question ne signifiait cependant pas que la réponse soit simple.

— À un Allemand ou à un Suédois, je répondrais Canadien français. J'ai bien peur de ne pas vous satisfaire.

— Vous ne me décevez pas non plus ! En fait, dans le conflit qui oppose une partie de la population irlandaise au Royaume-Uni, participeriez-vous à un mouvement révolutionnaire ou défendriez-vous le gouvernement légitime ?

— Je vais vous répondre en Canadien. Je serais disposé à appuyer les réformistes qui veulent obtenir des changements d'une façon légale. Mais il se pourrait bien que l'entêtement des autorités à ne rien concéder me rende impatient. Comme les Canadiens se sont impatientés en 1837 et 1838.

— Pinkerton aurait pu ajouter la franchise à vos qualités. Je me vois donc forcé d'être plus précis. Je vous demande, sur l'honneur, de ne pas répéter ce que je vous dirai ici.

— Je vous donne ma parole.

L'autre prit le temps de verser du thé dans les deux tasses avant de se caler à nouveau au fond de son fauteuil.

— En 1858, James Stephens, un révolutionnaire impliqué dans les soulèvements de 1848, a formé une nouvelle société, la Irish Republican Brotherhood. Il y avait été invité par des hommes habitant New York, dont un certain John O'Mahony. Il y a une filiale américaine à cette organisation, la Fenian Brotherhood. Le nom a été choisi par O'Mahony, une référence à une communauté de chevaliers du début de l'ère chrétienne, la Fianna, si je me souviens bien.

— Je connais les féniens. J'ai même été initié dans l'un des cercles de l'association, alors que j'étais dans l'armée.

Sir Archibald afficha sa déception. Il continua tout de même :

— Vous savez donc tout des objectifs de cette société. En Amérique, il s'agit d'alimenter le trésor de guerre de Stephens. En Irlande, les membres se préparent à renverser le gouvernement par la force. En quelque sorte, les États-Unis doivent fournir l'argent et l'Irlande, la main-d'œuvre révolutionnaire.

— J'en garde un souvenir un peu plus romantique. Les féniens se retrouvaient dans une taverne, chantaient des airs mélancoliques sur le vieux pays, écoutaient des reels ou des gigues en tapant du pied. Puis les bazars, les pique-niques permettaient de rencontrer de jolies Irlandaises. Rien de plus dangereux.

Les féniens nourrissaient une certaine nostalgie à l'égard de leur lieu d'origine, tout en fournissant une solidarité bienvenue à une communauté victime d'un racisme virulent.

— Ce que vous dites est vrai, admit Archibald, un peu rasséréné. Mais pendant les mois que vous avez passés à

Richmond, les choses ont pris une tournure un peu plus inquiétante. Au sentiment antibritannique, qui s'est répandu au sein de la population américaine en général, s'ajoute pour certains le rêve d'obtenir l'indépendance de l'Irlande.

— Votre gouvernement a été imprudent d'afficher sa sympathie pour les confédérés. Je comprends qu'une Amérique amputée de ses États du Sud porterait moins ombrage à la place de votre pays dans le monde. Mais le Nord industriel ne pouvait pas perdre contre le Sud agricole.

Cette fois, il eut droit à un sourire amusé de la part du diplomate.

— Pinkerton vous a sous-évalué. Spécialiste des affaires étrangères, aussi ! Mais vous savez sans doute que si un juge canadien-français n'avait pas libéré les auteurs du raid contre Saint Albans, les Américains ne seraient pas si fâchés contre nous*!

— Vos magistrats ont permis la construction de bâti-ments de guerre utilisés ensuite par des corsaires sudistes pour couler deux cent cinquante navires marchands de l'Union, en contravention des lois de votre propre pays. En

---

* En 1864, les sudistes lancèrent une attaque contre le Vermont à partir de Montréal. Charles-Joseph Coursol, chargé de juger ces hommes, les libéra, en contravention de la loi. Il fut un moment démis de ses fonctions, en guise de punition, après que les États-Unis se furent plaints. Par ailleurs, plusieurs navires construits — et approvisionnés — au Royaume-Uni coulèrent une quantité considérable de bâtiments marchands américains. Les États-Unis réclamèrent des compensations. C'est ce que les manuels d'histoire appellent la Alabama Claim, du nom du navire qui avait infligé le plus de dommages à la marine marchande américaine. En 1872, un tribunal d'arbitrage interna-tional condamna le Royaume-Uni à payer quinze millions de dollars aux États-Unis. Jusqu'au règlement de l'affaire, des politiciens américains préten-dirent qu'il aurait fallu réclamer deux milliards de dollars, payables en nature : le Royaume-Uni n'avait qu'à remettre le Canada au gouvernement de Washington.

conséquence, le secrétaire d'État des États-Unis, Seward, répète sur toutes les tribunes son désir, une fois la victoire acquise sur le Sud, de conserver les troupes en uniforme une semaine de plus pour conquérir le Canada. Ensuite, pour faire bonne mesure avec la France qui a placé un homme de paille sur un trône à Mexico, envahir aussi le Mexique* et s'emparer de la portion de ce pays qui n'a pas été annexée de force dans les années 1840 !

Pouvait-on faire un espion d'une personne aussi critique de son gouvernement ? D'un autre côté, des imbéciles exaltés formaient l'essentiel de ses informateurs. Le consul ne savait jamais si ce qu'ils racontaient tenait de leur délire ou d'une juste perception des faits. Ceux qui agissaient pour de l'argent, susceptibles de se tourner un jour vers un meilleur enchérisseur, ne s'avéraient pas plus fiables.

— Laissons de côté vos analyses politiques. Je désire quelqu'un capable d'infiltrer le mouvement fénien et de me faire un compte rendu fidèle et régulier sur ses projets.

— Quelle serait ma couverture ? J'ai aimé jouer au journaliste. Surtout, je ne voudrais pas être obligé de travailler tout le jour dans un abattoir ou dans un atelier de métallurgie, pour me frotter à des Irlandais.

— Essayons donc de nous en tenir au journalisme. J'ai lu vos articles publiés à Paris. Je ne peux pas vous faire engager dans un journal irlandais, je n'ai pas de contact chez eux. Mais un périodique franchement américain, républicain ou démocrate, j'y arriverai.

Cette éventualité, plus que sa fidélité au gouvernement du Royaume-Uni, convainquit David Devlin d'accepter

---

* L'empereur des Français Napoléon III plaça Maximilien sur un trône impérial au Mexique en 1864, l'assurant de son appui. Sous les pressions du gouvernement des États-Unis, l'armée française se retira en 1866. Défait par le républicain Juarez, Maximilien fut jugé et fusillé en 1867.

cette offre. Il voulut néanmoins se donner du temps pour réfléchir encore.

— Il conviendrait de discuter tout de suite des conditions de travail. Je suis venu ici une fois, c'est déjà trop. Si je dois jouer le rôle d'un fénien, le consulat britannique est le dernier endroit où je dois être vu. Les chefs de cette organisation révolutionnaire doivent avoir quelqu'un dans cette maison, afin de savoir qui y entre et en sort.

— Je multiplie les efforts pour éviter que cela ne se produise.

— Ce qui ne signifie pas que vous y arrivez. Quel canal pourrais-je utiliser pour vous faire parvenir des rapports? Une personne sûre, que je verrai sans éveiller les soupçons.

L'autre réfléchit un instant, sourit enfin avant de dire:

— À votre âge, personne ne se surprendrait si vous rencontriez une femme. Dans cette ville, les règles élémentaires du savoir-vivre et de la prudence sont couramment bafouées par les jeunes gens. Une demoiselle peut fréquenter un homme sans être accompagnée d'un chaperon. Ma fille, celle qui vous a ouvert la porte tout à l'heure, pourrait jouer ce rôle.

— Ça ira. Je verrai avec elle la façon de procéder. Pour la première fois, le mieux serait une rencontre dans un endroit public, de préférence en plein air.

La demoiselle lui avait semblé plutôt jolie, comme les Anglaises savent l'être: dents solidement plantées, peau très claire, cheveux châtains, yeux gris. La mémoire photographique du jeune homme ne servait pas qu'à jauger l'équipement d'un régiment envoyé au front…

❧

Dans la bibliothèque, les deux hommes discutaient tout près d'un paravent couvert de soie, présentant une scène chinoise finement brodée. Juste derrière lui se trouvait une petite ouverture dans le mur, un passe-plat, vestige de l'époque où la pièce servait de salle à manger. Édith Archibald avait placé une chaise tout près, afin de ne pas rater un mot de la conversation. Son père s'était laissé convaincre de lui permettre de monter ainsi une garde discrète alors qu'il recevait des informateurs, pour prendre des notes.

En rougissant de plaisir, elle entendit son père évoquer le rôle qui lui incomberait : rencontrer ce jeune homme régulièrement, afin de recevoir ses informations. Bien sûr, sa mine plaidait en sa faveur. Elle l'avait vu juste assez longtemps pour apprécier sa grande taille, sa chevelure noire et son teint plutôt pâle, ses manières exquises… et cet accent français qu'il avait affecté en lui parlant ! Elle entendait maintenant son anglais correct, celui d'un Américain particulièrement bien éduqué. Plus tard, elle saurait qu'il pouvait adopter la plus pure prononciation yankee : l'oreille d'un musicien, pour se fondre dans la foule. La personnalité valait l'enveloppe : elle avait eu du mal à ne pas pouffer de rire quand l'espion s'était risqué à critiquer l'attitude du gouvernement britannique à l'égard des États-Unis. Son plaisir l'empêcha presque d'entendre la suite :

— Notre première rencontre, vendredi prochain, aura lieu à Central Park. Je l'attendrai à l'angle nord-est. Des fiacres s'arrêtent là en permanence.

— Je lui transmettrai le message, si vous acceptez mon offre.

— Ce serait plus facile pour moi de me faire une opinion si vous me précisiez quelle rémunération vous avez en tête.

— Pinkerton m'a dit combien il vous versait. Une somme plus importante que celle que mon gouvernement m'a consentie.

— Un salaire honnête pour un travail dangereux, que j'ai mené à bien à sa plus grande satisfaction.

Ils discutaient comme des paysans devant s'entendre sur le prix d'un cheval.

— Ce que je vous propose présente moins de danger.

— Combien ?

— Cent dollars par mois. Un montant compatible avec votre âge et votre statut de journaliste.

Un silence suivit ces mots. D'une solde de colonel, David passait à celle d'un lieutenant. D'un autre côté, jamais il n'aurait pu obtenir autant dans un autre emploi.

— Entendu. Je reviendrai à la charge lorsque je vous aurai prouvé mon utilité.

— Un dernier mot avant de nous quitter. Vos habits…, commença le consul.

Derrière son paravent, Édith se remémora la redingote grise de David, son pantalon noir, sa cravate blanche et le grand chapeau tenu à la main dès qu'elle avait ouvert la porte.

— Je sais, je semble débarquer de Savannah. Au moment où je quitterai mon hôtel, je ressemblerai à un journaliste new-yorkais : melon sur le crâne et paletot de laine.

Quelques instants plus tard, le consul reconduisait son nouvel agent à la porte.

◆

En cherchant un endroit où passer la soirée, David déposa la lettre de Mary Surratt à la pension de John Wilkes Booth. L'homme n'était pas là, une domestique prit l'enveloppe soigneusement recachetée en l'assurant qu'elle la remettrait en main propre à son destinataire.

Chapitre 3

Changer d'allure, comme les comédiens! New York deviendrait la scène de David, pour une pièce sans durée déterminée. Pour passer inaperçu, il lui fallait d'abord de nouveaux vêtements.

Les grands magasins, tout comme de nombreux hôtels et théâtres, se trouvaient sur Broadway, surtout du côté ouest de l'avenue. Le jeune homme remonta la rue à pied sur une longue distance, ne sachant trop où aller tellement le choix abondait. Le long du Mille des Dames s'alignaient d'immenses commerces, comme celui de Stewart, qui occupait tout un pâté de maisons à la hauteur de la 10e Rue. Même si rien ne se trouvait là pour lui, il ne put résister à l'envie d'y entrer. Des centaines d'élégantes, dans leurs vastes crinolines, se déplaçaient entre les étals comme des navires toutes voiles dehors. Ce vêtement comptait huit cerceaux d'acier fin et souple, le plus bas à quelques deux pouces du sol, le plus haut juste sous les fesses. Dans cet accoutrement, les plus petites devenaient plus larges que grandes...

Parmi ces temples de la consommation féminine, quelques-uns recevaient la clientèle masculine. Les vitrines s'ornaient de panneaux dressant la liste et les prix des marchandises. Parfois, un commerce tendait un fil de fer sur toute la largeur de la rue, pour y pendre de larges toiles couvertes de publicités peintes.

Dans un établissement au nom prometteur de Taylor, David combla tous ses besoins : une demi-douzaine de chemises, trois pantalons de serge, deux gilets, deux vestes, quelques cravates, un col amidonné. Il ajouta des chaussettes en quantité suffisante pour que personne ne s'inquiète de son odeur, à une époque où se laver une fois la semaine tenait de l'exploit, et deux fois l'an paraissait tout à fait raisonnable. Un paletot de laine — l'hiver, la neige restait au sol deux ou trois jours — et un joli melon, un couvre-chef qui deviendrait terriblement à la mode vingt ans plus tard, complétèrent le tout.

Si ses achats pouvaient lui être livrés directement à son hôtel, David revêtit sur-le-champ un gilet, une veste, le paletot et le chapeau. Ses vêtements sudistes, placés dans un sac, iraient au premier mendiant venu. Ce nouvel accoutrement lui permit de se fondre aux milliers d'employés ou de jeunes professionnels cherchant à se tailler une place dans la classe moyenne en pleine croissance de New York.

En traversant la rue pour aller dans une librairie, il se fraya un chemin dans le flot de voitures tirées par des chevaux, zigzaguant entre les îlots de crottin que les employés de la Voirie n'arrivaient pas à ramasser assez vite. En été, quand le mercure dépassait les quatre-vingts degrés et l'humidité les quatre-vingts pour cent, l'odeur devenait épouvantable.

Pour revenir vers le sud, une fois terminé l'achat de quelques livres, le jeune homme adressa des signes au conducteur d'un omnibus jaune portant le mot « Broadway » en grandes lettres noires sur ses côtés. Pour cinq sous, il monta à l'arrière. Ces véhicules pouvaient asseoir jusqu'à douze personnes sur deux banquettes placées l'une en face de l'autre, dans le sens de la longueur. David salua ses compagnons de route, quatre femmes et deux enfants, d'un signe de tête. Un peu plus tard, il descendait tout près de l'hôtel *Dundee*.

❦

Lorsque David Devlin quitta son hôtel pour la dernière fois, c'en était fait de la brève existence d'Étienne De Lahaye, comme si la terre s'était ouverte pour l'avaler. Il laissait derrière lui une centaine d'articles de journaux étalés sur les quinze derniers mois.

Après avoir consulté les petites annonces et visité quelques maisons, le nouvel espion du Royaume-Uni loua une chambre confortable. Madame veuve Charles Perkins habitait une grande bâtisse de pierres brunes dans Greenwich Village, rue Thompson, entre les 3e et 4e Rues. Des deux côtés de la porte, des colonnes grecques donnaient un charme classique à la façade. Comme la maison se trouvait au milieu d'une rangée de demeures tout à fait identiques, cette unité semblait du meilleur effet. Bien pavée, la rue s'ornait d'un alignement d'arbres matures le long de chacun des trottoirs : un milieu respectable, parfait pour un journaliste ambitieux.

Jamais la propriétaire des lieux n'évoquait ses locataires autrement qu'en parlant d'invités, aucun argent ne devait transiter par ses blanches mains, une domestique s'occupait de ce détail trivial. Cela ne l'avait pas empêchée de demander un paiement immédiat pour les trois mois à venir !

La chambre, au deuxième étage, donnait sur un jardin situé à l'arrière de l'édifice. Il s'y trouvait un lit moelleux, une petite table de travail, une chaise et surtout un grand fauteuil placé près de la fenêtre. Une nouvelle technologie cachée dans un petit cabinet au fond du couloir le convainquit de louer cette pièce : un *water-closet*. Après qu'on avait actionné vigoureusement le bras de la pompe pour remplir le réservoir, une traction sur une chaîne suffisait à évacuer vers une fosse, à l'arrière de la maison, le résultat de son *bowel movement*. Il ne s'agissait pas encore du modèle au conduit en col-de-cygne où l'eau agissait comme un clapet pour empêcher les odeurs nauséabondes de venir de la tuyauterie. Ce serait inventé dix ans plus tard.

Après avoir actionné la chasse d'eau, pour voir, David décida de verser les trois mois de loyer demandés.

Un mot porté par un gamin, payé deux cents pour sa peine, permit au consul Archibald de connaître les coordonnées de son nouvel agent secret. David fut récompensé rapidement de cette délicatesse : il reçut peu après un télégramme le priant de se présenter au directeur du *Harper's Magazine* le jour suivant.

Ce périodique républicain paraissait toutes les semaines. Le jeune Irlandais en sortit avec le titre pompeux de correspondant, qu'il fit mettre sur des cartes de visite commandées chez un petit imprimeur. Cette nomination n'engageait personne : David aurait la liberté de soumettre des articles, que l'éditeur accepterait selon son bon vouloir. Le statut de journaliste, avec un bout de carton pour le prouver, l'autoriserait toutefois à mettre son nez partout sans soulever trop de soupçons.

Le souci de se procurer un logis et un emploi retarda un peu le véritable défi qui se posait à lui : comment infiltrer une organisation réputée secrète ? Le plus simple était de retrouver le cercle dont il avait fait partie environ quatre ans plus tôt. Son chef tenait un salon de barbier dans Soho. Le prétexte d'un rasage permettrait de voir s'il reconnaissait l'homme et, surtout, s'il pouvait se faire reconnaître de lui. Il en fut quitte pour une vaine promenade : non seulement l'Irlandais avait disparu sans que ses voisins ne sachent où, mais l'Allemand qui avait repris le local vendait de la saucisse.

Les Irlandais logeaient en grand nombre à proximité du port, surtout du côté est où ils représentaient une nette majorité de la population de certains districts. Les navires à décharger et des manufactures fournissaient des emplois à des hommes peu qualifiés, prêts à se rompre les os pour quelques cents de l'heure. Des maisons d'affaires employaient de nombreux commis. Ces travailleurs logeaient dans les environs, des commerçants leur procuraient les biens nécessaires à leur survie.

En prenant tous ses repas dans des restaurants ou des tavernes de ces quartiers, David pensait finir par créer des liens d'amitié. Il choisissait des établissements destinés aux employés ou aux professionnels au tout début de leur carrière : des personnes de son âge et d'un statut social semblable au sien. Chercher à prendre contact avec des débardeurs ou des ouvriers aurait d'emblée paru suspect. S'il devait s'y résoudre, ce serait habillé de haillons et avec de la corne sur ses mains trop fines. Dans un restaurant, rien de plus facile que de demander à des voisins de table, avant de passer sa commande :

— La viande que l'on mange ici n'est pas venue à pied depuis l'Ohio, j'espère ?

Cela suffisait habituellement à lancer une conversation sur la qualité de la nourriture, les derniers événements militaires — le Nord procédait à une destruction systématique de l'économie du Sud —, ou les excès du très coloré Parti démocrate de New York. Les choses en venaient rapidement aux poignées de main et à une présentation formelle. David perdait tout intérêt pour les gens au patronyme anglais, écossais ou allemand, mais adoptait la loquacité d'un vendeur quand son vis-à-vis en donnait un originaire de la verte Érin ! Le troisième jour fut le bon : il remarqua, au premier échange sur le décor du restaurant, une petite harpe dorée sous le revers de la redingote de son voisin de table, John Donovan.

— Vous me faites me languir du pays !

En prononçant ces mots en gaélique, il indiquait l'objet du bout du doigt.

— Je ne connais pas vraiment la langue. À Boston, on risquait d'être rossé par les Américains si on l'utilisait.

— Mes parents n'en parlaient pas d'autre. Mais ils sont morts alors que j'étais enfant. J'ai été élevé par des Canadiens français dans un trou au nord de l'État de New York. Les hommes du Fighting 69th m'ont rafraîchi la mémoire.

— Ce régiment est essentiellement composé d'Irlandais, je pense.

— Certains avaient été recrutés sur le quai, à la descente du bateau qui les amenait de Cork ou de Dublin. Souvent ils ne connaissaient pas un mot d'anglais. Je leur servais de traducteur, à l'armée.

Dans un pays comme les États-Unis, tous les jours des milliers de personnes devaient utiliser les services d'un truchement. La contrée prenait l'allure d'une Babel.

— Les recruteurs faisaient la même chose à Boston ! ajouta l'inconnu. Certains de ces nouveaux soldats ne savaient même pas qu'une guerre déchirait le pays. À peine débarqués, ils se retrouvaient avec un uniforme sur le dos. En attendant de voir leur premier champ de bataille, ils croyaient avoir de la chance : obtenir un emploi et trois repas par jour en posant tout juste le pied sur le sol d'Amérique.

— Ils ont même recruté en Irlande, je pense, promettant la gloire militaire jusqu'à la victoire, le pays de l'abondance ensuite.

En évoquant ces souvenirs, David réalisa que ce serait là un excellent premier sujet d'article : la présence irlandaise dans les troupes de l'Union. Il ne révélerait rien que l'on ne savait déjà, mais profiterait de cette occasion pour contacter ses compatriotes et se faire bien voir d'eux.

— Vous avez été dans l'armée du Nord ? demanda-t-il à son voisin.

— Le contingent du Massachusetts. J'ai interrompu mes études de droit pour la grande aventure en 1862. Une blessure juste assez grave pour entraîner mon renvoi m'a permis de les reprendre l'année suivante.

— Vous venez de Boston ?

— Oui. Je suis venu dans cette ville immorale afin de devenir riche.

L'autre lui adressa un clin d'œil. Tout le monde venait à New York avec cet objectif en tête, un espoir le plus souvent déçu.

— Je poursuis la même maîtresse.

David chercha dans une poche intérieure de sa redingote, en sortit une carte de visite qu'il tendit à son voisin. L'autre fit de même. Donovan se prit d'intérêt, dans les minutes suivantes, pour la langue de ses ancêtres, montrant du doigt les couverts, la nourriture, écoutant son compagnon les nommer en gaélique, répétant studieusement les mots nouveaux.

Cette lubie innocente ne plaisait pourtant pas à quatre convives assis à une table non loin de la leur.

— *Speak white !* Vous êtes en Amérique ici !

Un rouquin qui depuis un moment jetait un regard mauvais sur eux avait craché ces mots. Ses trois compagnons partirent d'un grand rire. Donovan blêmit, fit mine de se lever. David plaça sa main sur son avant-bras, murmurant :

— Ces quatre hommes possèdent peut-être des amis dans la place.

L'autre échappa un soupir, se laissa choir sur sa chaise. La remarque de leur voisin faisait naître des échanges amusés chez des hommes assis à d'autres tables.

— Vous avez raison, convint-il après une hésitation.

— Nous avons terminé, autant sortir tout de suite.

Le temps de jeter sur la table de quoi payer leur repas, ils s'esquivèrent, pas assez vite pour s'épargner d'entendre encore :

— Regardez les deux mauviettes prendre la fuite. J'espère qu'ils vont retourner dans leur pays de merde sans demander leur reste.

L'insulte du rouquin provoqua l'hilarité générale. Sur le trottoir, les deux hommes s'adossèrent contre un mur, le temps de reprendre leurs esprits. Ce genre de scène se répétait dans les villes américaines, tous deux ne la vivaient pas pour la première fois. Le mouvement nativiste s'était développé au gré de l'arrivée massive des Irlandais après la Grande Famine. Ses membres proposaient de redonner les États-Unis aux « vrais » Américains, ceux qui étaient nés au pays. Pour cela, rien de mieux que de renvoyer tous ces étrangers, qui menaçaient la prospérité et les valeurs morales protestantes de l'Amérique, d'où ils venaient.

Les Irlandais éaient l'objet d'une haine particulière pour deux raisons. D'abord, leur nombre : certaines années, Boston et New York à elles deux en recevaient largement plus de cent mille ! Puis ils pratiquaient la religion catholique. Ces papistes qui véhiculaient les superstitions et les vices de l'Église de Rome.

Le ressentiment des deux hommes ne diminuait pas. Donovan, surtout, paraissait sur le point d'exploser.

— Si je savais où ils habitent ou bien où ils travaillent, j'irais leur apprendre la politesse.

— Ils demeurent toujours quatre et nous, deux. Même avec l'avantage de la surprise, ce ne serait pas une mince affaire !

— Nous ne sommes pas deux, mais des dizaines de milliers !

L'avocat tâtait nerveusement la petite harpe au revers de sa redingote, les yeux fixés sur la porte du restaurant qu'ils venaient de quitter de façon si honteuse. Il poursuivit, sur le ton de la conspiration :

— Tu connais la Fraternité des féniens ?

— J'en ai été membre pendant un mois ou deux. Mais nous n'étions pas des milliers. Deux douzaines peut-être. Ensuite, je suis allé à la guerre.

— Cela a changé. Aujourd'hui, nous sommes très nombreux, dans toutes les villes des États-Unis. Attention, les voilà !

Donovan tira son compagnon par le bras, pour le plaquer près de lui, dans l'entrée d'un commerce voisin. Les quatre individus avec qui ils avaient eu maille à partir sortaient du restaurant, hilares, se remémorant encore une fois la petite scène, les deux papistes fuyant la queue entre les jambes.

Chapitre 4

Dans une petite salle discrète d'une taverne de la rue Bowery, David Devlin faisait connaissance avec ses nouveaux amis, tous des féniens. Ce quartier turbulent, où sévissait une forte criminalité, abritait une multitude de lieux de plaisirs plus ou moins licites, des combats de coqs, de chiens ou d'ours à la prostitution et aux fumeries d'opium.

Patrick McCanna, un mécanicien d'une cinquantaine d'années embauché par une compagnie de chemin de fer, était aussi un «centre», le dirigeant d'un cercle. Sous sa direction se trouvaient neuf capitaines. Donovan était l'un d'eux. Chacun des capitaines commandait neuf sergents, à leur tour à la tête de neuf soldats. Aucun des hommes occupant des responsabilités n'était élu : tous avaient été nommés par le *Head Center*, le chef de l'organisation aux États-Unis. Cela donnait, en théorie, pour un cercle, huit cent vingt personnes tout au plus. Dans les faits, certains cercles comptaient jusqu'à deux mille membres, d'autres pas plus de deux douzaines. L'organisation ne refusait personne, quitte à multiplier le nombre des capitaines.

Les bières brunes se succédaient sur la grande table, une quinzaine de convives les faisaient disparaître. Donovan se pencha vers le «centre», lui parla longuement à l'oreille.

L'autre parut d'abord réticent aux suggestions de l'avocat, mais avec le temps sa résistance faiblit. Le capitaine fénien sortit de sa poche la carte de visite de David Devlin.

À la fin, le chef du cercle l'interpella d'un bout à l'autre de la table :

— John me dit que vous êtes un fénien aussi.

— J'ai été initié en 1861, peu de temps avant d'aller au combat. Quand je suis revenu à New York, j'ai voulu voir le «centre». Disparu sans laisser de traces, il paraît.

David donna le nom du barbier, son adresse.

— Parti vers Chicago peu après les émeutes de 1863, répondit l'autre. La police le recherchait, car il avait commis quelques petits méfaits. Les membres de son cercle ont rejoint d'autres groupes.

Il y eut un temps mort, tous les témoins restèrent attentifs. Après une nouvelle hésitation, le «centre» poursuivit :

— Vous aimeriez renouer avec l'organisation? John veut vous parrainer, si vous voulez prêter serment de nouveau.

— C'est lui qui te rossera si tu manques à ta parole, lança une voix. Si tu nous trahis, gare à toi.

Un éclat de rire souligna ces paroles. L'avertissement s'avérait cependant très sérieux : les parrains jouaient leur réputation en introduisant un candidat. Ne serait-ce que pour la restaurer, si le nouveau venu se dérobait à ses engagements, il convenait de lui faire rendre des comptes.

Patrick McCanna leva la main pour ramener le silence, désireux de conserver à la cérémonie toute sa solennité.

— Voulez-vous vous joindre à nous? demanda-t-il encore.

— Oui... oui. J'ai vu aujourd'hui qu'il convenait d'avoir des amis. Autrement, la vie peut devenir intenable.

— Vous connaissez notre objectif?

— Rendre sa liberté à l'Irlande.

Cela n'était pas un mystère. Depuis que l'Angleterre avait soumis l'Irlande, des mouvements révolutionnaires étaient apparus périodiquement, voués à l'indépendance du pays. L'objectif tenait le plus souvent du vœu pieux, sauf quand la conjoncture semblait particulièrement propice. Un soulèvement était survenu à la fin du XVIIIe siècle, alors que l'Angleterre en avait plein les bras à combattre la France dirigée par Napoléon Bonaparte. Il y en avait eu un autre en 1848, alors que la révolte grondait dans plusieurs contrées d'Europe, même au Royaume-Uni. La seconde moitié des années 1860 s'ouvrait sur une nouvelle poussée de fièvre révolutionnaire, qui gagnait les Irlandais établis en Amérique.

Sur un signe de tête de McCanna, quelqu'un avait sorti de sa poche une lourde clef en se dirigeant vers un placard situé dans un coin de la pièce. Il revint avec un drapeau irlandais, un grand morceau de tissu vert. Des femmes particulièrement habiles y avaient brodé une harpe dorée au milieu.

Les Irlandais présents sortaient de leurs poches des poignards, des garcettes alourdies de plomb, des coups de poing américains faits de bronze, et même deux revolvers. David Devlin fut invité à se mettre à genoux, à placer contre son cœur une extrémité du drapeau alors que Donovan tenait l'autre en lui posant sous les yeux un petit carton où se trouvait écrit le serment d'allégeance. La nouvelle recrue récita à haute voix, pendant qu'un homme approchait obligeamment une lampe à l'huile pour l'éclairer et qu'un autre pressait la lame d'un couteau contre sa gorge :

— Je, David Devlin, jure de façon solennelle, en présence du Dieu tout-puissant, que je travaillerai de mon mieux, quels que soient les risques, aussi longtemps que je vivrai, à la réalisation de l'indépendance de la république irlandaise, que j'obéirai dans le respect des lois de Dieu aux ordres de mes officiers supérieurs. Que Dieu me vienne en aide.

Les derniers mots se perdirent dans un hourra. David se trouva soulevé de terre, pressé contre la poitrine de tous les hommes présents, à grand renfort de tapes dans le dos. Il serait un simple soldat, sous les ordres d'un sergent dont il ne retint même pas le nom, mais qui réclama tout de suite le paiement du droit d'entrée, un dollar, et les dix cents que coûtait la cotisation hebdomadaire. Le jeune homme paya d'un coup tout le prochain mois et quelques tournées. L'officier se fit discret après avoir reçu son dû. À l'évidence, Donovan serait son supérieur immédiat.

La soirée se continua, bruyante, jusque vers minuit. L'abus de bière, dû à la générosité du nouveau membre, rendit rapidement toutes les jambes flageolantes. Sur le trottoir, après des accolades, les hommes se dispersèrent. David se dirigea vers Greenwich Village avec Donovan, qui habitait aussi dans cette direction. Les rues demeuraient encore animées malgré l'heure tardive. Les restaurants, les cafés, les tavernes et les théâtres vomissaient des centaines de personnes sur la chaussée.

— Tu ne m'en veux pas trop d'avoir demandé ton initiation sans t'en parler d'abord ? Comme tu avais déjà été membre…

— Non, pas du tout. J'avais tenté de renouer avec mon ancien cercle dès mon retour dans cette ville. Je tenais à réintégrer l'association.

— Il va se passer bientôt des événements grandioses. Ce sera très important de pouvoir compter sur des personnes capables d'expliquer aux Américains les objectifs du mouvement. Comme tu es journaliste…

Des événements grandioses ! Cette rumeur avait certainement alimenté le désir du consul Archibald de recourir à ses services.

— Un journaliste qui n'a encore rien publié dans son journal !

— Cela viendra bien, avec ton talent…

Les derniers mots avaient été prononcés dans un grand rire.

— Je vais tenter de me rendre digne de ta confiance, répondit David du même ton amusé.

— En fait, j'aimerais que tu fasses connaître un peu la situation de l'Irlande aux Américains. Ce que les Anglais nous ont fait… La Grande Famine, le vol des terres, tout cela. Il faudrait que l'opinion devienne favorable à notre cause.

— On a vu aujourd'hui que nous ne jouissons pas de beaucoup de sympathie dans ce pays.

— Les Américains ne sont pas tous aussi cons. Et puis ils détestent autant les Anglais que nous, ces temps-ci. Il faudrait qu'ils nous laissent libres de nuire aux tyrans. Pas besoin qu'ils nous appuient, juste qu'ils restent neutres. Qu'ils se contentent de compter les coups que nous allons donner.

En d'autres mots, agir sur l'opinion publique. Cet avocat surestimait dangereusement les effets de quelques articles dans le *Harper's Magazine*.

— J'espère que je ne te décevrai pas. C'est peut-être à cause de la bière, mais ce soir je ne vois vraiment pas comment je pourrais arriver à ce résultat.

— Tu trouveras. Peux-tu te libérer toute la journée, samedi prochain ? Je voudrais te faire connaître des gens importants de la Fraternité.

— Bien sûr. Tout ce que j'ai à faire, c'est dénicher des sujets d'articles.

Ils venaient d'arriver devant la pension où logeait Donovan. David Devlin et lui se serrèrent la main et se donnèrent une dernière accolade avant de se séparer. Le nouveau fénien pressa le pas jusque chez lui.

～

Prétendre être un journaliste était une chose, le devenir en était une autre. Le fait d'avoir produit des articles en français ne le rassurait qu'à demi. Les cours d'anglais suivis au collège lui paraissaient maintenant bien loin et si sa maîtrise de la langue parlée lui permettait de passer inaperçu, en irait-il de même à l'écrit ? L'éditeur du *Harper's Magazine* poserait le premier verdict. Mieux valait mettre toutes les chances de son côté d'ici là.

Tôt le lendemain matin, David remonta la rue Thompson jusqu'à Union Square, puis prit à droite la 4e Rue jusqu'à la place Lafayette. À sa mort, l'homme d'affaires John Jacob Astor avait légué une somme généreuse pour la création d'une bibliothèque portant son nom. L'établissement de pierres grises se dressait là, haut de trois étages, imposant. Sur la façade, de grandes fenêtres et trois portes, dont le linteau prenait la forme de demi-cercles, donnaient beaucoup d'allure à l'édifice.

En s'acquittant des frais d'abonnement, il obtenait le droit de passer des journées entières dans cet établissement majestueux aux boiseries sombres, au mobilier massif, tout de chêne. Ce serait son lieu habituel de rédaction, son bureau en quelque sorte, car les journalistes payés à la copie n'en avaient pas dans les locaux du *Harper's Magazine*. Plus de cent mille volumes lui tiendraient compagnie. L'endroit souffrait toutefois d'un défaut : impossible d'emprunter des livres pour les amener à la maison.

Après quelques heures passées à bouquiner, le jeune homme rejoignit la rue Broadway, toute proche, pour essayer un autre mode de transport public new-yorkais : le tramway. Les roues cerclées de métal roulaient sur des rails, un cheval fournissait la force motrice. Plus de trente personnes à la fois pouvaient y monter. Aucun moyen de locomotion ne permettait de se déplacer aussi confortablement et à si peu de frais. Seule la promiscuité pouvait inciter certains à lui préférer le fiacre, considérablement plus coûteux.

Assis sur une étroite banquette de bois, le jeune homme parcourut tout le chemin jusqu'à la pointe de l'île de Manhattan, pour ne descendre que quand son véhicule tourna dans la rue State, après être passé devant le Bowling Green. Il continua à pied vers le Battery Park. Ce grand espace semi-circulaire donnait sur la mer. Autrefois, il y avait eu là une batterie de canons et une place forte. L'endroit avait été transformé en parc. La baie devant ses yeux, couverte de voiliers et de vapeurs, le laissa abasourdi : la circulation lui semblait aussi dense que dans la rue Broadway !

Du côté ouest du parc, au bout d'une courte jetée, se trouvait un îlot rocheux sur lequel, au début du siècle, on avait construit un ouvrage défensif de forme octogonale. Le bâtiment avait pris un nouveau nom, Garden Castle, lors de son changement de vocation. Depuis une dizaine d'années, le grand édifice servait de centre de réception des immigrants. « L'endroit vaut certainement le coup d'œil », se dit le journaliste en mal de sujets d'écriture.

La construction rappelait, de l'extérieur, une ruche un peu écrasée. Une fois passée la porte, la comparaison était parfaite. La ville recevait quotidiennement plus d'un millier d'immigrants, dont au moins la moitié, lui sembla-t-il, d'Irlande : le gaélique paraissait la langue la plus répandue. Les arrivants se trahissaient par leurs vêtements usés, sales, sans doute infestés de vermine. La traversée durait de dix à douze jours, quinze dans le cas des navires venus d'Allemagne. Toutes ces personnes avaient voyagé dans l'entrepont, se nourrissant des maigres provisions achetées avant le départ, ou pour les plus négligents, acquises à fort prix des matelots une fois les amarres larguées, couchant pour la plupart à même le sol. Le coût du passage, pour les individus arrivant du Royaume-Uni, se trouvait souvent assumé par des sociétés charitables qui, désireuses de diminuer la pauvreté chez eux, exportaient les déshérités de l'autre côté de l'Atlantique.

Épuisés, les yeux hagards, ignorant souvent la langue du pays, toujours ses usages, ces personnes représentaient des proies faciles. Des hôteliers, des propriétaires de logements se pressaient pour les amener chez eux, où ils leur feraient payer trop cher un abri insalubre. De nombreuses agences de placement venaient promettre, contre une commission, un emploi inexistant. Des proxénètes cherchaient les jeunes filles et les jeunes garçons les plus jolis, pour alimenter les innombrables bordels de la ville. La moitié de ces immigrants ne termineraient pas la journée sans avoir été volés, d'une manière ou d'une autre, au moins une fois : leur baptême de l'Amérique, en quelque sorte.

D'autres, bien guidés ou plus chanceux, se tireraient mieux d'affaire. D'abord, l'immigration s'effectuait souvent à travers des réseaux officiers. De très nombreux Irlandais trouvaient, dès qu'ils passaient la porte de Garden Castle, des frères, des sœurs, des cousins, des cousines, ou plus simplement des personnes venues du même village. Après les accolades, les baisers, les salutations larmoyantes, ces immigrants profitaient du logement et très souvent de l'emploi déniché par ces alliés. D'autres fois, des employeurs les recrutaient sur-le-champ, sans leur vouloir d'autre mal que les faire travailler de très longues heures pour un mauvais salaire. Enfin, Irlandais et Allemands avaient créé dans la cité des associations bénévoles pour venir en aide aux nouveaux venus de leur communauté. Tout cela n'épargnerait toutefois à personne les dures conditions qui les attendaient.

La plupart ne passeraient qu'un jour ou deux dans la ville, avant de continuer leur route vers l'intérieur du continent. Certains s'établiraient à New York, dont la population se composait pour moitié de personnes nées à l'étranger. David se mit en tête d'être témoin des premiers moments d'une famille dans ce nouvel environnement : ce sujet d'article en valait bien un autre. Son choix s'arrêta sur un petit groupe en haillons — le père, la mère, trois enfants — qui concluaient des effusions larmoyantes avec un homme d'une quarantaine d'années, le frère de l'immigrant, jugea-t-il. Il leur emboîta le pas vers la sortie de Castle Garden. Tous leurs biens tenaient dans deux baluchons que le chef de famille portait à bout de bras.

Quand ils eurent traversé Battery Park, ils montèrent dans un tramway, le journaliste sur leurs talons. Après avoir parcouru Broadway jusqu'à la hauteur du parc de l'Hôtel-de-Ville, la petite troupe changea de voiture afin de s'engager dans la rue Chatham, qui devenait Bowery après une grande courbe. Les immigrants, malgré la fatigue de la traversée, ouvraient des yeux écarquillés sur la foule des trottoirs, les édifices de brique ou de pierre. Dans ces quartiers, David se distinguait par son élégance et sa propreté.

La famille d'Irlandais descendit à la hauteur de la rue Houston, s'engagea dans celle-ci vers l'est, obliqua bientôt vers le sud dans Suffolk. Sur les trottoirs, les ménagères s'interpellaient en gaélique. De chaque côté de cette rue sans arbres se dressaient des bâtiments de brique hauts de cinq étages, noircis par la fumée des cheminées, celles des immeubles résidentiels bien sûr, mais aussi des usines. Plus à l'est, sur la East River, se trouvaient les chantiers navals et toutes les manufactures liées à cette activité, de la construction de machines à vapeur à celle des tonneaux, en passant par la fabrique de cordes. Il y avait aussi des usines de textiles, des ateliers de couture. Dans la plupart des logements ouvriers, les femmes et les enfants devaient effectuer des travaux d'aiguille pour quelques cents par jour. Plus au nord, d'immenses abattoirs permettaient de nourrir les centaines de milliers de New-Yorkais, répandant une horrible puanteur sur des quartiers entiers de la ville.

Les immigrants pénétrèrent dans un *tenement*, l'un de ces grands immeubles d'habitation étroits, profonds, dont seules les pièces du devant et de l'arrière profitaient d'une fenêtre ouvrant sur l'extérieur. De nombreux ménages passaient leur existence dans une ou deux pièces ne possédant qu'une porte pour toute ouverture, respirant un air fétide, s'éclairant avec une bougie à midi. Aussi, le premier mouvement de cette famille serait, dès que le père aurait trouvé un emploi un peu régulier, de chercher un logement dans un *tenement* un peu plus récent, où chaque pièce se trouvait dotée d'une fenêtre. Cela s'il échappait à toutes les maladies qui sévissaient dans ces quartiers insalubres, dont l'épidémie de choléra qui frapperait cette rue dans moins d'un an.

Cet immigrant, et la plupart de ses semblables, donnerait généreusement dix cents toutes les semaines à la Fenian Brotherhood afin de financer la révolution en Irlande.

—

Le vendredi 27 janvier 1865, David Devlin rencontrait pour la première fois Édith Archibald à Central Park en début d'après-midi, moment de la journée où ils se confondaient avec les dizaines de couples venus marcher dans les huit cent quarante-trois acres de verdure. Cette activité leur donnait la possibilité de discuter seul à seul dans un environnement tout à fait respectable. Plusieurs personnes parcouraient les allées à dos de cheval, le leur ou une monture de louage : des écuries se trouvaient à une extrémité du parc. Les jeunes gens convinrent que ce serait une bonne idée pour la prochaine fois ; ils verraient à se vêtir en conséquence.

Si l'endroit assurait une certaine légitimité à leur rencontre, il leur fallait pour cela donner le change. Aussi David offrit-il le bras à sa compagne, qu'elle prit en rosissant, lui sembla-t-il. Vêtue de gris, un joli chapeau placé de guingois sur sa tête, une voilette de gaze baissée jusqu'au milieu du visage, elle avait fière allure. Ils formaient un couple un peu surprenant, elle visiblement plus nantie que lui. Le consul l'avait déjà souligné : les usages, dans les rapports entre hommes et femmes, se faisaient moins contraignants qu'au Royaume-Uni. L'ambition, le travail acharné et le talent pouvaient valoir autant que la naissance, aux États-Unis.

— Vous pourrez dire à votre père que l'agneau est entré dans la meute.

— L'expression ne parle-t-elle pas plutôt du loup dans la bergerie ? remarqua-t-elle en riant.

— Ces hommes n'ont rien de moutons, je vous l'assure.

— Vous non plus, je crois. D'après ce que je sais de votre séjour à Richmond…

David lui jeta un regard inquiet. Cette jeune femme pourrait-elle être discrète ? Un mot de trop, devant une domestique ou une amie, et il se retrouverait dans une situation délicate. Les féniens comptaient aussi des cercles féminins. Dans les cafés, les salons de thé, dans bon nombre de maisons cossues, les employés prêtaient des oreilles attentives à tous les babillages.

Elle lui posa des questions sur ses origines, puis fit porter la conversation sur le Canada. Née en Nouvelle-Écosse, elle avait déjà profité des beaux étés de la région de Rivière-du-Loup. La situation les amusa : peut-être, jeune collégien, l'avait-il aperçue, une grande fillette timide, dans les rues du village. Des familles venues de la ville louaient les plus belles maisons, surtout celles qui se trouvaient à proximité du fleuve, pendant les mois les plus chauds de l'année. Les habitants habituels des lieux devaient loger dans les autres bâtiments de la ferme, ou chez des parents.

Sachant que David avait été élevé par des Canadiens français, sa compagne enchaîna dans la langue de Victor Hugo, un auteur dont elle était une lectrice fervente. Toutes les jeunes Anglaises de bonne famille apprenaient à parler l'allemand ou le français. Fille de diplomate, pour elle c'était les deux. Son accent s'avérait assez lourd mais sa syntaxe, plutôt correcte.

— Vous connaissez George-Étienne Cartier ? demanda-t-elle.

— Les collégiens ne fréquentent pas ces gens-là. Pas plus que les fils de marchands de petits villages, comme mes parents adoptifs.

— Il dirige le Parti conservateur de la section française du Canada, précisa-t-elle inutilement à son intention. Il prétend que les Canadiens français sont des Anglais comme les autres, sauf qu'ils parlent français.

— Tout le monde au Bas-Canada ne partage pas son enthousiasme pour la métropole britannique.

Sa remarque s'accompagnait d'un sourire amusé.

— Il n'y a pas chez vous un mouvement révolutionnaire pour l'indépendance politique, comme en Irlande.

Il sentit une pression de sa main sur son bras, comme si elle devenait inquiète. Ce mouvement lui plut.

— Actuellement, non. À la fin des années 1830, il y a eu des émeutes, une répression sanglante, au Bas-Canada tout comme dans le Haut-Canada. Les gens désiraient un vrai gouvernement représentatif.

— Que pensez-vous de ces féniens, et de l'indépendance de l'Irlande?

— Une question bien indiscrète. Je deviens l'espion espionné? Mais justement, à cause du métier que je fais, croyez-vous pouvoir faire confiance à mes réponses?

Ils s'étaient arrêtés en plein milieu d'une allée, tout près du petit étang Harlem, au nord de Central Park. Elle gardait ses grands yeux gris, qu'il voyait très bien sous le voile léger, fixés sur lui. Devait-il jouer le jeu du colonisé ravi d'être tombé sous le joug du colonisateur? Elle n'était pas assez sotte pour croire à pareille comédie. Surtout, la poursuite de leur collaboration exigeait une confiance réciproque.

— Venez vous asseoir, l'invita-t-il.

Elle prit place sur un banc sous les arbres, près de l'eau, prenant bien soin que les cerceaux qui lui dessinaient une silhouette arrondie remontent au niveau des reins, laissant seulement le bout des fesses sur le siège. Pourtant, sa robe d'après-midi était loin de présenter l'ampleur des tenues de bal qui plaçaient le corps d'une femme au centre d'une corolle de rubans et de dentelles.

—Je me confesserai donc. Je suis un Canadien, pas un Britannique. Je pourrai sans mal devenir un Américain, si je demeure longtemps dans ce pays. Je ne crois pas que les Irlandais qui habitent de ce côté-ci de l'Atlantique devraient prendre part aux luttes qui se déroulent au Royaume-Uni. Les habitants du Canada devraient se voir comme des Canadiens, pas des Anglais, des Irlandais ou des Français.

Je ne suis pas un Français, je ne me sens pas concerné par le régime autoritaire établi par Napoléon III à Paris. Je ne suis pas Irlandais, je ne dois pas organiser mon existence en fonction des excès des Britanniques dans ce pays.

— Des excès, vraiment ?

— Certainement. Mais si vous le voulez bien, passons au travail qui nous attend. Nous aurons le temps de revenir sur les turpitudes de vos compatriotes…

Sans son sourire engageant et sa franchise, elle se serait rebiffée. Tout de même, il venait de heurter sa conviction que le Royaume-Uni ne cherchait, dans toutes ses entreprises, qu'à apporter le bonheur et la civilisation aux peuples de la terre !

— Aimez-vous la lecture de romans ?

— … Oui, fit-elle après une hésitation.

— Qu'avez-vous lu récemment, qui vous a assez intéressée pour avoir envie d'y revenir encore ?

Un instant, la jeune femme se fit songeuse.

— Walter Scott.

— J'ai apprécié aussi. Et de lui, quel titre ?

— *Ivanhoé*.

— Les chevaliers, les armures, les belles dames, un pays opprimé par des envahisseurs. Je préfère *Quentin Durward* : un jeune homme qui va combattre pour un monarque étranger, afin d'assurer sa subsistance.

Elle se surprenait à trouver sa taquinerie agréable, et à se réjouir de ses goûts littéraires. Il continua :

— *Ivanhoé*, ce sera parfait pour fournir la clef de nos échanges chiffrés. Ce soir, je vais en acheter deux copies, je vous en ferai porter une. Nous devons utiliser la même édition.

Pendant une bonne heure, alors qu'ils avaient repris leur marche dans les allées de Central Park pour se réchauffer, le jeune homme lui expliqua comment il «chiffrerait» ses messages de telle façon qu'elle serait la seule à pouvoir les lire. Une fois terminé, il lui fit répéter ses directives, afin d'être certain qu'elle avait tout compris. Rien de tout cela ne devait être pris en note, malgré la conviction de sa compagne que sa maisonnée se composait de personnes sûres.

— Cela n'existe pas, des «personnes sûres». Si je suis d'une quelconque utilité à votre gouvernement, ce sera parce que les féniens me considéreront comme sûr... Si j'étais à la tête de la Fraternité, je ferais en sorte de placer à votre consulat et à l'ambassade à Washington des individus en qui vous, votre père et l'ambassadeur mettraient toute leur confiance. Je vous le répète, ne laissez rien par écrit, brûlez tous les messages que nous allons échanger et assurez-vous de disperser les cendres.

Accrochée à son bras, elle présentait une mine si inquiète qu'il ajouta :

— Si vous ne le faites pas pour le bien du Royaume-Uni, faites-le pour moi.

— Que voulez-vous dire ?

— Si on découvre mon rôle, quelqu'un de la Fraternité me réglera mon compte. J'ai prêté serment d'allégeance avec un couteau sur la gorge, comme il convient dans ces milieux-là.

— Dans ce cas, je ferai très attention.

Son ton trahissait son amusement, sa main sur son bras fit une légère pression. Ils revenaient vers l'extrémité sud du parc. Sous peu, elle pourrait prendre un fiacre pour rentrer chez elle.

— Encore une chose. Si jamais l'un de nous voulait voir l'autre pour une question ne pouvant attendre jusqu'au vendredi suivant, il faudrait un moyen plus discret qu'un messager. Je me méfie terriblement du nombre de personnes pouvant établir un lien entre vous et moi. Nous pourrions utiliser l'intermédiaire d'un journal.

— Comment cela ?

— Le carnet mondain du *Tribune*. Par exemple, vous publiez une annonce comme celle-ci : « Madame Ambruster se trouvant à New York, elle recevra ses amis à… » Vous précisez simplement le lieu, un hôtel ou un restaurant. Je pourrai faire la même chose en indiquant « Monsieur Ambruster ».

— Ambruster ?

— Pourquoi pas ! Cela fait terriblement américain.

Il lui répondait avec un large sourire. Elle enchaîna sur un ton léger :

— Vous me condamnez donc à lire le carnet mondain du *Tribune* tous les jours ?

— À moins que vous ne préfériez le *New York Times* ?

— Non, non. *Le Tribune* ira très bien. Vous me transformerez en républicaine !

Les derniers mots avaient été prononcés tout près d'un fiacre. David aida la jeune femme à monter et donna lui-même l'adresse du consulat britannique au cocher. Au moment de se séparer, il se pencha à l'intérieur de la voiture pour lui baiser la main, sans trop savoir s'il sacrifiait à une exigence de sa couverture — un couple assez lié pour vouloir se parler pendant des heures — ou à une inclination personnelle.

Chapitre 5

— Tu l'as croisé dans un restaurant, ce qui fait de lui la recrue rêvée de la Fraternité! Ne le confonds-tu pas avec le Messie?

John O'Mahony secouait la tête, incrédule. Donovan lui avait décrit les circonstances de sa rencontre avec David Devlin, sa prestation de serment ensuite.

— Puis tu l'invites à se joindre à nous aujourd'hui!

— Présenté ainsi, cela paraît ridicule, j'en conviens. Attendez de le voir! C'est un homme respectable, une recrue capable de montrer notre mouvement sous un bon jour. Nous ne pouvons pas faire semblant que le reste de la société américaine n'existe pas. Nous ne réussirons pas sans une certaine sympathie de la population.

Le *Head Center* fit un geste impatient de la main.

— Je sais tout cela. Ton prodige, il a déjà publié?

Donovan réalisait maintenant avoir fait preuve d'un enthousiasme prématuré. D'un autre côté, David paraissait bien sympathique.

— Je vous l'ai dit, cela n'est pas le cas. Il débute. C'est un avantage. S'il dépend de nous pour gagner sa vie, il écrira dans le sens où nous le voulons. Vous verrez, il est brillant, il s'exprime bien.

— D'accord, d'accord, ne te transforme pas en vendeur de chez Stewart. Pas besoin de mousser l'article à ce point.

Mais tu gardes un œil sur lui. Tu m'as convaincu de l'utilité de nous montrer au grand jour pour accélérer le recrutement, tu vas t'occuper de nos publicistes.

━━━

Tôt le samedi matin, David Devlin se présenta à la porte d'un vaste appartement de la 32ᵉ Rue Est, dans un bel immeuble à la devanture de pierres grises. Venu lui ouvrir, Donovan lui glissa à l'oreille :

— Nous sommes ici chez John O'Mahony, le *Head Center* de la Fraternité à New York. Nous attendons un visiteur qui doit arriver d'Irlande aujourd'hui. J'aimerais que tu nous accompagnes. Ce serait une bonne idée que les journaux fassent écho à la présence du grand patron parmi nous.

Ils passèrent dans une pièce qui devait servir à la fois de bibliothèque et de salle de réception. Des rayonnages occupaient tout un mur, des fauteuils et deux canapés permettaient à une compagnie assez nombreuse de s'asseoir. Il n'y avait pas encore beaucoup de livres sur les étagères, aucune plante, aucun bibelot témoignant des goûts de l'occupant. L'endroit ne devait pas l'accueillir depuis longtemps.

Un homme à la stature de géant serra la main du nouveau venu, lui désigna un siège devant lui, avant de commencer :

— Monsieur Devlin, notre ami John m'a parlé de votre empressement à rejoindre notre Fraternité. Je dois donc en conclure que vous épousez notre cause.

David devait s'expliquer sous les yeux sombres, menaçants sous des sourcils broussailleux, de John O'Mahony.

— Je souhaite que l'Irlande devienne une république souveraine.

— Vous avez combattu dans l'armée de l'Union ?

— Membre du Fighting 69th. J'étais à Bull Run.

Cette seule précision suffisait. Il s'agissait de la première grande boucherie de la guerre de Sécession, qui en avait connu bien d'autres depuis.

— L'organisation souhaite recruter des vétérans. Nous sommes sur le point de commencer une campagne à ce sujet. John a pensé qu'un journaliste serait particulièrement utile.

— Je désire apporter mon aide. Mais je dois préciser que mon engagement au *Harper's Magazine* est si récent que je n'ai pas encore publié une seule ligne dans ses pages. Je ne suis pas certain que le directeur serait intéressé par le sujet de l'Irlande. Je vais essayer, cependant.

Mieux valait jouer la franchise quand ses affirmations pourraient être vérifiées.

— Si vous voulez écrire pour nous, je trouverai des journaux irlandais pour vous publier. Certains pourront même vous payer pour votre travail. Nous attendons un visiteur important, John vous l'a sans doute dit. Quelqu'un devra l'accompagner, pour rendre compte de ses activités. Une personne capable de départager ce qui peut être répété, ce qui peut paraître dans une publication irlandaise et ce qui convient à un périodique américain. Elle doit surtout ne jamais évoquer ce qui doit absolument être tu. Je présume que vous comprenez l'importance de la discrétion, dans une entreprise comme la nôtre.

— Bien sûr. D'ailleurs, j'ai remarqué ceci : quand j'ai prêté serment la première fois, il y avait une référence au caractère secret de la Fraternité. Pas la seconde.

— Les prêtres s'opposent aux sociétés secrètes. Comme nos membres sont le plus souvent de bons catholiques, nous avons retranché cette ligne. Mais tous les nouveaux se font expliquer l'importance du secret et les dangers courus s'ils ne le respectent pas. De graves dangers.

La mine sérieuse, il acquiesça à cet avertissement. En reprenant la parole, O'Mahony conclut :

— Nous devons y aller. Le navire doit accoster d'ici peu.

Dans un secrétaire qui occupait un coin de la pièce, le *Head Center* trouva une large bande de soie verte affichant les mots Fenian Brotherhood brodés avec du fil doré, destinée à être portée en bandoulière. Après avoir récupéré sa canne et son haut-de-forme près de la porte, il dévala les escaliers, ses compagnons sur les talons.

Deux fiacres attendaient en face de l'immeuble. Trois autres notables de la Fraternité — à tout le moins, leurs vêtements donnaient cette impression — prenaient déjà place dans le premier. O'Mahony se joignit à eux. Dans le second, Devlin et Donovan rejoignirent deux capitaines de l'organisation. Ils portaient eux aussi une petite harpe dorée sur le revers de leur redingote, le signe de reconnaissance des détenteurs de ce grade.

Les cochers, Irlandais eux aussi — le ruban vert à leur chapeau ne laissait aucun doute —, savaient où aller. Leurs fouets claquèrent dès que les passagers se furent assis. N'hésitant pas à élever la voix pour dégager le chemin, ils se rendirent vers les quais donnant sur la East River, entre les rues Pine et Wall. Les paquebots de la Cunard, venus de Londres ou de Liverpool, accostaient là, tout près du quartier des affaires. La navigation transatlantique ne pouvait respecter un horaire très précis : un retard de deux jours n'était pas exceptionnel. Tout au plus savait-on, grâce à un télégramme, que le bâtiment avait fait escale à Halifax selon le calendrier prévu.

La petite foule eut à battre le pavé pendant deux heures. Des dizaines de voitures, conduites par autant de cochers irlandais, encombraient les rues avoisinantes, comme un millier d'hommes portant les couleurs de l'Irlande — la majorité, une étoffe en bandoulière, les plus discrets, un ruban. David compta aussi une bonne cinquantaine de drapeaux, la plupart verts et ornés d'une harpe dorée, d'autres tricolores. Pendant la longue attente, le journaliste apprit que tous se trouvaient là pour célébrer l'arrivée de James Stephens, le grand patron de la Irish Republican Brotherhood, l'organisation jumelle de la Fenian Brotherhood.

— La Fenian Brotherhood doit fournir des armes et de l'argent, expliqua Donovan. Nous sommes chargés de la logistique, nos amis en Irlande représentent la force combattante. Si les deux chefs sont soi-disant égaux, Stephens choisira seul le moment de la révolution : il jouit de toute l'initiative. Mais cela va changer.

L'avocat avait entraîné son compagnon un peu à l'écart. Les derniers mots chuchotés sur le ton du secret donnaient l'impression d'une conspiration au sein d'une conspiration. David promena son regard à travers la foule. Curieuse société secrète, qui venait accueillir son grand chef dans une atmosphère de kermesse.

— Tous ces gens, tous ces drapeaux, ce n'est pas un peu trop voyant ? Pour se mettre au courant des projets de la Fraternité, les Britanniques n'auront qu'à lire les journaux demain.

— C'est la grande difficulté. Comment faire connaître une société secrète ? Tu as vu le prix que nous demandons : dix cents par semaine. Pour soutenir une guerre, nous devons amasser une véritable fortune. Il faut des dizaines de milliers de membres. En recrutant les individus un à un, cent ans seront nécessaires avant de réunir un effectif suffisant ! Comme toutes les entreprises, nous annonçons dans la presse pour les attirer. En conséquence, la discrétion est mise de côté.

— Et pour les attirer, il faut s'en remettre à un ami journaliste! Ou plusieurs journalistes?

— Le plus grand nombre possible. Mais tu seras le meilleur du lot.

Sur ces derniers mots, son compagnon lui décocha un clin d'œil. Stephens venait pour une tournée de recrutement, mieux valait entourer son séjour d'une certaine publicité. Si David s'y prenait bien, tous les lecteurs du *Harper's Magazine* comprendraient que la colère de leurs voisins d'origine irlandaise visait la Grande-Bretagne. Exactement comme un siècle plus tôt l'agitation révolutionnaire dans les treize colonies avait conduit à la naissance des États-Unis, elle mènerait cette fois à celle de la république d'Irlande! Même ennemi, même tactique. La difficulté serait de convaincre les autorités gouvernementales de ne pas leur mettre des bâtons dans les roues.

— La Fraternité compte combien de membres?

— Aujourd'hui, peut-être cent mille. Difficile à dire, nos gens sont pauvres: des féniens très attachés à la cause peuvent disparaître de nos listes, juste parce qu'ils n'ont pas dix cents toutes les semaines.

Cela voulait dire un revenu hebdomadaire de dix mille dollars. Moins les frais administratifs, sans compter la fraction que des officiers peu scrupuleux pouvaient mettre dans leur poche au passage. Mais juste la moitié de cette somme représentait un joli trésor de guerre, auquel il fallait ajouter tous les profits générés par les pique-niques et les diverses activités de loisir organisées dans tout le pays.

— Impressionnant. Combien aimeriez-vous recruter de volontaires?

— Le plus possible, pour former une force militaire que le Royaume-Uni ne pourra jamais vaincre.

L'organisation rendait de réels services en procurant un sentiment d'appartenance, de solidarité à ces immigrants. Mener les féniens au combat serait une tout autre affaire. Les deux compagnons revinrent vers leur voiture. Avec ce froid, autant retrouver les banquettes confortables et tirer sur leurs jambes les peaux de bison qui traînaient au fond du véhicule.

Une rumeur prit naissance sur le quai, s'étendit aux personnes qui battaient le pavé pour se réchauffer les pieds, avant de se rendre jusqu'aux fiacres des notables du mouvement. « Un paquebot approche », répétait-on. Avec un peu de chance, ce serait le bon navire.

Les officiers de la Fraternité quittèrent leurs voitures pour se rapprocher du quai, alors que les partisans présents agitaient leurs drapeaux et entonnaient des chants patriotiques. Leur enthousiasme inquiétait les badauds qui attendaient le retour d'amis ou de membres de leur famille. Ils formaient une ligne de spectateurs silencieux, en marge de la foule.

Une heure encore s'écoula avant que les opérations d'accostage soient achevées, une passerelle jetée par-dessus le bastingage, jusqu'au quai. À bord du navire aussi, le rassemblement bruyant provoquait une certaine angoisse. Les passagers demeuraient peureusement un peu à l'arrière, excepté un petit homme chauve, tout vêtu de tweed, le visage barré d'une moustache, qui s'engagea sur la passerelle.

Reconnaissant le camarade de la révolution ratée de 1848 avec lequel il avait partagé quelques années d'exil à Paris, O'Mahony lança le premier hourra, imité par un millier de voix d'autant plus fébriles que l'attente avait été longue. Les drapeaux semblaient pris de frénésie. Puis les chants révolutionnaires résonnèrent encore, cette fois David joignit sa voix à celle des autres.

Stephens toucha terre pour se retrouver prisonnier des grands bras de O'Mahony. Celui-ci, qui le dépassait de plus d'une tête, souleva son vieux compagnon dans son étreinte, faisant perdre un peu de sa dignité au chef révolutionnaire. Quand ses pieds touchèrent le sol de nouveau, il s'empressa de remettre de l'ordre dans ses vêtements et de redresser son chapeau, tout de travers sur le dessus de son crâne, avant de s'éloigner du quai encadré par les notables de la Fenian Brotherhood. Dix hommes se disputèrent l'honneur de porter son sac jusqu'à la voiture. La foule vint entourer les fiacres. Les autres passagers du paquebot purent enfin s'engager sur la passerelle sans craindre que ces excités ne les précipitent à l'eau !

Alors que ses compagnons prenaient place sur les banquettes de la voiture, Stephens resta debout sur le marche-pied, afin que tous puissent le voir. Il leva un bras vers le ciel afin de faire taire les hourras et les chants qui n'avaient pas cessé, puis commença, en gaélique pour les premiers mots, puis en anglais :

— Mes frères, mes frères, comme je suis heureux de me trouver dans un pays libre, une république où chacun peut s'exprimer. Tous mes efforts, tous les efforts de vos frères en Irlande, n'ont qu'un seul but : permettre à notre contrée de connaître la même forme de gouvernement. D'ici la fin de cette année, avec votre aide, l'Irlande sera libre !

Stephens s'engouffra dans le fiacre, les cochers commencèrent à jouer du fouet et de la voix pour que la foule leur dégage un passage. Bientôt, toutes les voitures progressèrent vers l'appartement de O'Mahony. Pendant quelques minutes, les féniens les suivirent au pas de course, mais ne purent maintenir le rythme. Devant l'immeuble de la

32ᵉ Rue, les véhicules se rangèrent en une longue ligne, O'Mahony et Stephens entrèrent dans l'édifice. Alors que les premières voitures quittaient les lieux, Donovan poussa David en disant :

— Nous descendons.

Quelques instants plus tard, ils frappaient à la porte de l'appartement. L'homme qui vint ouvrir portait un revolver à la ceinture, un fusil de chasse à la main. Deux gardes du corps s'étaient matérialisés pendant leur absence et avaient transformé le hall d'entrée en poste de garde. D'autres se tenaient sans doute à la sortie arrière de l'appartement, et même dans les rues avoisinantes.

Autorisés à entrer dans le salon, ils y trouvèrent O'Mahony et Stephens déjà calés dans des fauteuils, un whisky devant eux. O'Mahony expliqua :

— Ces deux hommes iront à Yonkers avec vous demain. Il y a là un poste militaire où la plupart des soldats sont des Irlandais. Nous comptons sur David pour inonder la presse d'articles sur votre tournée.

Le *Head Center* de New York pivota sur lui-même, prit une pile de journaux sur son bureau et la mit dans les mains du journaliste.

— Je ne veux pas paraître mal élevé, mais je vous chasse, continua-t-il. Vous parcourez ces copies du *Irish People*. Vous y trouverez de la matière pour vos articles. À demain, ici, à midi.

David adressa un salut à la ronde et quitta la pièce sans un mot. Il n'était pas convié à discuter de stratégie.

～

Dans sa chambre ce soir-là, avant de se mettre à l'étude du *Irish People*, David Devlin commença à chiffrer un message pour le consul Archibald. Le système présenté à

Édith se révélait assez simple. D'abord, chercher dans le roman *Ivanhoé* le texte qui servirait à établir la clef. Comme on était le 28 janvier, il transcrivit la vingt-huitième ligne du premier chapitre. Le 15 février, il aurait utilisé la quinzième ligne du second chapitre, et ainsi de suite. Puis sur une feuille, il copia :

Exorbitant during the reign of Stephen, and whom…

Ensuite, il fallait établir une table d'équivalence entre ces lettres et l'alphabet. Cela donnait, une fois éliminées les lettres répétées dans le bout de phrase :

e	x	o	r	b	i	t	a	n	d	u	g	h	f	s	p	z	w	m	y	c	j	l	v	q	z
a	b	c	d	e	f	g	h	i	j	k	l	m	n	o	p	q	r	s	t	u	v	w	x	y	z

Puis il écrivit sans aucun espace entre les mots, car cela aurait rendu le code trop facile à briser :

28-01-1865
DeHBMMyBpaBFMBMyeWWnJBeFVe…

En clair, le message complet donnait : «James Stephens est arrivé à ny aujourd'hui. Il doit faire une tournée des garnisons afin de recruter des hommes ayant une expérience militaire. Il a annoncé que la révolte en Irlande aurait lieu cette année. Des vétérans américains seraient déjà à pied d'œuvre à Dublin… »

L'opération de chiffrage ne présentait pas de bien grandes difficultés, mais prenait du temps pour un texte de vingt lignes à peine. Le plus ironique, c'était que les journaux, dès lundi, en apprendraient tout autant au consul. Mais vingt-quatre heures pouvaient faire une différence. Puis c'était son premier rapport, une façon de signifier qu'il se trouvait déjà au travail et faisait bon usage de l'argent que lui versait le gouvernement britannique.

Au milieu de la soirée, tandis que David cherchait une taverne où aller souper, il confia son message à un gamin. Pour être sûr que la missive arrive à destination, les quelques sous de salaire ne viendraient qu'après la livraison, quand le jeune garçon lui montrerait un accusé de réception, un bout de papier sur lequel Édith Archibald aurait griffonné « Tante Ambruster vous salue ».

—◆—

Quelques fiacres s'alignaient déjà sous les fenêtres de l'appartement de la 32ᵉ Rue. Le journaliste ne fit que monter à l'étage pour redescendre aussitôt. La petite délégation se dirigea vers la gare. Si Yonkers ne se trouvait pas bien loin au nord de New York, dans le comté de Westchester, s'y rendre par les chemins d'hiver serait trop difficile, alors que le train y allait plusieurs fois par jour. Une heure plus tard à peine, la petite délégation montait dans de nouvelles voitures afin de se déplacer vers le campement militaire situé un peu à l'extérieur de la ville. Yonkers comptait une forte proportion d'habitants d'origine irlandaise — selon la légende, la première parade de la Saint-Patrick aux États-Unis se serait déroulée dans ses rues. Cela se répercutait sur la composition des troupes stationnées à cet endroit.

Des sympathisants leur donnèrent accès au site. Les officiers féniens parcoururent les rangées de tentes en annonçant la présence de « Monsieur Daly, un important visiteur d'Irlande ». Cette prudence, l'usage d'un pseudonyme, devait faciliter l'entrée dans les camps militaires. D'un autre côté, les soldats qui se rassemblaient dans le grand espace servant aux manœuvres répétaient sans cesse leur hâte d'entendre le patron, certains précisant même son véritable nom. Le secret paraissait bien mal gardé !

Moins d'une demi-heure après son arrivée dans le camp, James Stephens utilisait le toit d'un fiacre en guise d'estrade pour haranguer des centaines d'Irlandais, parmi lesquels s'étaient glissés quelques Américains curieux.

Le militant évoqua toutes les misères subies par le peuple irlandais devant un public exalté, de la bataille de la Boyne en 1690 à la Grande Famine des années 1840, en passant par l'union avec le Royaume-Uni en 1801! Ensuite, il reprit le même refrain que la veille, en se faisant plus précis :

— D'ici la fin de l'année, les Anglais auront payé pour leurs crimes. L'heure de la révolte approche. Mais pour cela, nous avons besoin de l'appui de nos frères aux États-Unis. Si ce n'est déjà le cas, rejoignez la Fenian Brotherhood. Certains d'entre vous, les plus braves soldats de l'Union, pourront venir en Irlande participer au combat. À votre seule vue, les Anglais de Dublin Castle, le lieu où se cachent les tyrans, vont crever de peur.

Quelques hourras dans la foule soulignèrent les derniers mots. L'idée d'en découdre avec l'ennemi héréditaire les réjouissait.

— Mon frère O'Mahony m'a expliqué que lorsque vous quittez l'armée, le gouvernement vous offrait la possibilité d'acheter votre équipement, fusil compris. Si tous les Irlandais des troupes de l'Union se joignent à nous, cela donnera une armée républicaine irlandaise forte de deux cent mille hommes! Beaucoup plus que ce que la Grande-Bretagne ne pourra jamais lever. L'Irlande sera libre et républicaine bientôt. Et tous nos fils, que la tyrannie anglaise a chassés à travers le monde, pourront y revenir!

La foule devenait hystérique. David voyait des officiers américains, sans doute inquiets des cris d'allégresse des soldats, venir écouter ce discours enflammé. Ceux qui avaient une ascendance irlandaise partageaient l'enthousiasme des hommes de troupe ; les autres se réjouissaient que la Grande-Bretagne se retrouve avec un sérieux problème sur les bras.

— Combien de temps te faudra-t-il pour rédiger un article sur ce que tu viens de voir ? demanda Donovan, près de l'extase révolutionnaire.

— Je peux te remettre quelque chose demain midi, si je retourne chez moi sans tarder.

— Je passerai prendre ton texte. Ce sera publié dès mardi, mercredi au plus tard. Ne perdons pas de temps. Sans compter qu'on se gèle le cul dans cette voiture ! Au cours des prochaines semaines, nous allons visiter des dizaines de camps comme celui-ci.

L'avocat tapa sur le toit du fiacre pour attirer l'attention du cocher et lui demanda de retourner tout de suite à la gare.

❦

Édith Archibald vivait seule avec son père. Les trois domestiques qui s'occupaient de la maison ne comptaient pas vraiment. Certains jours, cela posait un problème à la jeune femme. Comme en ce matin du 3 février, où elle aurait voulu qu'une autre personne puisse lui dire que son vêtement et sa coiffure convenaient pour la circonstance. Le consul ne paraissait pas pouvoir établir la différence entre un jupon et une robe ! Aussi, plutôt que de commenter le très joli et seyant costume de cavalière gris acier — qui soulignait ses yeux d'une façon magnifique —, au lunch, il avait plutôt demandé :

— Tu as lu l'article de notre ami, ce matin, dans le *Harper's Magazine* ?

— Oui. Cela rappelle ce qu'il publiait en France, des textes plutôt sympathiques aux sudistes.

— Surtout très conformes à ce que propose Abraham Lincoln : la générosité pour une population qui a été entraînée par ses chefs dans un conflit illégitime.

Le premier article de David dans ce périodique ne concernait pas les Irlandais, mais le conflit fratricide. Le diplomate se consacra à son poisson poché pendant un moment, avant d'enchaîner :

— Le président entend se montrer généreux, après un carnage… qui n'est même pas terminé.

— La seule attitude possible, glissa-t-elle. Lincoln a fait la guerre pour conserver l'intégrité de l'Union. Impossible de punir maintenant la population à laquelle il tenait suffisamment pour engager le pays dans un conflit.

— Il n'y a pourtant pas unanimité au sein du Parti républicain, à ce sujet. La section radicale veut justement les punir, ces sudistes.

Tous les journaux qui passaient par le bureau de son père aboutissaient dans son boudoir. Lisant la même chose, ils se trouvaient toujours sur la même longueur d'onde politique. Le consul enchaîna :

— Le vieil Abe saura rallier tout le monde à la fin, entre une anecdote sur sa vie de poseur de rails et un discours étonnant d'intelligence sur la constitution américaine. Quel politicien ! Je trouve les nôtres bien ennuyeux parfois, en comparaison. Mais pour en revenir à Devlin, son article sur les habitants de Richmond vient nous rappeler que la facture payée par les civils, comme dans toutes les guerres, demeure bien élevée.

— Que penses-tu de son message codé ? J'ai mis une heure à le déchiffrer. Je me demande si la précaution en vaut la peine.

— Si tu n'en es pas certaine, retire-toi de ce jeu dangereux pour revenir à la broderie !

Le vieil homme se sentait mal à l'aise de la mêler à ses histoires d'espionnage. Pour la première fois, il profitait des services d'un professionnel du renseignement pour corroborer, ou non, ce que lui apprenaient ses informateurs. Mais personne ne jouait le rôle d'agent de liaison, tant le Royaume-Uni avait du mal à prendre au sérieux le nécessaire travail de renseignement, comme si cela ruinait l'esprit sportif des relations internationales !

— Je suis sérieux, insista-t-il encore. Sois très prudente. Ces gens-là peuvent devenir dangereux. Je me suis hâté de faire connaître à Londres les menaces de Stephens : la révolution d'ici la fin de l'année ! Malheureusement, il faudra dix jours pour que mon mémoire arrive à destination.

— Tu y crois ? Cela me semble tellement extraordinaire.

— Tout au plus risque-t-il de se tromper un peu sur le moment. Il y aura des révoltes en Irlande aussi longtemps que la population se sentira traitée injustement. Cette perception ne changera pas si notre pays ne se comporte pas autrement.

— Nous n'étions pas responsables de la Grande Famine ! Elle résultait de la maladie de la pomme de terre.

Dans les griefs des Irlandais, celui-là revenait souvent. La jeune femme tenait à garder intacte l'image qu'elle se faisait de son pays. Son père affichait plutôt son scepticisme.

— Mais le régime économique que nous imposons à cette île a entraîné sa dépendance à cette seule production.

— Nous avons consacré des milliers de livres pour les aider.

— Très peu. Le Royaume-Uni a dépensé dix fois plus d'argent pour la guerre de Crimée deux ou trois ans plus tard, une entreprise totalement inutile. Les Irlandais se souviendront éternellement que lorsqu'ils crevaient de faim, les grands propriétaires terriens exportaient du blé. J'ai entendu moi-même le premier ministre dire que la famine avait été voulue par Dieu pour punir cette population de pratiquer une religion idolâtre !

La jeune femme se mordit la lèvre inférieure. Que son père reprenne ces arguments, ressassés sans cesse dans la presse irlandaise, la déprimait. Son romantisme s'accommodait mal du fait de se retrouver du côté des méchants. Devait-elle orner son chapeau d'un trèfle et offrir ses services à ce Stephens ?

— Tu ne te sens pas mal à l'aise de faire ton travail, avec des idées pareilles ? questionna-t-elle.

— J'essaie de me convaincre que dans l'ensemble, l'action de notre gouvernement, et la mienne, ne se trouvent pas si néfastes.

Il s'arrêta et repoussa son assiette — ces conversations avec sa fille valaient la meilleure diète, elles lui coupaient l'appétit.

— À ton âge, pour une femme en plus, tu crois que ce sont des sujets de discussion souhaitables ?

— Tu préfères parler de mes cheveux ? Qu'en penses-tu ?

Quelqu'un était venu à la maison pendant la matinée pour refaire sa coiffure. Ses boucles châtaines formaient un assemblage compliqué qui lui dégageait le cou et les oreilles. Elle tourna la tête à droite, puis à gauche, pour lui montrer.

— Très beaux. N'est-ce pas un peu élaboré pour aller galoper dans le parc par un froid semblable ?

— Pas du tout. Il faudrait que tu sortes un peu de la maison. Si je ne veux pas que les Américaines pensent que les femmes du Royaume-Uni sont des laiderons, je dois faire attention.

Surtout, songea sir Archibald, elle tenait à ce qu'un Canadien d'origine irlandaise sache qu'elle n'avait rien d'un laideron. Voilà un autre risque associé au rôle qu'il lui fallait assumer.

— Je dois y aller ! constata-t-elle en posant les yeux sur l'horloge qui égrenait les minutes sur le manteau de la cheminée.

❧

Le cocher la fit descendre tout près des écuries, à l'extrémité nord de Central Park. David Devlin vint à sa rencontre, souriant. Elle sentit son regard sur elle, appuyé. Sa première impression était la bonne : le jeune homme la trouvait jolie. En marchant vers la bâtisse basse et sombre, il tarda un peu, afin de bien voir l'envers du décor. En se vêtant pour l'équitation, elle s'évitait la nécessité d'une crinoline. Sa robe grise, même ample, qui dégageait à peine les chevilles, découpait une silhouette fine, élancée, en même temps que souple et athlétique. Quant aux cheveux relevés et au petit chapeau haut de forme incliné sur l'œil gauche, ils mettaient en valeur des traits harmonieux.

Son examen la faisait rougir, une réaction qui pouvait être attribuée au froid. Il revint à sa hauteur en disant, pour se donner une contenance :

— Je n'ai rien loué, ne sachant pas vos préférences.

Il voulait dire entre une bête fatiguée et docile, pour une jeune femme condamnée par les convenances à monter en amazone, ou une autre, plus sportive. En vérité, elle s'y connaissait plus que lui en chevaux et en équitation. Les mains réunies, penché un peu en avant afin qu'elle y pose son pied droit enfermé dans une bottine lacée, il l'aida à prendre place sur un petit étalon noir, nerveux et vif. Ce faisant, le jeune homme eut droit au joli spectacle d'une cheville fine, d'un début de jambe gainé de soie brodée et d'un jupon tout de dentelle. Fébrile, David grimpa peu après sur un hongre que la castration avait rendu un peu poussif, sellé « à l'américaine ». Les selles anglaises sur lesquelles on devait se taper le cul à chaque foulée de la monture, ou rester debout dans les étriers, le laissaient perclus de courbatures.

Édith Archibald montait en amazone, les deux jambes du côté gauche du cheval. Même si cela l'empêchait de maintenir son équilibre en serrant les flancs de la bête entre ses cuisses, elle commença la promenade par un petit galop. À dix verges derrière elle, David Devlin pouvait apprécier le mouvement de haut en bas de ses fesses sur la selle, la posture très droite, la cravache inutile dans une main. S'interdisant de poursuivre des pensées de ce genre plus longtemps, il donna un coup de talons dans les côtes de son cheval pour se rapprocher, passant à gauche afin de se placer du côté de ses jambes. Comme cela, elle pourrait le voir sans se casser le cou.

La jeune femme ralentit le pas pour rester à la hauteur de son compagnon. Il en profita pour lui dire :

— J'ai dans mon sac quelques textes, des articles parus dans des périodiques irlandais, un autre dans un quotidien du Parti républicain. Et celui du *Harper's Magazine*.

Les journaux réellement indépendants d'un parti politique n'existaient pas. Les publications irlandaises penchaient pour les démocrates.

— Vous avez beaucoup écrit cette semaine ?

— Une demi-douzaine de textes, plutôt courts, sauf celui du *Harper's Magazine*. Je suis devenu en quelque sorte le publicitaire du mouvement fénien. J'accompagne Stephens dans les camps militaires, afin de décrire l'accueil enthousiaste des Irlandais.

— L'accueil se révèle si enthousiaste que cela ?

— L'annonce de la liberté imminente de l'Irlande suscite toujours une réaction positive.

La précision ennuya la jeune femme. Jamais elle ne pourrait afficher le détachement de son compagnon.

— Cela vous paraît réaliste ?

— Aucune révolution annoncée à l'avance à des foules entières, puis dans des journaux, ne me paraît réaliste. Les gouvernements victimes de menaces semblables ne laissent jamais les événements suivre leur cours.

Leur promenade les avait conduits près du grand réservoir Croton, qui fournissait de l'eau aux New-Yorkais. En essayant discrètement d'ajuster sa posture pour qu'aucune partie trop fragile de son anatomie ne heurte le pommeau de la selle, David continua :

— Vous avez déjà lu le *Irish People ?*

— Quelques numéros seulement. Mon père les reçoit de Dublin, en liasses. Ses pages sont tout aussi explicites, sur l'imminence d'un soulèvement. Je m'étonne qu'on laisse ce périodique paraître.

— Je ne suis pas d'accord avec vous. Un journal qui rend publiques les conspirations, dont la liste des abonnés fournit les noms des partisans de la révolution, dont les principaux collaborateurs sont aussi les chefs du mouvement séditieux, c'est très précieux. Trop pour qu'on le ferme. Imaginez toutes les économies réalisées en travail d'espionnage.

— Alors peut-être ai-je évoqué sa fermeture pour vous éviter de vous retrouver au chômage, remarqua-t-elle, un peu moqueuse. Vous avez tout à fait raison.

Pendant l'heure qui suivit, David eut l'occasion de parler de ses quelques articles. Sans jamais le nommer autrement que par son pseudonyme, il résumait les paroles de Stephens, insistait sur la formidable armée face à laquelle le Royaume-Uni se retrouverait si tous les vétérans rejoignaient la Fenian Brotherhood.

Quand ils eurent parcouru la plupart des allées de
Central Park, le froid les amena à rendre leurs montures.
Comme ils se réchauffaient un peu dans un salon de thé, la
conversation porta sur les livres qu'ils avaient lus, les spec-
tacles présentés dans la ville. David trouvait que ce serait
une excellente idée d'inviter la jeune femme au théâtre.
Mieux valait, se disait-il, donner l'impression qu'il poursuivait Édith de ses assiduités. Rien ne semblerait plus naturel,
ni plus agréable.

Chapitre 6

Début février 1865, il convenait de préparer le troisième congrès annuel de la Fenian Brotherhood. Quatre cents délégués, représentant ensemble presque autant de cercles, viendraient raviver leur flamme révolutionnaire en buvant les paroles de James Stephens. Auparavant, une vingtaine de « centres » et quelques membres influents de la Fraternité se réunirent autour d'une grande table, dans la salle à manger de l'appartement de la 32e Rue.

Au moment de s'asseoir, il y avait eu un malaise : Stephens et O'Mahony s'étaient spontanément dirigés vers la chaise placée au bout de la table, celle du président. Après s'être regardés fixement sans dire un mot, chacun convaincu de son bon droit au siège d'honneur, les deux *Head Centers* en seraient venus à un échange inamical si Donovan n'avait pas pris sur lui de proposer :

— En hommage à notre distingué visiteur, pourquoi ne pas lui confier la présidence de notre réunion ?

L'avocat tira la chaise pour Stephens, l'avança pour permettre au petit homme de s'asseoir. Sa précision était utile : le Dublinois ne présidait pas à titre de chef suprême de tout le mouvement. Les Américains préféraient toutefois montrer leur déférence pour un invité de marque. D'ailleurs, O'Mahony prit la parole le premier afin d'informer les membres présents des résultats de la dernière campagne de recrutement. Plusieurs dizaines de milliers de dollars s'entassaient dans les coffres de banquiers sympathiques à la cause.

— Il conviendrait de les placer à un taux avantageux, dans les chemins de fer par exemple, conclut le *Head Center* de New York.

— Nous ne dirigeons pas une société de placements !

La voix venait de l'autre extrémité de la table. William Randall Roberts, un simple soldat, devait à la générosité de sa contribution financière le privilège de siéger avec les officiers de la Fraternité.

— Quelle est la date prévue pour le soulèvement en Irlande ? continua-t-il.

La question était destinée à James Stephens. Celui-ci commença :

— Cette information doit demeurer secrète…

— Les dollars viennent de membres séduits par votre promesse d'une révolution prochaine. Pendant combien de temps verseront-ils leur cotisation, s'il ne se passe rien ? Trois mois ? Six mois ?

— Nous ne sommes pas prêts. Agir tout de suite équivaudrait à un suicide.

— Que vous manque-t-il encore ? À quoi les milliers de dollars envoyés à Dublin mensuellement ont-ils servi ?

Le marchand écorchait toutes les règles de la bienséance. Le chef suprême se trouvait mis sur la sellette.

— Il faut soutenir notre journal, payer les officiers de nos cercles. Il n'est pas facile pour eux d'occuper un emploi et de recruter des membres en même temps…

Stephens parlait d'un ton cassant, outré de devoir justifier ses décisions.

— Est-ce à dire que nous ne sommes pas plus proches d'un soulèvement qu'il y a cinq ans ? insista Roberts. Que vos discours au sujet de l'insurrection imminente ne servent qu'à augmenter le volume des cotisations? Vous devriez vous faire embaucher comme crieur par le cirque Barnum, pour convaincre les gens d'aller voir la femme à barbe et l'homme le plus petit du monde, après avoir vendu une révolution qui ne vient jamais!

Autour de la table, tous contemplaient leurs mains, mal à l'aise, peu désireux de croiser leur regard avec ceux de leurs compagnons. Le marchand traitait Stephens d'imposteur. Plutôt que de lui ordonner de se taire, les chefs américains partageaient plutôt son point de vue. Le Dublinois avait enfiévré les féniens de la Nouvelle-Angleterre avec des promesses, il ne pouvait tout de même pas reprendre la mer les poches pleines, sans rendre de comptes.

— Notre collègue Roberts a raison, risqua O'Mahony. Nous devons nous engager dans l'action, sinon nos membres pourraient perdre confiance.

— Il nous manque des hommes rompus au combat, des armes…, opposa encore Stephens.

— Dans quelques semaines, les rues de New York vont déborder d'officiers compétents, observa Roberts. La guerre se termine. Les arsenaux regorgent d'armes et de munitions devenues inutiles. Je propose que nous n'envoyions plus d'argent outre-mer. Nous engagerons plutôt des vétérans sûrs et les ferons passer en Irlande, afin de planifier et de diriger le soulèvement. Nous achèterons aussi des fusils et les acheminerons vers le vieux pays discrètement.

La Fenian Brotherhood n'avait rien d'une société démocratique. Bien au contraire, le pouvoir du *Head Center* tenait de la dictature: autrement, impossible de mobiliser toutes les forces disponibles et les précipiter dans une action immédiate. Pourtant, Roberts venait de présenter une proposition et Patrick McCanna, le «centre» du cercle auquel appartenait Donovan, grommela pour l'appuyer :

— Bonne idée !

Autour de la table, un murmure d'assentiment se fit entendre. O'Mahony n'avait d'autre choix que de suivre le mouvement, sinon il devrait céder sa place :

— Le plan d'action proposé par notre ami Roberts s'avère intéressant. Nous verrons si des vétérans de l'armée de l'Union voudront servir notre cause. Nous sommes en mesure d'offrir une solde à quelques dizaines d'entre eux.

— Quant à l'achat de munitions et d'armes, glissa Donovan, sortant de son rôle de secrétaire de la réunion, je suppose que Roberts pourra vérifier si certains manufacturiers accepteraient de nous céder une partie de leur production.

James Stephens n'intervenait plus. Lui qui arpentait l'Irlande en tous sens saurait quand la population se montrerait mûre pour une révolution. En attendant, l'argent de l'Amérique devait servir à recruter, former et entretenir les cadres du mouvement. Sur place, lui seul pourrait donner le signal du déclenchement des hostilités.

De son côté, William Randall Roberts savourait cet instant. Propriétaire d'un grand commerce de détail à New York, le Crystal Palace — une allusion au style architectural de la bâtisse, de fonte et de verre, situé en banlieue de Londres —, il assumait une part croissante du financement de la Fraternité. Le mouvement fénien n'allait nulle part : cela changerait bientôt.

❦

Au retour du congrès de Cincinnati, où Stephens avait continué de promettre une révolution imminente, la tension était palpable dans les locaux de la Fraternité, dans la 32e Rue.

David avait parlé à Donovan de son désir de rédiger une série d'articles sur les diverses communautés irlandaises des États-Unis. Il reçut une approbation distraite et la promesse que la documentation amassée par l'organisation se trouverait à sa disposition.

Depuis son premier passage en ces lieux, seulement quelques semaines plus tôt, les rayonnages s'étaient enrichis de très nombreux livres et de journaux reliés en volumes. Le long des murs, des classeurs accumulaient une importante correspondance. Un jour sur deux, le jeune homme prenait place à une petite table pour rédiger ses textes. Les heures passées au quartier général de la Fraternité lui permettaient de voir une curieuse procession d'individus désireux de rencontrer John O'Mahony : des officiers nordistes, des membres éminents du Parti démocrate, des manufacturiers d'armes et de munitions.

Mine de rien, il notait leurs noms au passage. Parfois, l'espion tournait la poignée de la porte du bureau du *Head Center* en l'absence de celui-ci. Quand elle cédait sous sa main, il parcourait tous les papiers qui ne se trouvaient pas sous clef. Cela lui permettait de préciser ses soupçons : des militaires féniens mettraient les voiles vers Dublin dans le courant de l'été ; des armes et des munitions suivraient le même chemin un peu plus tard.

Ces petites incursions dans le saint des saints constituaient toutefois un réel danger. Si O'Mahony revenait juste un peu plus tôt de son lunch dans une taverne voisine, sa vie ne tiendrait plus qu'à un fil. Ses observations formaient la base de ses mémoires à son employeur. Les informations les plus cruciales faisaient l'objet d'un message chiffré. Les autres transitaient par les mains d'Édith Archibald. Cette vie d'agent secret offrait peu de loisirs, tous ses efforts étaient consacrés à se construire une carrière de journaliste et à collecter des renseignements à l'intention du diplomate.

~

En mars 1865, à la fin de la session parlementaire des États confédérés, le président Jefferson Davis quitta Richmond pour ne plus jamais y revenir. Le 9 avril, le général sudiste Robert Lee se rendit au général nordiste Ulysses Grant, au palais de justice de la petite ville d'Appomatox. Cette brève rencontre marquait la défaite du Sud. Même si les combats n'avaient pas encore pris fin — les généraux Taylor et Smith se rendraient seulement en mai ; le navire *Shenandoah* continuerait de capturer des bâtiments nordistes jusqu'en août, avant d'apprendre en pleine mer la fin du conflit —, chacun, à New York, célébra la paix retrouvée début avril.

David Devlin avait participé aux célébrations, puis s'était remis au travail le mercredi 12, résolu à terminer un texte sur la légitimité de la révolution irlandaise contre le Royaume-Uni. Tôt le samedi matin, en mettant le pied sur le trottoir en face de chez lui, il entendit un gamin crier, debout au milieu de la rue :

— Édition spéciale : le président assassiné ! Une balle dans la tête !

Après un moment de stupeur, il se précipita, comme tous les passants, afin d'acheter un exemplaire du *Tribune* au jeune vendeur. Une petite armée de garçons comme celui-là jouait un rôle essentiel pour les entreprises de presse, écoulant dans les rues les copies lues par les habitants des villes. Dans les campagnes, il fallait se fier aux services postaux : les publications arrivaient avec quelques jours de retard.

Le journal ne donnait pas beaucoup de détails. Le président se trouvait dans sa loge du théâtre Ford, avec sa femme et un couple d'amis, pour entendre une pièce intitulée *Our American Cousin*. John Wilkes Booth était entré et lui avait tiré une balle dans la nuque avec un minuscule pistolet, un derringer. Puis l'assassin avait sauté de la loge sur la scène, se brisant une cheville lors de cette manœuvre, devant une foule ébahie. Malgré sa blessure, il put s'enfuir par les coulisses, regagner son cheval dans une ruelle et prendre la fuite.

Booth ! Le message que David avait envoyé à Pinkerton lui avait pourtant semblé on ne peut plus explicite. D'autres que lui avaient négligé leur devoir.

＊

Au fil des mois, Édith et David avaient pu explorer toutes les allées de Central Park, s'étonner de voir des troupeaux de porcs fouissant dans les buissons et faire le tour des salons de thé des environs. Aussi, la semaine précédente, ils s'étaient entendus sur un accroc à leurs habitudes. Plutôt que de se voir dans le parc le vendredi, ils se retrouveraient au Battery Park le samedi, afin de se livrer à une petite excursion.

David se tint sur le trottoir de la rue Broadway, juste en face du parc de l'Hôtel-de-Ville, jusqu'à ce qu'un fiacre s'arrête devant lui. La jeune femme, resplendissante dans sa robe légère tendue sur une crinoline de proportions plutôt modestes, portait un joli petit chapeau fleuri incliné sur l'œil gauche. Parce que leurs relations reposaient sur un prétexte, ils conservaient un air plutôt emprunté à toutes leurs rencontres. Le jeune homme prit la main gantée pour la baiser.

— Vous avez tout arrangé, David ?

— Bien sûr, Édith. Nous nous embarquerons sur l'*Élisée*... Quel nom pompeux pour un navire, tout de même.

Ils avaient convenu depuis quelques semaines de laisser les « madame » et « monsieur » pour utiliser leurs prénoms, une habitude trop nouvelle pour que le plaisir de les prononcer se soit déjà estompé. Descendant de la voiture, David offrit sa main à la jeune femme, la tint bien plus longtemps que nécessaire une fois ses pieds posés sur le sol. Puis ce fut bras dessus, bras dessous qu'ils traversèrent le parc ensemble.

Le vapeur se trouvait amarré à deux ou trois cents verges de Garden Castle. Tous les beaux messieurs et les belles dames, dans leurs somptueux atours d'été, en ce 15 avril resplendissant, vivaient à des années-lumière des immigrants que la misère jetait sur ce rivage. David se sentait écartelé entre ces deux univers, n'appartenant ni à l'un ni à l'autre. En ce sens, il incarnait bien les classes moyennes nouvelles, soucieuses de s'éloigner du prolétariat, calquant leur mode de vie sur celui des bourgeois, tout en demeurant en fait dans l'ombre de ces derniers.

L'*Élisée* avait une longueur de trois cents pieds et soixante de large. Des cabines se trouvaient sur les ponts inférieurs. Le premier accueillait deux grands salons, le même nombre de salles à manger. Le couple se retrouvait en première classe, à l'avant. Si David regagnait lentement le terrain quant à sa solde — au gré d'augmentations demandées et reçues —, les convenances exigeaient qu'il assume tous les frais de leurs sorties. Au fond, le consul économisait sur les loisirs de sa fille. Heureusement, ses écrits lui procuraient maintenant un revenu décent.

Assis à une table près du bastingage, un thé glacé devant eux, ils virent toute la manœuvre de départ et jouirent d'une vue imprenable sur New York quand le navire s'éloigna de la rive. Le jeune homme ne put s'empêcher de songer à la vision d'horreur qui s'était présentée sous ses yeux presque deux ans plus tôt. Les émeutiers avaient obtenu ce qu'ils cherchaient : la population noire, en proportion du total, se trouvait réduite à la moitié de ce qu'elle était avant la guerre de Sécession.

Le vapeur s'engagea vers le sud, puis vers l'est, longeant la côte de Brooklyn. Cette ville comptait maintenant plusieurs dizaines de milliers d'habitants. Ses quartiers les plus chics, sur des hauteurs, permettaient de profiter de la campagne tout en ayant une vue magnifique sur Manhattan. Mettant le cap au sud-est, le navire parcourut ensuite toute la largeur de la baie Gravesend, au creux de laquelle s'étendaient des marécages, dépassa Norton Point, où un phare indiquait aux transatlantiques la direction vers la baie de New York. Puis le bâtiment longea l'île Coney, à peu près déserte, couverte de sable. Toute sa rive sud donnait sur l'Atlantique. Les regards du couple se perdaient dans l'immensité liquide. L'air marin était encore suffisamment frais pour que la jeune femme ramène son châle sur ses épaules.

Pendant tout le trajet, comme chez tous les Américains ce jour-là, leur conversation porta sur un sujet plus sombre que le point de vue dont ils profitaient.

— Vous croyez que cet assassinat aura des conséquences néfastes sur la suite des choses ?

Dans le fiacre, ils avaient commenté les longues bandes de tissu noir qui ornaient les façades des édifices publics et de nombreux commerces, des plus importants aux plus modestes. La ville revêtait les ornements du deuil.

— Pas sur le cours du conflit, bien sûr. Il se termine, opina son compagnon. Sur la paix, j'en ai peur.

— Il voulait traiter le Sud avec mansuétude.

— Sinon, pourquoi avoir mené la guerre ? Il ne s'agit pas de gagner des colonies, mais de ramener des États dans l'Union. Je crains bien que sa mort n'entraîne au pouvoir les républicains radicaux, résolus à faire payer aux sudistes l'affront de la sécession.

Le vapeur alla s'amarrer à la plage Brighton, où une longue jetée de bois s'avançait dans la mer. Édith se remémora à haute voix ses voyages dans la ville de Brighton, au sud de Londres, alors qu'elle était plus jeune. Elle ouvrait une fenêtre sur le mode de vie des nantis du Royaume-Uni : les maisons louées sur la côte pour la belle saison, les domestiques envoyés en avant-garde afin de tout préparer, les visites reçues et rendues entre gens respectables.

Ils lunchèrent à bord du navire, une entrée d'huîtres, puis des homards accompagnés d'un petit vin blanc italien, avant d'aller se promener en se tenant par le bras sur l'interminable plage. Le jeune homme portait galamment l'ombrelle de sa compagne afin que le soleil ne vienne pas gâcher son teint de pêche. Seules les paysannes laissaient un hâle colorer leur peau. Alors qu'ils s'étaient arrêtés sous une pergola rustique, après un long commentaire sur les beautés du lieu, Édith demanda :

— Lors de notre première rencontre, vous avez évoqué les excès des Britanniques en Irlande. Ces excès se sont produits dans le passé, pas de nos jours.

— Votre mémoire demeure fidèle. Ce n'était pas très délicat de ma part de vous dire une chose pareille, risqua-t-il avec l'espoir de l'amener sur un terrain plus inoffensif.

— Je vous posais des questions, vous me répondiez. Mais à ce sujet, vous vous êtes dérobé. Considérez-vous vraiment les Britanniques comme coupables d'actions criminelles ?

Le jeune homme n'y échapperait pas, cette fois. Après un soupir, il commença :

— Le simple fait que les Britanniques restent là, alors qu'une majorité des Irlandais me paraît désirer leur départ, me semble un excès. Comme s'ils demeuraient au Canada après que les Canadiens ont décidé de faire cavalier seul.

— Mais le droit du vainqueur ? L'Irlande appartient au Royaume-Uni depuis longtemps.

— Je peux m'armer, prendre possession de votre maison, soumettre tous ses habitants à ma volonté, prétendre me l'approprier sur la base de ma conquête. Tout de même, cela s'appelle du vol.

Elle se troubla, ouvrit la bouche pour dire quelque chose, hésita puis reprit :

— Le droit privé n'est pas celui des États. La guerre existe, même si cela est regrettable. Vous-même habitez un territoire enlevé aux Indiens. Puis vous avez pris part au conflit du côté du Nord, pour imposer la volonté de l'Union sur le Sud.

— Je vais donc préciser mon point de vue. Si le désir populaire me semble un fondement légitime du pouvoir d'un État, je crois aussi qu'une fois celui-ci constitué, la population lui doit sa fidélité. On ne peut pas le démembrer sous prétexte qu'une mesure adoptée par la majorité vous déplaît. Sinon, ce serait la preuve qu'un État fondé sur la démocratie ne peut survivre, puisqu'il pourrait s'effriter à l'infini, au gré des intérêts particuliers d'une région, d'une municipalité, ou même d'un groupe de personnes. Imaginez les Mormons faisant sécession juste pour prendre plusieurs épouses ! Le gouvernement a le droit de maintenir l'intégrité du territoire national.

— Avec des convictions pareilles, vous auriez pu écrire les discours d'Abraham Lincoln.

— Ma pensée politique s'abreuve aux siens, qu'il écrivait très bien lui-même d'ailleurs.

Sa compagne ne se contentait pas de lire les pages féminines des journaux. Elle devait les dévorer en entier, se dit le jeune homme.

— Mon engagement dans les armées du Nord, continua-t-il, fut d'autant plus facile que le motif du Sud pour faire sécession me paraît tout à fait illégitime. Le maintien de l'esclavage représente la plus mauvaise raison pour se séparer. L'inverse, c'est-à-dire faire sécession pour échapper à un régime inique, me semble beaucoup plus acceptable.

— Et pour vous, la domination du Royaume-Uni demeure inique même si, sous l'union de 1801, des députés irlandais siègent à la Chambre des communes*.

— Où ils ne forment qu'une petite minorité, sans compter que les catholiques ne participent au suffrage que depuis 1829. Et comme le droit de vote n'est donné qu'aux propriétaires, mes coreligionnaires n'en jouissent habituellement pas. Ils comptent pour les cinq sixièmes de la population de l'Irlande, mais possèdent moins d'un dixième des terres.

— Les Britanniques pensent que les Irlandais ne peuvent se gouverner eux-mêmes.

Elle avait omis de s'inclure dans le lot.

— Depuis la fin du siècle dernier, au Canada, il y a une Chambre d'assemblée. Le Royaume-Uni nous a accordé ce privilège un peu avant de le retirer aux Irlandais. Depuis 1847, cette institution est souveraine pour toutes les questions touchant la politique intérieure. Anglais, Écossais, Canadiens français et même Irlandais ne s'en tirent pas si mal pour faire fonctionner le pays. Croyez-vous que les Irlandais ne pourraient le faire chez eux?

Elle resta longtemps silencieuse, tellement qu'il reprit la parole en se levant:

— Nous y allons?

---

* À l'aube du XIXe siècle, l'assemblée irlandaise fut dissoute et des députés de ce pays invités à siéger à Londres.

Mieux valait revenir vers le navire, afin de ne pas rater l'heure du retour.

— Si vous demeurez sympathique au désir d'indépendance de l'Irlande, pourquoi vous être engagé pour mon père ? Rêvez-vous de me gagner à la cause révolutionnaire ?

— D'abord, je ne crois pas que les Irlandais établis en Amérique devraient se mêler de cela. Ils n'y trouveront que des difficultés d'intégration dans le pays qui les accueille. Surtout, je pense que les mouvements révolutionnaires ne se révèlent pas toujours bénéfiques. Les victimes sont nombreuses et les gains, incertains. Les voies légales me paraissent les plus efficaces.

— Vous appréciez les efforts de Daniel O'Connell ?

— Je les apprécierais beaucoup si j'étais Irlandais. Comme j'applaudis les actions des La Fontaine, Morin et même Cartier, au Canada. En apparence, les progrès semblent plus lents. Ils se montrent surtout plus économes en vies humaines, et les résultats n'en sont que plus durables.

Elle percevait mieux le gouffre politique qui les séparait. Quant à lui, ce gouffre-là ne lui paraissait pas si insurmontable. Un autre lui semblait de proportions abyssales. Quand ils se quittèrent, en début de soirée, trop timide pour l'embrasser sur les lèvres, il garda un long moment ses doigts dans les siens, avant de les baiser avec une ferveur de dévot !

⌒

L'homme ne vivait pas seulement de l'écriture d'articles et de rencontres au motif incertain — de toute la journée de la veille, David n'avait pas dit un mot de son travail d'espion à Édith. Il lui fallait aussi des loisirs plus virils. De la pâmoison sur les atours et les mains gantées de dentelle d'une belle, le jeune homme passa aux muscles luisants de sueurs de boxeurs.

Avec Donovan, il s'était présenté à la porte d'un grand édifice de pierre et de brique, où le 7e Régiment d'infanterie entreposait ses armes, tenait ses exercices et avait ses bureaux, au coin de la 3e Avenue et de la 6e Rue. L'avocat lui expliquait que le sous-sol fournissait un espace dégagé, suffisant pour marcher au pas et même s'entraîner au tir à la cible.

— Quantité de féniens ont appris ici de quel côté du fusil il vaut mieux se trouver. Certains ne connaissaient pas la différence entre la crosse et le canon !

— Ils étaient membres de ce régiment ?

— Dans certains cas, oui. Mais les officiers se montrent sympathiques à notre cause. Quelques-uns d'entre eux nous ouvrent la porte certains soirs et montrent à nos hommes comment se servir d'une arme.

Au fil des dernières semaines, David avait remarqué que le jeune avocat se chargeait avec compétence des rapports entre la Fraternité et les dirigeants du Parti démocrate de l'État de New York. Les élections fédérales se tiendraient en 1868. D'ici là, en monnayant le vote massif des Irlandais, les féniens arriveraient à conserver des relations excellentes avec l'administration publique de l'État et de la ville.

Ce dimanche, dans le vaste sous-sol de l'armurerie du 7e Régiment, trois ou quatre cents hommes, Américains, Irlandais et Allemands, se pressaient autour d'une arène construite à quatre pieds du sol. Les deux protagonistes qui venaient d'y monter devaient faire attention de ne pas heurter une solive avec leurs poings, tellement le plafond était bas. David Devlin et John Donovan avaient payé un dollar pour se trouver dans les premiers rangs, entassés comme des sardines entre les plus nantis et les personnes derrière eux. Les amateurs à l'avant pouvaient s'accouder sur la plate-forme de bois de l'arène et profiter à la fois d'une vue imprenable sur le spectacle et du privilège d'être éclaboussés de sang.

Depuis le son de la cloche, deux hommes, un Irlandais et un Allemand, s'affrontaient dans un échange cruel. Ils combattaient poings nus, aussi faisaient-ils attention de ne pas baisser leur garde, de tenir leurs distances. Si cette attitude prudente durait un peu trop longtemps, les cris de la foule finissaient toujours par convaincre l'un des protagonistes de se lancer à l'assaut, pour se faire cueillir par un coup dévastateur. Un homme ordinaire aurait pu être tué d'un seul impact. Mais ces deux-là les encaissaient avec une endurance extraordinaire. Après dix minutes de ce jeu, ils saignaient tous les deux de la bouche, du nez et des arcades sourcilières.

— Ça ne me plaît pas vraiment, hurla David à son compagnon afin d'être entendu malgré le bruit ambiant.

— C'est de l'art, fit l'autre sur le même ton, quoique ces deux-là ne connaissent pas très bien la technique.

Voir de l'art chez ces gros types qui se tapaient dessus ! David fut soulagé quand l'Allemand, après avoir essayé un assaut en titubant, fut frappé en plein front. Ses genoux plièrent sous son poids, il tenta en vain de se relever. Après un compte de dix, l'arbitre le déclara perdant.

La petite foule s'éloigna du ring, alors que celui-ci se remplissait des amis des deux pugilistes. De nombreuses personnes ouvraient leur portefeuille, des liasses de billets verts passaient de main à main : outre l'excitation de voir deux adversaires s'assommer réciproquement, les paris attiraient les spectateurs. Cela avait déclenché la convoitise de gamins. Entrés là pour un cent ou deux, placés derrière des adultes, ils n'avaient rien vu de l'affrontement. C'étaient les montres attachées aux gilets des messieurs et l'argent qui gonflait leurs poches qui les avaient surtout attirés ici.

L'un de ces garçons, âgé d'une douzaine d'années, heurta brutalement David alors qu'il courait à travers la grande salle. Il se dégagea en lançant un « s'cusez » ironique, partit, ou plutôt voulut partir dans la direction opposée, car Donovan l'avait saisi par les épaules en disant :

— Rends-lui sa montre tout de suite, ou je te donne ta première leçon de boxe.

— Lâche-moi, tu me fais mal, cria le gamin.

Autour d'eux, des hommes se retournaient, incertains, hésitant entre rosser l'adulte qui s'en prenait à un enfant ou lyncher ce dernier. Le petit voyou essayait de se dégager, mais les doigts noueux de l'avocat s'accrochaient sur ses épaules.

— Rends cette montre ! répéta-t-il d'une voix forte, désireux d'établir son bon droit dans cette affaire.

David comprit enfin, chercha dans son gousset sa montre d'argent, ne trouva qu'un bout de la chaîne attachée à sa boutonnière. Machinalement, les témoins vérifiaient leurs possessions, certains lancèrent des jurons étouffés.

— Tu te décides, ou je vais devoir te dépouiller de tes vêtements ?

Donovan tira un peu sur la chemise du garçon, faisant voler quelques boutons. L'autre sortit une impressionnante collection de gros mots, tant en anglais qu'en gaélique, tout en jetant par terre le contenu de ses poches. Deux porte-feuilles et trois montres roulèrent sur le plancher de madriers.

— Voilà qui est plus raisonnable. Retourne à Five Points tout de suite. Et si un jour tu as besoin d'un bon avocat, ce qui arrivera sûrement vu ton départ dans la vie, cherche John Donovan. Je suis le meilleur.

Sur ces mots, il poussa le gamin en avant, enchaîna avec un coup de pied qui toucha sa cible. En boitant un peu et en jurant de plus belle, le garnement fila vers la sortie sans demander son reste.

— Quel chenapan, maugréa David. Il a réussi à casser la chaîne de ma montre sans que je m'en rende compte.

Au moins, en la jetant par terre, il n'avait pas abîmé le mécanisme. D'autres messieurs récupéraient leur bien sur le plancher, remerciant Donovan qui en profitait pour leur donner l'une de ses cartes.

— Si quelqu'un te rentre dedans à New York, neuf fois sur dix ce n'est pas un accident. Et si une gamine te tâte l'entre-jambe, son autre main te vide les poches en même temps.

Ils avançaient vers la sortie à leur tour. L'avocat continuait :

— Alors, je ne pourrai pas compter sur toi pour m'accompagner aux combats de boxe.

— Pas vraiment. Mais je constate que la chose te passionne. Tu montes parfois dans l'arène ?

— Je le faisais à l'époque de mes études. Mais les juges affichent des préjugés tenaces à l'égard des plaideurs qui se présentent au tribunal le visage amoché. Je ne m'y risque plus, je perdrais toutes mes causes.

Son visage exprimait un réel regret.

— Excepté la boxe, quel sport t'intéresse ? Les chevaux ?

Les deux hommes mangeaient souvent ensemble. Donovan paraissait désireux de partager ses loisirs avec son nouvel ami.

— Je suis allé aux courses une fois ou deux, mais comme mon loyer coûte cher et que mes revenus demeurent modestes, je ne parie pas. Quant à monter, cela m'est arrivé quelques fois à Central Park. Je sors de là avec les couilles en compote.

— Ah! Un homme d'esprit, fait pour tenir une plume. Je connais quelqu'un qui voudrait publier en un petit volume tes articles sur les Irlandais. Cela pourrait te rapporter quelques centaines de dollars. Donc, aucun sport ne te plaît?

— J'ai vu des gens jouer au baseball. J'aime bien cet affrontement ritualisé entre deux pelotons, sur un losange.

— Pfiou! Ça ne marchera jamais, ce truc-là. Trop compliqué, et il ne se passe rien. Puis ça ressemble trop au criquet. Dans deux ans, on n'en parlera plus.

Une fois dehors, ils restèrent campés sur le trottoir, deux hommes esseulés un dimanche après-midi. Autour d'eux, des couples déambulaient, en se tenant par le bras. David demanda, pour rompre le silence:

— Je t'ai entendu tout à l'heure. Tu cherches vraiment tes clients du côté de Five Points, un quartier de criminels?

—Je fais du droit criminel. J'aimerais m'occuper de droit des sociétés, l'argent se trouve là. Mais les riches ne font pas affaire avec des catholiques. Tu as vu, dans le *New York Times*, les emplois offerts? Même quand ils cherchent un domestique, les gens de la 5ᵉ Avenue précisent dans leur annonce «protestant seulement». Cela pour quelqu'un qui videra leur pot de chambre. Alors imagine, avant qu'ils laissent quelqu'un comme nous fouiller dans leurs contrats et leurs testaments, nous aurons mille ans!

David acquiesça. Ces annonces lui étaient familières. Non seulement les employeurs donnaient cette précision, mais les personnes qui s'affichaient dans la colonne des «services offerts» mettaient le protestantisme dans la liste de leurs compétences.

— Parlant de Five Points, cela te plairait de venir y faire un tour? demanda encore Donovan.

— J'y suis passé déjà. Des masures, des rues non pavées, des gens qui crèvent de faim sur les trottoirs et une armée de voyous ! Depuis que je sais qu'il s'y trouve un gang appelé les Lapins morts, cela ne me dit plus rien.

Si David acceptait d'aller dans des endroits pareils pour son travail, il essayait de s'en tenir à des endroits plus distingués pour ses loisirs.

— Je crois que ce gang d'Irlandais n'existe plus, ricana son compagnon. Il y a aussi des maisons closes pleines de dames de petite vertu, avec qui passer un moment agréable.

— Je préfère rentrer et travailler un peu.

— Tu m'inquiètes. Tu refuses toujours de m'accompagner. Tu ne me diras pas que tu as fait vœu de chasteté ?

— Non, répondit David en riant, prenant cette boutade à la blague. Mais comme tu le sais, j'ai été formé dans un collège catholique. Cela laisse des traces…

Terminant leur conversation, ils se quittèrent pour aller chacun de son côté.

Chapitre 7

Dans les jours qui suivirent, huit personnes, dont Mary Surratt, furent arrêtées et accusées de conspiration de meurtre. Elles seraient jugées par une commission militaire, puisque le président était, en vertu de sa fonction, commandant en chef des armées. John Wilkes Booth avait été tué de façon un peu suspecte par un homme de la troupe chargée de le capturer. Ainsi, il ne put préciser le degré de participation des personnes mises sous arrêts pour complot. Surtout, son absence autoriserait les autorités gouvernementales à laisser secrète une nuance : les comploteurs voulaient se saisir du président. L'assassinat semblait tenir à une initiative du meurtrier, décidée le jour même de l'action, avec la complicité de deux autres exaltés qui devaient, le même jour, pour l'un tuer le vice-président Johnson et pour l'autre, le secrétaire d'État Seward. Le premier fut laissé tranquille, le dernier sérieusement blessé.

À la fin du mois de juin 1865, tous les conspirateurs furent reconnus coupables. David obtint, par l'intermédiaire d'un directeur de journal, le privilège douteux d'assister à l'exécution de quatre des condamnés. John Donovan se joignit à lui grâce à un sauf-conduit accordé par les officiers new-yorkais du Parti démocrate. Aussi, au matin du 7 juillet, tous deux se trouvaient parmi l'assistance assez nombreuse dans l'enceinte de la prison de Washington. Devant eux, deux ou trois rangs de notables profitaient du confort d'une chaise. Debout sur les murs, des soldats armés devaient empêcher une très improbable intervention de sympathisants sudistes.

David redoutait que quelqu'un se souvienne du visage d'Étienne De Lahaye. Bien sûr, depuis son établissement à New York, plus sombrement vêtu, il cultivait une moustache plutôt voyante. Mais ce petit camouflage pileux ne tromperait pas une personne dotée d'un certain sens de l'observation. Allan Pinkerton, assis sur une chaise à quelques pas devant lui, n'avait pas hésité un seul instant mais s'était abstenu de lui adresser le moindre geste de reconnaissance. Seul son regard se fixa brièvement sur le jeune homme.

La potence était un assemblage de poutres construit spécifiquement pour l'événement. De grands poteaux soutenaient une solive posée à l'horizontale, de laquelle pendaient quatre cordes de chanvre. À trois verges du sol se trouvait une plate-forme étroite sur laquelle se tenaient maintenant une douzaine de personnes, dont les quatre accusés, avec Mary Surratt la dernière à gauche. Privilège de son sexe, on lui avait permis de s'asseoir sur une chaise. Déjà, elle portait une cagoule, la corde au cou, ses mains liées dans le dos, ses jambes attachées ensemble avec des bandes de tissu. À ses côtés, les trois autres condamnés demeuraient debout, les mains liées. Deux ou trois personnes s'affairaient autour de chacun pour les ficeler, leur poser une cagoule sur la tête, puis la corde, le tout suffisamment rapidement pour que la terreur ne les amène pas à donner un spectacle de mauvais goût.

Quand les prisonniers furent fin prêts, le bourreau et tous ses aides reculèrent jusqu'au fond de la plate-forme.

L'un d'eux avait auparavant aidé Mary Surratt à se mettre debout, enlevé la chaise.

Aucune trappe n'aurait pu être suffisamment large pour recevoir quatre condamnés. Tout le devant de la plate-forme s'articulait sur de solides pentures de fer et tenait à l'horizontale grâce à deux poteaux dressés sur le sol. À un signe du gouverneur de la prison, deux soldats sous l'échafaud prirent de lourdes masses et donnèrent un premier coup à la base de ceux-ci. Le choc se répercuta jusque dans les jambes des trois hommes et de la femme, qui se recroquevillèrent un peu, lançant des plaintes, des pleurs étouffés. Dès le second, les poteaux tombèrent. La partie mobile de la plate-forme se déroba dans un grand fracas de sous les pieds des malheureux, les précipitant dans le vide. Quand les cordes se tendirent sous leur poids, il y eut un bruit sec d'os brisés. Oscillant comme des pendules, les corps restèrent agités de mouvements spasmodiques pendant une période assez longue, pour s'immobiliser enfin. Un médecin s'assura que les condamnés étaient bien morts, fit signe à des soldats de couper les cordes. Quatre boîtes de bois les attendaient, posées par terre.

Les personnes assises au premier rang se levèrent bientôt de leur siège pour se diriger vers la sortie, certaines pressées de vomir. Comme Pinkerton quittait les lieux, il jeta un autre regard insistant vers David tout en posant un journal sur sa chaise, avant de s'esquiver d'un pas rapide.

— Je vais aller prendre ce journal, commenta le jeune homme. Je n'ai rien lu depuis hier : une diète insupportable.

Il récupéra la copie du *Tribune* abandonnée. Un petit feuillet blanc se trouvait entre les pages, que David fit disparaître discrètement dans sa poche alors que Donovan s'avançait vers la sortie. Plus tard, la solitude lui permettrait de lire : « J'ai bien transmis les informations que vous aviez trouvées. Personne n'a agi. Je ne comprends pas pourquoi. N'ayant aucun mandat, je n'ai rien fait de plus. » Lui aussi se troublait devant la tournure des événements.

Dans le train du retour à New York, le journaliste expliquait à son compagnon ce que ses collègues lui avaient appris :

— Le soir du meurtre, le président avait demandé à un militaire de lui servir de garde du corps. Son supérieur a refusé sous un quelconque prétexte. Un officier de police de Washington remplaça le soldat. Il a quitté son poste avant le début du troisième acte, pour aller prendre un verre. La succession des événements fait croire que quelqu'un ne voulait pas que Lincoln soit protégé ce soir-là.

— Tu penses à un complice haut placé ?

— Je ne sais pas. Mais tout cela est bien curieux.

La rumeur d'une complicité au plus haut niveau aurait une longue carrière. Mary Lincoln, la veuve du président, soutiendrait toute sa vie que le vice-président n'était pas tout à fait innocent, quant aux circonstances l'ayant conduit au poste le plus prestigieux. Cependant, une autre histoire circulerait aussi : un crime perpétré par les catholiques, car quelques années plus tôt, Lincoln avait défendu un prêtre en rupture avec son évêque et son Église, qui avait amené toutes ses ouailles au protestantisme. Ce prêtre, Charles Chiniquy, était originaire du Bas-Canada. Cette légende s'alimentait à l'anticatholicisme ambiant.

David enchaîna :

— Je suis surpris qu'ils aient exécuté cette femme. Tout le monde s'attendait à ce que la peine soit commuée.

— Ils ne possédaient rien contre elle, ou presque.

La répartie toucha la curiosité de son compagnon.

— Comment cela ?

— Selon des collègues de Washington, le seul fait avéré est celui-ci : elle aurait prêté des jumelles à Booth. Complice pour avoir fourni une aide matérielle.

— Un bien petit crime, en effet !

— Le pire, c'est que le témoin qui a rapporté cela se trouve être le locataire d'une ferme appartenant à la famille Surratt. Elle a loué l'endroit après la mort de son mari, pour aller tenir une maison de chambres à Washington. Peut-être le type a-t-il inventé l'histoire des jumelles simplement parce qu'il trouvait son loyer trop élevé.

Donovan demeurait songeur. Même s'ils étaient isolés dans leur compartiment, il baissa la voix pour continuer :

— Ce Booth me paraît tout de même avoir utilisé la meilleure stratégie.

— Que veux-tu dire ?

— Un seul homme, une seule balle. Tu vois le résultat ? Le pays paralysé par la commotion ! Survenu un peu plus tôt, un événement comme celui-là aurait changé le cours des choses...

— ... et permis de conserver un régime esclavagiste dans le Sud.

Survenu si tard, au moins cet assassinat ne changerait pas le cours de la guerre. Tout au plus les conditions de la paix seraient plus dures pour les États confédérés.

— Je ne juge pas des fins poursuivies par ces gens, précisa l'avocat. Mais vois le moyen utilisé, et ses résultats. Une seule victime, plutôt qu'une entreprise ambitieuse, coûteuse, susceptible d'entraîner la mort de nombreux amis...

L'avocat réfléchissait à haute voix. Après un silence, il dit encore :

— Imagine un attentat qui coûterait la vie à Victoria. Tout le Royaume-Uni serait abasourdi, prêt à libérer l'Irlande.

— Pourquoi ? Son fils aîné lui succéderait sur le trône et les Britanniques feraient payer ce crime très cher aux Irlandais. Cela plongerait nos compatriotes dans une misère encore plus grande que celle d'aujourd'hui.

Ces arguments ne convainquaient pas son compagnon. Au contraire, celui-ci demeurait fasciné par ce moyen si facile d'entrer dans l'histoire, même aux dépens de ceux dont il disait vouloir la liberté.

❦

Sa visite à Washington lui avait coûté une rencontre avec Édith. S'il appréciait à la fois sa silhouette et ses traits réguliers, il découvrait avec une certaine surprise que sa vivacité d'esprit, ses opinions arrêtées sur divers sujets lui avaient manqué aussi. À quelques reprises depuis avril, ils avaient convenu de se rencontrer pour une pièce de théâtre ou un concert. Même si jamais ils n'abordaient la question de leurs relations, ils avaient quitté le terrain de l'agent secret et de son officier de liaison.

Le samedi 8 juillet 1865, il lut dans le *Tribune* que tante Ambruster recevrait ses amis dans un petit salon particulier du *Delmonico's*, à compter de midi le lendemain. L'établissement, au 56 de la rue Beaver, était le meilleur restaurant de New York depuis l'embauche du chef Charles Ranhoffer. L'endroit semblait un peu trop public au goût de David. Quand il demanda à un serveur où se trouvait le salon réservé par Ambruster, la réponse le laissa bouche bée :

— Oui bien sûr, ces messieurs vous attendent.

Dans une petite pièce à l'écart, il retrouva le consul Archibald. Un moment lui fut nécessaire pour reconnaître George-Étienne Cartier, le chef du Parti conservateur de la section française du Canada. Après qu'on eut pris place à la table et passé commande au serveur venu s'enquérir de leurs désirs, la conversation démarra plutôt lentement, portant d'abord sur la quadruple exécution survenue deux jours plus tôt. Les journaux ne tarissaient pas de détails morbides, David lui-même avait participé à cette abondance.

Bientôt, George-Étienne Cartier en arriva aux affaires sérieuses :

— Vous connaissez le projet de fédération du Canada ?

Le journaliste s'efforçait de lire un ou deux périodiques canadiens toutes les semaines. Les conférences de Charlottetown et de Québec, tenues à l'automne de 1864, ne lui avaient pas échappé. Après l'adoption des résolutions de Québec par la Chambre d'assemblée du Canada-Uni, son interlocuteur avait été chargé de négocier la finalisation du projet avec le gouvernement britannique. Le *New York Times* avait souligné son départ pour la métropole au début de mai. Sur le chemin du retour, le ministre faisait un détour à New York afin d'échanger avec le consul.

Voyant son vis-à-vis acquiescer, le politicien ajouta :

— Le Royaume-Uni exige la preuve que la population adhère au projet avant de l'entériner. La métropole ne demande pas mieux que de se retirer de ses colonies d'Amérique. Le gouvernement britannique trouve que les dépenses pour la défense croissent bien vite.

— Vous croyez aux menaces d'une attaque américaine contre le Canada, que les journaux de ce pays évoquent avec régularité ? demanda le journaliste.

Depuis la mort de Lincoln, la colère des Américains était montée d'un cran. Que Booth ait séjourné à Montréal peu avant l'assassinat laissait imaginer une conspiration unissant à la fois les sudistes et la Grande-Bretagne. Le secrétaire d'État Seward proposait de conquérir les colonies du nord.

— Je doute que Johnson, passé au poste le plus important à cause du meurtre de Lincoln, sans avoir été élu par la population, puisse sérieusement penser à entreprendre une nouvelle guerre. Surtout, celle qui se termine a laissé tellement de plaies à panser ! Néanmoins, j'ai modifié la loi de la milice du Canada-Uni afin de permettre une meilleure défense du territoire.

— La population des États-Unis est quinze fois plus importante que celle des colonies anglaises. La résistance serait impossible, remarqua David.

— Même à son corps défendant, le Royaume-Uni serait partie prenante au conflit, si une attaque avait lieu. Quel autre avantage avons-nous à garder le lien colonial ? Le rapport de force deviendrait moins défavorable que vous ne l'évoquez.

En disant cela, Cartier avait jeté un œil sur Archibald. Il s'exprimait en anglais, par respect pour le consul, même si celui-ci pouvait très bien suivre la conversation en français.

—Tout de même, renchérit le politicien, la menace est sérieuse, il convient de se montrer très prudent. Les colonies indépendantes les unes des autres offrent un front bien faible. Le spectre américain rend la fédération nécessaire. Il faut faire en sorte de présenter une position unie, à la fois face aux États-Unis et devant le gouvernement du Royaume-Uni. Pour cela, le Canada-Uni est administré par une coalition regroupant des membres de tous les partis, réunis dans le seul but d'obtenir une nouvelle constitution.

— Tous les partis, sauf les libéraux dirigés par Antoine-Aimé Dorion, rappela le journaliste. Les « rouges » s'opposent toujours à ce projet.

— Vrai. Mais les libéraux de langue française demeurent marginaux. Ceux du Haut-Canada sont avec nous.

À tout le moins, le chef conservateur se plaisait à considérer les « Rouges » comme quantité négligeable.

— Non seulement faut-il que les partis politiques présentent un front uni, mais aussi les différents segments de la population, insista-t-il. Je suis le garant de l'adhésion des Canadiens français au projet, John Alexander Macdonald, Alexander Galt et George Brown des Anglais et des Écossais. Vous connaissez Thomas D'Arcy McGee ?

— Seulement de nom, un survivant de la révolution irlandaise de 1848.

— Comme Stephens et O'Mahony, intervint Archibald.

— Il a habité cette ville, Boston et Buffalo aussi, précisa David. Il a publié quelques livres, a travaillé comme journaliste. Il a même possédé ses propres journaux.

Les souvenirs revenaient rapidement au jeune homme. Ses séjours dans la bibliothèque de la Fraternité lui avaient permis de se familiariser avec les travaux du bouillant militant.

— Au début de son séjour en Amérique, il prêchait encore la révolution, poursuivit le politicien, s'attaquant assez ouvertement à l'Église catholique, opposée au projet. Puis il s'est mis à proposer la voie constitutionnelle. Aujourd'hui, il représente la population d'origine irlandaise au sein du gouvernement canadien. À cause de ses changements assez fréquents de *credo* politique, je m'inquiète un peu. Au tournant des années 1850, il se faisait le promoteur de l'annexion du Canada aux États-Unis !

— C'est actuellement un ministre du gouvernement, conservateur, après avoir été ministre de l'équipe précédente, libérale, rappela encore le journaliste.

— Je constate que vous connaissez toujours la politique de votre pays d'origine. Ses changements d'allégeance nous préoccupent. Ministre de l'Agriculture et de l'Immigration, il doit se rendre à Dublin dans le but de visiter l'exposition internationale qui se déroule dans cette ville.

David Devlin levait les sourcils, afin de signifier qu'il ne saisissait pas du tout pourquoi on lui racontait tout cela. Le consul Archibald prit le relais :

— Cet homme a exprimé des opinions diversifiées, au gré des circonstances de sa vie personnelle, semble-t-il. Nous aimerions, autant les Britanniques que les Canadiens, être certains qu'il ne lancera pas des déclarations intempestives, incohérentes avec la fonction qu'il occupe présentement. Quand mon ami Cartier a évoqué devant moi le désir de lui trouver un ange gardien, j'ai pensé à vous. Je veux bien me passer de vos services pendant quelques semaines, surtout que les prochains événements relatifs à la Fenian Brotherhood surviendront de l'autre côté de l'Atlantique.

La tête de David tournait. Un séjour en Irlande ! La chose paraissait tellement inaccessible qu'il n'avait jamais osé en rêver. De là à comprendre ce que l'on attendait de lui, il y avait un monde :

— Je suppose qu'à titre de journaliste je pourrais coller aux basques de ce monsieur dans toutes ses activités publiques. Je me vois mal cependant me précipiter sur lui pour le faire taire s'il commence à débiter des âneries. Puis il pourra dire tout ce qu'il veut en privé.

— S'il dit des sottises en public, vous pourrez me le faire savoir, déclara le ministre. Je serai en mesure de le démettre de son poste sur-le-champ et je compterai sur vous pour le répéter en Irlande. Dans ces circonstances, tout le monde comprendra que ses paroles n'engagent que lui, pas notre gouvernement.

— Quant à ses rencontres privées, compléta le consul, en tant que fénien, je suis certain que vous pourrez savoir s'il joue double jeu.

David ne pouvait dire non. Surtout, il mourait d'envie de traverser l'Atlantique pour voir le pays de ses parents.

— Quelle serait ma fonction officielle ? Journaliste ?

— Bien sûr. Vous commencez à jouir d'une véritable réputation, dans ce domaine.

— Pour le *Harper's Magazine* ? Avec mon statut là-bas, et le prix qu'ils paient mes articles, ce ne serait pas crédible.

— Je pensais obtenir pour vous un rôle de reporter, au *Herald*, corrigea le consul. Ce qui ne vous empêchera pas de commettre quelques textes pour le *Harper's*, si cela vous convient.

— Et pour faire bonne mesure il serait sans doute possible de produire des articles pour le *Globe* et le *Canadian Illustrated News*, ajouta Cartier.

Les deux hommes avaient mûrement réfléchi au projet. Pendant quelques minutes encore, ils s'attardèrent à régler les détails pratiques. Le jeune journaliste devrait se diriger à Québec à la fin du mois d'août afin de s'embarquer sur le même navire que D'Arcy McGee, à destination de Liverpool. À bord, le jeune homme se présenterait à lui comme un reporter engagé par quelques journaux, tant de New York que de Toronto et Montréal. Il reviendrait aux États-Unis au plus tard en octobre, pour reprendre ses fonctions auprès d'Archibald.

Quand George-Étienne Cartier fit part à ses compagnons de son intention de se rendre à la gare, le diplomate passa dix minutes à s'excuser, justifiant son accroc aux bonnes manières :

— Je dois impérativement parler encore à notre jeune ami, des choses à régler de toute urgence.

Après une séance de poignées de main, les trois hommes se séparèrent. Sur un signe du consul, David reprit son siège. L'autre vint s'asseoir près de lui, toussa un peu pour se donner une contenance avant de commencer :

— Je voudrais vous demander un autre service, très délicat et un peu personnel.

— Je vous écoute.

— Pendant toute la guerre civile, ma fille est restée aux États-Unis. Je craignais qu'elle ne s'embarque, à cause du risque d'une attaque de corsaires. J'aimerais qu'elle aille passer quelques mois avec sa mère. Elle décidera ensuite si elle veut poursuivre sa vie au Royaume-Uni ou me rejoindre ici. Cela en admettant que mon gouvernement ne m'affecte pas ailleurs bien entendu.

Le jeune homme reçut un coup en pleine poitrine. Édith allait quitter le pays ! Il lui fut difficile d'entendre la suite. D'un autre côté, son émotion perceptible convainquit Archibald de la nécessité de mettre les points sur tous les « i » :

— Je n'aime pas l'idée de la voir se déplacer seule. Puis-je vous demander de garder un œil sur elle ? Je pourrais faire en sorte qu'elle voyage sur le même navire que vous. Vous aurez à vous assurer qu'elle retrouvera sa mère à Liverpool.

Ces mots contenaient une question implicite. David articula enfin :

— Oui, oui, bien sûr. Je peux faire cela.

Le consul n'en avait pas fini avec lui. Dès la seconde rencontre de sa fille avec l'agent secret, l'inclination mutuelle qui animait les jeunes gens lui avait sauté aux yeux. Après une nouvelle toux très brève, il enchaîna :

— Je ne vous cacherai pas que j'ai une autre raison de souhaiter qu'Édith séjourne quelques mois dans son pays. Je sais, vous le savez aussi, qu'elle s'est entichée de vous. Cela ne conduira nulle part. Vous appartenez à deux mondes différents.

David aurait dû acquiescer ; il ne le put. Son interlocuteur continua :

— J'en appelle à votre sens de l'honneur. Puisque vous savez que rien de bon ne peut résulter de cette relation, si vous ressentez la moindre affection pour Édith, faites en sorte qu'elle se détache de vous. Sinon, elle risque de gâcher son existence. Elle rencontrera certainement de nombreux jeunes hommes pendant son séjour à Londres. Sa mère y veillera.

Un nouveau silence pesant, que David brisa finalement d'une voix éteinte :

— D'accord. De toute façon, nous ne nous verrons plus, après cette traversée.

— Je vous demanderai encore quelque chose : expliquez-lui qu'il ne peut rien exister entre vous. Elle fait confiance à votre jugement.

Il ne s'agissait plus de procéder à une simple amputation, mais bien à une véritable automutilation. Le consul ne voulait surtout pas exiger de sa fille qu'elle cesse de rencontrer David. Cela aurait ruiné la relation qu'il entretenait avec elle. Plutôt que d'interdire à Édith de voir le jeune homme, celui-ci devrait rompre avec elle. Ainsi, sa haine se porterait contre celui qui repoussait son affection.

Ce fut totalement écœuré que David laissa tomber un « D'accord ». Refuser serait risquer de perdre son emploi pour rejoindre la foule de plusieurs dizaines de milliers de vétérans démobilisés qui erraient sur les trottoirs de New York. En même temps que le consul lui prodiguait ses largesses — un repas au *Delmonico's*, un voyage en Irlande —, il lui signifiait, sans avoir besoin de prononcer une seule parole, que sa vie confortable se terminerait à la moindre résistance.

La mort dans l'âme, le jeune homme quitta le restaurant, décidé à noyer sa peine d'une façon bien irlandaise : vider une bouteille du meilleur whisky qu'il trouverait.

Chapitre 8

— Tu iras en Irlande ?

Donovan posait sur lui des yeux élargis d'envie. David lui avait confié s'être fait jeter par une dame de la bonne société, afin de donner une explication à son humeur maussade. Sans fournir aucun nom — cela ne se faisait pas entre personnes de bonne éducation —, le jeune homme avait laissé entendre qu'il s'agissait de la fille d'un entrepreneur de presse.

— Toutes pareilles. Un Irlandais catholique, c'est de la merde à leurs yeux.

— Tu as bien raison, je m'en tiendrai aux filles du pays, la prochaine fois.

Voilà ce qui motivait Archibald, même s'il n'avait pas donné de précision. Aux yeux du consul, toutes les qualités intellectuelles, physiques et morales ne pouvaient faire oublier ses trois défauts, trop lourds dans la balance : catholique, Irlandais et pauvre. Lequel le diplomate honnissait-il le plus ?

Inutile d'essayer de lui remonter le moral en évoquant le prochain voyage en Irlande. Donovan aurait bien le temps plus tard de lui dire tous les lieux, toutes les personnes à voir, pour tout raconter ensuite. Il choisit plutôt de lui conseiller de se changer les idées. Le meilleur moyen de guérir d'une blessure au cœur était de regarder les femmes d'un autre point de vue. L'horizontale changerait la perspective.

— Viens avec moi. Je connais une petite maison où les filles sont fraîches. Pas de danger de te retrouver avec la queue mangée par la maladie.

Jusque-là, David avait repoussé les invitations de ce genre. Cela tenait en partie au fait que les visites au bordel lui semblaient plutôt déprimantes, même s'il y avait eu recours pendant sa vie militaire et lors de son séjour à Richmond. Surtout, romantique jusqu'à la moelle, rêver d'Édith lui avait paru plus gratifiant que les amours mercenaires.

Cette fois, son côté vertueux ne prévalut pas. Sans grand enthousiasme, il suivit son ami dans une petite maison discrète de Soho. Deux dollars, une fortune par rapport aux quelques sous que coûtaient les prostituées de la rue prises dehors dans un coin sombre, lui procurèrent une nuit entière avec une femme dont l'accent très prononcé indiquait une arrivée récente au pays. L'exploitation qu'elle expérimentait maintenant valait-elle vraiment mieux que celle qui sévissait à Cork ? Donovan affirmait que les filles de ce bordel étaient « fraîches », une façon pudique de laisser entendre « terriblement jeunes ».

❦

Le lendemain, vendredi 14 juillet, Édith Archibald était arrivée resplendissante à Central Park, heureuse à l'idée d'un voyage au Royaume-Uni. Si les semaines, sinon les mois à passer avec sa mère avaient pu ruiner son humeur, la seule perspective de la traversée avec le jeune homme suffisait à raviver son sourire.

Puis elle se retrouva devant un individu maussade comme les pierres ! Ne sachant comment réagir, elle se réfugia dans le silence. Le couple marcha quelques minutes dans les allées de Central Park, le temps de constater qu'ils n'avaient rien à partager, puis son compagnon la reconduisit à un fiacre, donna comme d'habitude l'adresse du consulat au cocher. Quand la voiture commença à avancer, ils échangèrent un regard chargé d'incompréhension mutuelle et se quittèrent sans se saluer.

Après s'être revus le 21 juillet, avec tous les deux assez d'emprise sur eux-mêmes pour afficher une meilleure contenance, Édith et David convinrent que les événements ne justifiaient pas un nouveau rendez-vous les deux vendredis suivants.

— Tu me laisses parler, mais écoute bien la conversation. Si on a besoin d'un témoin un jour, je compterai sur toi.

David Devlin et John Donovan débarquaient d'un fiacre au coin des rues Lewis et 9e, dans le quartier des chantiers navals et des entrepôts. Après avoir signifié au cocher de les attendre, ils se dirigèrent vers une grande bâtisse dont la façade donnait directement sur la East River. Près de l'entrée se tenait un colonel. L'officier leur serra la main sans dire un mot. Lorsque la porte se referma sur eux, il alluma un fanal qui les enveloppa d'un halo de lumière jaunâtre, tremblante.

— Suivez-moi.

Derrière leur guide, les deux hommes regardaient autour d'eux, curieux. Une multitude de caisses s'entassaient, jusqu'à dix verges de haut, sur au moins cent verges. Leurs pas résonnaient dans cet espace aux dimensions de cathédrale. Personne ne montait la garde, là où devaient se trouver des centaines de milliers de dollars de matériel de l'armée nordiste. La fin des combats entraînait un relâchement de l'attention.

Près du fleuve, sur lequel donnait une grande porte, le colonel prit un pied-de-biche et se mit en frais d'ouvrir une caisse de quinze pouces de hauteur et de largeur, longue d'au moins une verge et demie. À l'intérieur, David compta huit fusils rangés l'un près de l'autre. Deux autres rangées se trouvaient sous la première.

— Vingt-quatre carabines réglementaires à âme rayée, chargées par la culasse, un total de quatre cent vingt caisses comme celle-là.

— Très bien, approuva Donovan.

Il prit l'un des fusils, l'examina de tous les côtés avant de le remettre à sa place. Pendant ce temps, le colonel ouvrit une seconde caisse plus petite, dévoila une rangée de revolvers Colt, placés dans un ordre parfait.

— Le modèle réglementaire de la cavalerie, distribué à tous les officiers.

Encore une fois, l'avocat prit l'une des armes, se couvrant les mains de graisse dans l'opération.

— Il nous en faudrait environ cinq cents.

— C'est ce que j'ai compté.

— Et pour les munitions ?

— De quoi fournir dix mille hommes pour une petite guerre.

Cette guerre, David savait qu'elle se déroulerait en Irlande.

— Parfait, conclut l'avocat. Nous utiliserons un navire pour prendre livraison de tout cela d'ici un mois.

— Avec les documents que je vais vous donner, aucun des employés de l'entrepôt ne vous posera de questions.

Donovan sortit de sa poche un petit paquet épais d'un doigt et demanda avant de s'en défaire :

— Vous m'assurez que tout est légal, que le gouvernement de l'Union désire bien se départir de ces armes ?

— Les papiers ont été signés dans vos bureaux. Je vous l'ai déjà dit, tout est en ordre.

— Alors, voici un dixième de la somme convenue. Le reste vous sera versé quand nous prendrons possession de ce petit arsenal.

— ... Mais ce n'est pas ce que j'avais compris !

— C'est pourtant l'usage dans toutes les transactions commerciales. Cette avance vous prouve mon sérieux, vous la garderez si jamais je me dérobe.

L'autre grimaça, puis choisit de formuler à haute voix son inquiétude.

— Comment puis-je être certain que vous aurez l'argent au moment de la livraison ?

— Comment puis-je être certain que vous serez en mesure d'embarquer ces armes sur mon cargo, le jour venu ?

Donovan tendit sa petite liasse de billets, l'autre s'en empara en donnant ses documents. L'avocat les déplia, avançant la lanterne pour vérifier. C'étaient ceux qu'il avait vu O'Mahony signer dans les locaux de la 32e Rue. L'officier compta l'argent, pour s'assurer du montant.

Ces vérifications faites, les deux hommes se serrèrent la main. Le colonel prit le fanal pour les reconduire à la porte. Dans le fiacre, David demanda :

— Le gouvernement de l'Union se débarrasse vraiment de toutes ces armes ?

— Il y a des fournitures de guerre à vendre. Je crois cependant que ce colonel entend mettre dans sa poche tout le profit de sa transaction. Cela ne me concerne pas, dans la mesure où, si un jour quelqu'un pose la question, je peux prouver que j'ai agi en toute bonne foi dans cette affaire.

Le cocher les reconduisait vers Greenwich Village.

— Quand tu seras en Irlande, tu recevras un télégramme indiquant que nous avons pris possession de cet arsenal.

Je me fie à toi pour faire savoir à James Stephens que notre cargo se dirigera vers une petite baie discrète. Il sait déjà laquelle.

— Bien sûr. Quoique je ne puisse dire que ce sera un plaisir.

Les manières hautaines du révolutionnaire avaient pesé sur l'humeur de ses hôtes américains pendant toute la durée de son séjour. Donovan n'en avait pas encore fini de ses demandes :

— Autre chose : en te rendant à Québec, pourrais-tu arrêter à Toronto ? Il y a là une organisation irlandaise très importante, semble-t-il, avec des objectifs identiques aux nôtres. J'aimerais en savoir un peu plus.

— Bien sûr. Je me ferai agent secret pour toi !

Comme tout Américain, Donovan ne connaissait pas la géographie du Canada. S'arrêter à Toronto sur le chemin entre New York et Québec, c'était comme lui demander de descendre à Chicago en allant de la métropole des États-Unis à Boston ! Quand ils se quittèrent, assez tard ce soir-là après un dîner bien arrosé, ils échangèrent une longue accolade.

⤙

Archibald accepta que son agent fasse un crochet à Toronto afin « de humer l'atmosphère fénienne de la ville ». Voilà maintenant qu'il le confondait avec un chien de chasse ! Arrivés séparément à la gare à la mi-août, les deux jeunes gens montèrent dans des compartiments contigus, en première classe, sur un train en partance pour Montréal. Édith avait surchargé ses bagages de romans et elle partait avec la ferme intention de s'isoler aussi souvent que possible. Tout au plus prendraient-ils leurs repas ensemble. Quelle ironie ! David devait lui servir de chaperon afin d'éviter que des individus indésirables — cela signifiait des hommes de sa classe sociale, en fait — ne viennent importuner la jeune femme. Dans ces circonstances, il l'appelait «Madame», elle «Monsieur» : le temps n'était plus à l'usage des prénoms.

David s'enfermait de son côté avec une pile de journaux canadiens, en particulier ceux où Thomas D'Arcy McGee avait publié, très souvent sous la forme de lettres ouvertes. Si les périodiques provenaient du consul Archibald, la liasse avait sans doute été assemblée par les soins de George-Étienne Cartier, désireux de bien le familiariser avec la politique canadienne.

À Montréal, David déposa Édith Archibald à l'hôtel *Rascoe*, s'inquiétant de la façon dont elle tuerait le temps pendant les deux jours où il séjournerait à Toronto.

— Oh! Ne vous en faites pas pour moi, lui apprit-elle un peu froidement, si elle ne se trouve pas déjà devant la porte, une voiture du gouverneur du Canada doit venir me chercher.

Non seulement David ne s'en fit plus, mais se promit de ne plus formuler d'inquiétude de ce genre à l'avenir. Il reviendrait juste à temps à Montréal pour monter avec elle dans le train qui les conduirait à Québec.

⟜

David descendit d'un fiacre devant la *Erin Tavern*, au sud de la ville, tout près du port de Toronto. Le quartier accueillait une importante population irlandaise. Aussi présentait-il des masures où pouvaient loger de très nombreuses familles. Souvent un logement d'une pièce en abritait deux, soit environ douze personnes. Une église catholique, quelques commerces et des maisons un peu plus cossues pour les membres de la communauté qui commençaient à monter dans l'échelle sociale formaient un petit village.

Au second étage de la taverne, des rideaux aux fenêtres indiquaient la présence de chambres. De grands dortoirs se trouvaient au premier. Là, pour quelques sous, un travailleur pouvait louer un lit pour une nuit. La forêt de mâts, visible au-dessus des toits voisins, indiquait la clientèle probable : des marins, des débardeurs, des ouvriers.

À l'intérieur, David perçut l'odeur de bière et d'urine, combinaison caractéristique de ce genre d'établissement. Le plancher fait de gros madriers de pin était recouvert d'une mince couche de sciure de bois, pour faciliter le nettoyage des lieux. Un homme sur deux mâchait une chique de tabac et lançait régulièrement un long jet de salive brunâtre dans la direction approximative du crachoir, pour le rater une fois sur deux. Puis il fallait compter avec les autres dégâts possibles.

La grande salle encombrée de tables, de chaises et de bancs pouvait accueillir des centaines de personnes dans une étroite promiscuité. De nombreuses portes, au fond, laissaient deviner la présence de pièces plus petites, destinées à recevoir des groupes restreints. À cette heure de la journée, moins de trente hommes, des buveurs esseulés, se trouvaient sur les lieux.

Derrière un long comptoir recouvert d'une feuille de zinc, un grand moustachu, un chapeau melon vert de travers sur la tête, classait en deux piles ce qui semblait être des factures.

— Monsieur Michael Murphy se trouve-t-il ici ?

David avait posé la question en gaélique, pour afficher son identité et exclure quiconque n'était pas fils d'Érin de l'échange.

— Je peux savoir qui s'inquiète de sa présence, ou de son absence ?

— David Devlin, de New York. Je lui apporte les salutations d'un ami commun.

— Je suis Michael Murphy, affirma le tavernier sur un ton déjà plus amène. Quel ami aurions-nous en commun?

Tout de même, il continuait d'afficher son scepticisme.

— John Donovan.

L'autre laissa ses factures et s'approcha en demandant:

— Quelque chose à boire?

— Une bière. En plus de me prier de vous saluer, John désire obtenir des informations sur votre association.

Quand son interlocuteur revint avec une pinte mousseuse, son visage trahissait toujours sa méfiance. Il tira un tabouret pour s'asseoir juste en face de son visiteur et commença:

— Pourquoi diable une société de Toronto peut-elle intéresser des personnes de New York?

— Parce que nous avons de notre côté une association, la Fenian Brotherhood, qui se fixe des objectifs précis en ce qui concerne l'Irlande. Ils sont peut-être identiques aux vôtres. Dans ce cas, mieux vaudrait en discuter un peu, au moins pour ne pas nous nuire, si nous ne voulons pas collaborer.

— Vous connaissez l'ordre d'Orange?

David donna son assentiment d'un signe de la tête. Ce fameux ordre protestant exprimait sans vergogne sa haine de tous les catholiques.

— Non seulement ces salauds célèbrent le massacre de la Boyne tous les 12 juillet en venant nous narguer jusque dans nos rues, mais quand nous fêtons la Saint-Patrick, ils nous attaquent à coups de briques et de gourdins, rappela le tavernier. En 1858, il y a eu un mort et je ne sais pas combien de membres cassés. Écœurés de ces violences, cette année-là, nous avons créé la Société bienveillante des hiberniens du Canada, afin de procurer aux Irlandais de l'aide en cas de chômage, des soins aux malades, des funérailles décentes.

— Cela a dû faire plaisir aux morts de 1858, aux blessés aussi.

David avait glissé la remarque en souriant. Il ajouta après un court silence :

— J'avais cru comprendre que cette société pouvait aussi offrir son soutien avant que vos hommes se fassent massacrer par les orangistes.

L'autre lui retourna son sourire et compléta :

— Bien sûr, nous préparons nos membres à se défendre. Si les orangistes se présentent avec des manches de hache, nous leur opposons des manches de pioche. S'ils amènent des couteaux, nous sortons nos pistolets.

— Cela me paraît plus conforme à votre réputation.

Les journaux de Toronto, en particulier le *Globe*, s'étaient répandus en inquiétudes quelques semaines plus tôt, quand la constitution et les règlements de la société avaient été rendus publics. Des articles faisaient référence à des activités secrètes, y compris l'entraînement militaire de ses membres.

— Vos opérations courantes et vos besoins de défense contre les orangistes ne préoccupent pas les féniens. La question de l'indépendance de l'Irlande vous intéresse-t-elle ?

— Comme tous les vrais Irlandais !

L'autre avait élevé la voix, comme s'il s'inquiétait de voir son patriotisme mis en doute.

— Au point que les hiberniens apporteront leur aide à la Fenian Brotherhood ?

Murphy hésita avant de demander, un peu agressif :

— Qu'est-ce qui me prouve que vous êtes bien ce que vous dites ?

— Vous connaissez John Donovan ? Ou John O'Mahony ?

— Des échanges de lettres…

— Donc, vous avez leur adresse. Pourquoi ne pas leur poser la question par télégramme ? Si vous le faites maintenant, dans quelques heures vous recevrez la confirmation de mon identité : David Devlin. Je suis en route vers Dublin.

Son interlocuteur se montrait incertain quant à l'attitude à adopter. Il se décida enfin :

— Vous reviendrez demain ?

— Je ferai mieux que cela : vous louez des chambres, ici ? Je vais en prendre une pour les deux prochaines nuits. Comme je risque de ne pas m'occuper longtemps à visiter votre petite ville, je pourrais passer par les bureaux du *Irish Canadian*, le bulletin de liaison des hiberniens. Comme cela, j'en saurai un peu plus sur votre organisation.

Murphy se retourna, le temps de prendre une clef pendue à un tableau derrière lui.

— Au second, loin du bruit de cette salle. L'escalier du fond vous y conduira. Quant au journal, il se trouve tout près, rue King. Voici ma carte : si vous la présentez, ils vous recevront bien. Si j'obtiens les assurances dont j'ai besoin, on se reverra demain après-midi ; sinon, je vous ferai jeter dans le lac Ontario.

— Je n'ai plus qu'à souhaiter que Donovan ou O'Mahony ne m'ont pas oublié, sinon j'en serai quitte pour un bon bain.

David prit son sac de voyage et se dirigea vers l'escalier, sa bière à la main. Son interlocuteur se priva de lui dire que les chopes ne devaient pas quitter la pièce.

✦

Dans les bureaux du *Irish Canadian*, David se retrouva en présence de trois typographes aux mains tachées d'encre noire qui s'agitaient devant une petite presse, dans un coin d'une pièce exiguë. Deux autres employés, à peine mieux vêtus que leurs camarades, représentaient toute l'équipe de rédaction. Il se présenta à celui qui travaillait à la table située le plus près de la porte et lui remit la carte de Murphy sur laquelle celui-ci avait simplement griffonné un «OK» hésitant.

— Voyez le directeur, fit l'homme en lui désignant son collègue de la table voisine.

David exprima le désir de consulter les anciens numéros du *Irish Canadian*. Son interlocuteur marmonna :

— Celui d'aujourd'hui, je comprendrais. Les vieux numéros ne présentent aucune utilité. Mais si cela vous chante ! Je vous demanderai juste de ne pas nous déranger. Nous avons un journal à terminer avant dix-huit heures, pour que nos employés puissent l'imprimer d'ici demain matin. Regardez dans l'armoire, au fond.

Quelques minutes plus tard, le jeune homme s'installait dans un cagibi de moins de deux verges carrées, où logeaient tout juste une table branlante et une chaise, en plus de rames de papier. L'endroit offrait assez de clarté pour parcourir les dix-huit mois d'existence du petit journal. Avec son équipe réduite, les articles originaux ne représentaient pas plus d'une demi-page de chacun des numéros, qui en comptait quatre. En fait, il s'agissait d'une très grande feuille de papier pliée en deux. La dernière page contenait les publicités des commerçants du coin, des avocats aux zingueurs, en passant par tous les marchands imaginables. Tout le reste, plus de la moitié de la surface imprimée, se trouvait «emprunté» à d'autres journaux. Des articles venaient de publications canadiennes, mais aussi de périodiques des États-Unis ou du Royaume-Uni.

Les textes écrits par la petite équipe de rédaction du *Irish Canadian* affichaient un ton plutôt modéré. Bien sûr, ils défendaient les droits de la population d'origine irlandaise avec véhémence : loyale au gouvernement et soumise aux lois du Canada, elle voulait être respectée ! Il y avait eu une longue dispute, à coups d'articles exaltés, avec le *Globe*, le journal libéral publié par George Brown. Celui-ci condamnait les projets mystérieux de la Société des hiberniens, de même que ses préparatifs militaires. Pour faire bonne mesure, il critiquait aussi l'ordre d'Orange, pour les mêmes raisons. Pour l'anticatholique Brown, tout comme pour l'évêque catholique de Toronto, les sociétés secrètes ne devaient pas interférer dans la vie politique et sociale.

Les journalistes du *Irish Canadian* opposaient à ces arguments la défaillance des services de police à assurer la sécurité des biens et des vies de la population irlandaise. Les précautions militaires des hiberniens ne visaient que l'auto-défense. Dans une ville plus sûre, elles cesseraient. Les artisans de ce petit journal voulaient rêver de l'indépendance de la verte Érin, tout en travaillant à une meilleure intégration des Irlandais à la société canadienne. Les hiberniens logeaient-ils tous à la même enseigne ?

❧

Une soirée dans une taverne n'offrait pas de bonnes perspectives d'amusement. Trois ou quatre cents hommes rompus de fatigue à cause d'un travail éreintant, désireux de se soûler le plus rapidement possible pour oublier leur misère, se trouvaient là. Une cinquantaine de prostituées allaient d'une table à l'autre pour se faire payer à boire et, dans le meilleur des cas, être prises en levrette dans l'embrasure d'une porte, une ruelle sombre ou une cour crasseuse, cela pour quelques sous.

David Devlin s'obligea à rester dans un coin toute la soirée, repoussant les filles les plus entreprenantes, répondant de façon laconique à ses voisins de table curieux de savoir ce qu'un bourgeois comme lui cherchait dans un endroit pareil. Les serveurs, visiblement choisis pour leurs bras noueux et leurs visages patibulaires plutôt que pour leur habileté à faire le service, intervenaient pour calmer la curiosité des marchandes de plaisir et des buveurs trop sociables. Comme un ambassadeur dans un pays étranger, le jeune homme avait droit à certains égards.

Le lendemain, il traîna au lit afin de récupérer un peu de sa nuit blanche. Le bruit venu de la grande salle ne s'était vraiment atténué que vers deux heures du matin. Ensuite, un murmure monta des dortoirs, composé d'éructations, de flatulences, des pas de personnes qui se découvraient une envie soudaine de se vider les intestins, la vessie ou l'estomac, et forcées de sortir pour cela. Certains avaient culbuté dans les escaliers pendant le trajet. D'autres, à l'odeur qui régnait encore quand il descendit à midi, semblaient ne pas avoir eu le temps d'atteindre la *back house*, la «bécosse» disait-on à Rivière-du-Loup, située dans l'arrière-cour.

Le jeune homme préféra chercher un endroit plus respectable pour manger. Après, un bain public lui permit de se décrasser, de se faire raser de près et couper les cheveux. À moins d'habiter une maison ou un appartement dans un quartier cossu, ou un hôtel autrement plus coûteux que la taverne de Murphy, il fallait trouver un établissement spécialisé pour ses ablutions. Ces précautions d'hygiène suffiraient-elles à le protéger des morpions susceptibles de loger dans sa chambre? Le mieux aurait été de nettoyer aussi ses vêtements : ce serait chose faite avant de reprendre le train.

Vers seize heures, David revint tout propret à la taverne. Michael Murphy l'attendait, plus souriant que la veille. Trois autres personnes se tenaient aussi près du bar, des Irlandais à en juger par leurs patronymes.

— Venez avec nous dans un endroit plus discret.

Le tavernier ouvrit la marche vers l'un des petits salons privés situés en retrait, au fond de la salle. David revivait en pensée son entrée dans la Fenian Brotherhood. Compte tenu des drapeaux et des bannières pendues aux murs de la pièce, elle servait sans doute uniquement aux nationalistes irlandais. Tous se retrouvèrent à un bout d'une grande table, l'agent secret d'un côté, les Torontois de l'autre.

— Je suppose que vous êtes maintenant convaincu que je ne suis pas un espion britannique.

—Donovan m'a répondu ce matin que si je vous embêtais, il viendrait me boxer le nez !

Pareille menace ne semblait pas le troubler outre mesure.

— Que voulez-vous savoir, exactement ?

— Les membres de la Société des hiberniens sont-ils disposés à venir en aide de façon concrète au mouvement révolutionnaire irlandais ?

— Pour la plupart d'entre eux, non. Ils s'affichent comme de bons Canadiens, heureux de crever de froid l'hiver, de travailler comme des bêtes pour faire vivre leur famille. Les plus riches d'entre eux peuvent voter tous les quatre ans et envoyer leurs enfants dans une école catholique. Toutes ces conneries !

Presque tous les habitants de tous les pays du monde n'aspiraient ni à plus ni à moins. Un autre Irlandais jugea utile d'ajouter, pour atténuer la condamnation de son compagnon :

— Ils veulent tous que les Britanniques quittent Dublin, mais leur vie se construit ici.

— Bien sûr, ils souhaitent la révolution, grommela Murphy, mais ils n'agissent pas pour que cela arrive. Les souhaits ne tueront jamais un Anglais.

— Monsieur Murphy, vous ne partagez pas les objectifs d'une association que vous avez mise sur pied ? demanda David. Quelle curieuse situation !

Le tavernier secoua la tête de dépit, reprit après un long silence :

— Ce n'est pas cela. Il y a des dizaines de milliers d'hiberniens dans toutes les villes du Canada. La Société prouve son utilité, exactement pour ce que je vous ai dit : l'entraide, les soins médicaux, des funérailles dignes pour tous les membres, cela pour une cotisation très raisonnable. Il nous arrive même d'organiser des grèves quand les patrons exagèrent.

— Mais cela ne vous paraît pas suffisant ?

— L'Irlande se trouve toujours sous la botte anglaise. Je suis né à Cork. Mes parents sont venus ici pour fuir les tyrans. Ces salauds nous ont volé notre pays, il faudrait s'arranger pour qu'ils nous le rendent.

Un peu agacé par le ton du tavernier, l'un des autres hiberniens précisa :

— Nous espérons les convaincre d'aller plus loin.

Le jeune homme ne voyait pas l'utilité de s'éterniser pour entendre les discussions entre ses interlocuteurs.

— Personne ne souhaiterait devenir membre de la Fenian Brotherhood parmi eux ?

— Mais nous en sommes tous les quatre ! tonna Murphy.

— Je ne vous ai pas aperçu au congrès de Cincinnati, opposa David. Et je ne me trouverais pas ici si vos cotisations arrivaient au bureau de O'Mahony. Trois dollars par an, pour chacun des membres.

Les autres se consultèrent du regard. Murphy, un peu penaud, confessa bientôt :

— Nos relations avec l'association américaine sont… ténues. Nous avons demandé la constitution de la Fenian

Brotherhood, d'autres informations aussi. Mais comme nous avons besoin de toutes nos ressources pour mettre nos cercles en place, peu d'argent a été envoyé à New York.

Plus exactement, pas un cent n'avait quitté le Canada. Ces hommes se présentaient comme des féniens sans payer leur dû.

— Combien trouve-t-on de ces pseudo-féniens, à part vous quatre ?

— Trois cents à Toronto, plusieurs dizaines à Hamilton, Ste Catherines et Kingston, affirma l'un de ses vis-à-vis.

— Il y en a trois cents à Montréal, deux cents à Québec, ajouta un autre.

— Je dirais un millier dans tout le Canada-Uni, précisa Murphy, quelques centaines aussi du côté du Nouveau-Brunswick et de la Nouvelle-Écosse.

— Si vous épousez vraiment les objectifs de la Fenian Brotherhood, fit David d'une voix de censeur, vous devez régulariser votre situation. Si vous préférez continuer à maintenir une société d'entraide, mieux vaudrait que vous cessiez d'utiliser le titre de fénien. Vous l'usurpez. Autant vous en tenir à celui d'hibernien.

Après quelques paroles encore, le journaliste regagna sa chambre. Sachant tout ce qu'il voulait, autant quitter les lieux tout de suite et se trouver un hôtel plus propice au repos que cette taverne.

Chapitre 9

Édith, qu'il retrouva le lendemain, lui réserva un accueil froid mais poli, conforme au climat qui s'était installé entre eux. Avec les nombreux arrêts en chemin, au moins quatre heures furent nécessaires pour atteindre la gare de Lévis. De là, un traversier les conduisit à Québec, où ils attendraient deux jours leur embarquement pour Liverpool. David n'entendait pas se livrer à d'autres enquêtes en terre canadienne. Cela ne voulait pas dire que des informations ne se présenteraient pas à lui !

En effet, à leur arrivée à l'hôtel *Saint-Louis*, dans la Haute-Ville, le journaliste fut à même de constater une certaine fébrilité dans la salle à manger. Le nom du responsable de cette agitation circulait sur toutes les lèvres : le général Ulysses Grant. Celui qui avait reçu la reddition du général Lee à Appomatox honorait de sa présence la vieille capitale, qui ne l'était plus depuis quelques années, le gouvernement ayant transféré ses pénates à Ottawa.

Procédant à leur enregistrement — Édith Archibald attendait qu'il s'en occupe, assise dans un grand fauteuil près d'une fenêtre —, le jeune homme comprit que le distingué visiteur rencontrerait des journalistes dans quelques minutes. Il laissa un garçon monter ses bagages à sa chambre — trois autres prenaient déjà soin de l'abondance de malles de sa compagne —, pour se joindre aux représentants de la presse. Quand il se présenta comme un reporter du *Herald* de New York au capitaine de l'armée de l'Union, qui entendait contrôler l'accès à la salle à manger, ce fut pour se voir gratifié d'un regard étonné et de la permission d'entrer.

Le général Grant se trouvait derrière une table, à une extrémité de la pièce. Une quinzaine de journalistes se tenaient devant lui, assis en demi-cercle à une distance respectueuse. David resta un peu en retrait.

— Que pensez-vous de notre belle ville de Québec ? demanda un jeune homme nerveux, dans un anglais à l'accent plutôt lourd.

Son vis-à-vis le regarda, surpris de se voir contraint de s'exprimer en touriste, prit une gorgée dans le verre placé à portée de main, le temps de réfléchir à une réponse peu susceptible de heurter les indigènes.

— Très pittoresque. Quel point de vue sur le fleuve, depuis la terrasse du gouverneur !

Voilà qui comblerait d'aise les habitants du gros village de cinquante mille âmes, toujours si désireux de se faire dire par les étrangers toutes les beautés de leur ville et de ses environs. Heureusement, un journaliste venu de Toronto empêcha la conversation de dériver sur le charme de l'île d'Orléans ou la magnificence de la chute Montmorency — « Vous savez, plus haute que celle du Niagara ! » — précisaient tous les Québécois à qui on ne demandait d'ailleurs pas l'information.

— Vous avez rencontré son excellence le gouverneur général ?

— J'ai eu ce plaisir, en effet.

Le représentant de Sa Majesté ne faisait pas que personnifier la gracieuse reine Victoria, il s'occupait des relations internationales du Royaume-Uni dans cette partie du monde. Sa conversation avec le général avait sans doute nécessité une longue correspondance, soigneusement chiffrée, avec le Foreign Office britannique.

— Vous avez discuté des rapports du Canada avec votre pays ? demanda un autre.

— Excepté l'échange de civilités, Son Excellence n'avait bien sûr pas d'autres raisons d'accepter de me recevoir.

Le général unioniste eut un sourire en coin. Affalé sur sa chaise, un verre de whisky toujours à portée de la main, il faisait un bien curieux diplomate avec son uniforme défraîchi, comme si on le surprenait sur le terrain, en pleine campagne militaire. Toutes les personnes présentes comprenaient combien il serait facile pour lui de se remettre à son travail habituel dans cette partie du monde.

Le journaliste torontois posa la question qui brûlait toutes les lèvres :

— Les États-Unis vont-ils attaquer le Canada ?

Cela exigeait une réponse prudente, le militaire avala une nouvelle gorgée avant de risquer :

— Mon pays n'a aucune intention de se lancer dans une guerre inutile. D'un autre côté, nous chérissons un principe : l'Amérique appartient aux Américains. Nous trouvons intolérable que la France ait placé l'un de ses pantins sur un trône impérial factice au Mexique et y ait envoyé des troupes. Si le Royaume-Uni appuyait la France dans cette aventure ridicule, nous considérerions cela comme un acte hostile. Dans ce cas, la situation pourrait dégénérer jusqu'à la guerre.

— Autrement, le Canada n'a rien à craindre ? demanda un autre.

— Mon pays n'a aucun désir de conquête.

— Mais nous lisons dans vos journaux des articles enflammés à propos des pertes subies aux mains de corsaires sudistes. Ceux-ci réclament vengeance.

— Les journalistes s'enflamment, fit le général, amusé. Les gouvernements font les guerres, tout comme ils peuvent chercher un règlement négocié à des questions litigieuses. Nous pensons que le Royaume-Uni et la France, en appuyant ces actions pirates, ont prolongé un conflit meurtrier. J'espère tout simplement que la voie de la négociation permettra de trouver un compromis acceptable sur ce sujet.

Finalement, le général ne faisait pas un si mauvais diplomate. Surtout, sa seule présence dans les colonies britanniques, revêtu de son uniforme, valait mieux que tous les avertissements. Dans l'opération, il se donnait la stature politique qui le conduirait à la présidence des États-Unis en 1868.

Comme les échanges portèrent ensuite sur les faits d'arme de Grant, David quitta la salle sans trop de bruit.

~

Le 20 août 1865, le *Circassian*, un navire de la Cunard, larguait les amarres et prenait la route de Liverpool. Édith Archibald et David Devlin occupaient de minuscules cabines voisines : le jeune homme continuait de jouer son rôle de chaperon sans grand enthousiasme. Heureusement, le capitaine se découvrirait un intérêt pour la jolie femme, au point de la vouloir à sa table pour la plupart des repas. Bien sûr, cela ne signifiait pas des agapes en tête-à-tête, car une demi-douzaine de passagers, parmi les plus respectables, avaient droit à cet honneur.

Aussi le journaliste pouvait-il s'attacher au côté plus délicat de sa mission : faire connaissance avec Thomas D'Arcy McGee. L'homme était de petite taille, un peu rond, avec un collier de barbe sous le menton. Son chapeau haut de forme démesuré et son gilet de couleur verte lui donnaient l'allure d'un farfadet de légende. Le premier contact se déroula le plus naturellement du monde : tous deux se tenaient appuyés au bastingage, David désireux de voir défiler sous ses yeux les toits de Rivière-du-Loup, son compagnon voulant prendre l'air.

— Un très beau pays, murmura-t-il en gaélique.

— Très beau. Tout de même plus dur que l'Irlande, opina le ministre de l'Agriculture.

— Je ne m'en souviens pas vraiment. Mes parents ont fui vers l'Amérique pendant la Grande Famine. J'étais très jeune à l'époque.

— Vous habitez le Canada ?

— Non, New York.

Le politicien se tourna vers lui pour le toiser, puis reprit position devant le bastingage avant de confier :

— Je suis venu sur ce continent en 1842. Un navire faisant le commerce du bois m'a débarqué à Québec. Comme ces bâtiments effectuent le voyage à vide quand ils reviennent au Canada, ils entassent les passagers dans les cales. Moi, je me suis tout de suite dirigé vers le Rhode Island. Une de mes tantes habitait Providence. Puis j'ai été embauché par un journal de Boston. Peu après, je me suis retrouvé à Dublin pour travailler au *Freeman's Journal*.

— Où vous avez participé à la révolte de 1848 !

L'autre fixa sur David un regard étonné.

— Non, je ne suis pas devin. Dans mon métier, il est assez normal de connaître le journaliste et écrivain D'Arcy McGee, révéla le jeune homme en riant.

— Quel est ce métier ?

— Journaliste. Le *Herald* m'a demandé de visiter l'ex-position qui se tient à Dublin. J'en profiterai pour écrire quelques articles sur le pays. Le sujet passionne beaucoup les émigrés aux États-Unis, qui n'ont jamais l'occasion d'y retourner. Je deviendrai leurs yeux.

Ce prétexte en valait un autre.

— Je comprends que l'Irlande intéresse nos compatriotes. À la lecture des journaux, j'ai appris que même ce vieux Stephens se permet d'effectuer des tournées de recrutement pour son grand projet révolutionnaire !

Il y eut un long silence. David ne voulait pas paraître trop insistant, mieux valait attendre que l'autre reprenne le fil de la conversation.

— Une bien petite participation, dans un contexte surexcité.

Le politicien était revenu sur le sujet de son implication dans la révolte de 1848. Il continua :

— Je préférais la voie constitutionnelle de O'Connell. Mais avec les émeutes en France, même les plus raisonnables se sont mis à rêver qu'un soulèvement suffirait à renvoyer les Britanniques chez eux.

— Les Français ont plus d'expérience que nous dans les mouvements révolutionnaires.

L'autre s'accrocha à son sujet, comme s'il tenait à informer son compagnon de voyage de ses engagements passés.

— Je n'ai rien accompli en 1848. Je me trouvais en Écosse. Je devais y recruter un bataillon de sympathisants. Quand j'ai enfin pu réunir une petite bande de volontaires, le soulèvement avait été maté. Je suis retourné ensuite en Irlande pour quelques semaines, avant de revenir aux États-Unis.

— Tout de même, la suite des choses n'a pas été si mauvaise : ministre de l'Agriculture et de l'Immigration !

D'Arcy McGee lui adressa un regard moqueur avant de déclarer :

— Vous me semblez terriblement bien informé.

— Pour vos fonctions actuelles, cela a été très facile. Les listes de passagers sont reprises dans les journaux. Dans votre cas, on a même commenté la pertinence de payer un voyage en Irlande à un ancien révolutionnaire, à même les deniers publics, pour lui permettre de visiter la même exposition que moi.

Le commentaire s'accompagnait d'un sourire ironique.

— Si vous avez lu quelque chose du genre, il s'agissait d'un journal libéral.

— Le *Globe*.

— Une foutue feuille anticatholique.

— J'avais cru remarquer, en effet.

Tous deux se regardaient en souriant. Les dix jours suivants procureraient des occasions de parler encore, devenir des amis inséparables et décider de parcourir ensemble les campagnes de la verte Érin. David demeurait persuadé d'y arriver. Cependant, il devrait garder ses distances avec la fille du consul du Royaume-Uni à New York. Autrement, cela enlèverait toute crédibilité au personnage qu'il était à se construire. Cela non plus ne serait pas difficile.

❧

C'était sans compter sur le désir tout féminin d'Édith Archibald de s'expliquer, «pour ne pas en rester là». Elle avait glissé un billet sous la porte de sa cabine pour exprimer le souhait d'une rencontre discrète. Ils se retrouvèrent à la poupe du navire un peu avant minuit. Le clair de lune colorait d'argent le sillage laissé derrière le bâtiment.

Après les heures mouvementées de la sortie du golfe Saint-Laurent, David avait résolu de limiter à l'avenir ses déplacements au transport terrestre. Le calme de la mer, ce soir-là, le réconciliait à peu près avec la navigation. En d'autres circonstances, il aurait trouvé la situation diablement romantique! Comme sa compagne avait pris l'initiative du rendez-vous, il la laissa commencer la conversation. Elle eut de longues minutes d'hésitation avant de s'y aventurer :

— Pendant tous ces rendez-vous depuis l'hiver, je croyais qu'il se développait quelque chose entre nous. De l'affection...

Un nouveau silence s'imposa, puis :

— À tout le moins, j'éprouvais... j'éprouve encore une très grande affection pour vous !

Le mot était lâché, aussi explicitement que son éducation l'y autorisait. Elle lui confia, cette fois très vite et désireuse de ne pas s'arrêter en chemin :

— Je croyais que c'était réciproque. Depuis plus d'un mois, vous vous comportez comme si ma vue vous répugnait.

Il s'agissait bien de cela, mais pas pour les raisons que la jeune femme imaginait.

— J'éprouvais les mêmes sentiments que vous. Je me suis laissé emporter par la complicité qu'exigeait la situation. Je m'en excuse.

Dans la lumière blafarde, elle prenait une allure fantomatique. Le jeune homme croyait vivre une scène d'un roman gothique ! Impossible de s'arrêter maintenant.

— Il ne peut rien se passer entre nous. Votre condition, la mienne...

— Quand, après plusieurs mois, vous avez découvert que nous n'étions pas du même milieu, j'ai cessé d'exister à vos yeux ? Plutôt que d'en parler avec moi, vous vous êtes tu.

— Je suis désolé. Mes notions de bienséance se révèlent inadéquates, je le comprends bien.

Voilà qu'il jouait maintenant de l'attitude servile. Il préféra enchaîner tout de suite, plus sincère :

— Je sers de détective à votre père. Au mieux, si cela se continuait, j'aurais à offrir à une femme la solde d'un petit officier. Mais cela ne durera pas : le propre des révolutions est d'échouer, ou de réussir. Que deviendrai-je alors ? Journaliste ? Détective chez Pinkerton ? Rien pour satisfaire les attentes d'une femme comme vous.

— Que savez-vous de mes attentes ?

— Un époux, une grande maison, des domestiques. À vingt et un ans, je parie que vous n'avez jamais fait votre lit vous-même. Vous ne pourriez pas vous contenter de moins !

Le coup porta. Elle se mordit la lèvre inférieure, recula d'un pas. D'un ton beaucoup plus doux, il poursuivit :

— Jamais vous ne pourriez faire fonctionner un ménage avec une solde de cent dollars par mois, pas même avec deux cents.

Elle mettait plus que ce montant sur ses robes et autres colifichets !

— Tout de même, vous auriez pu me poser la question.

— Et recevoir une rebuffade blessante, malgré toute votre gentillesse.

— Je suis une fille unique. Je recevrai de mes parents de quoi vivre sans difficulté, toute ma vie. Moi et mon mari.

— Il y a des hommes qui ne désirent pas être entretenus.

David tenait absolument à l'en convaincre, pour conserver un peu de dignité à ses yeux.

— Joli scrupule. La grande majorité des garçons que je rencontre hériteront de leur famille. Ceux qui se sont faits seuls me semblent vraiment rarissimes et ne sont pas même perçus comme des partis désirables. Alors, je ne vois pas où serait le drame, si mon mari tenait sa situation de mon père, plutôt que du sien.

Elle venait de prononcer une véritable demande en mariage, avec la promesse d'une généreuse dot. Mais elle n'avait pas de prise réelle sur cette partie de la proposition. David devait se faire explicite.

— Ne comprenez-vous pas que votre père m'a bien expliqué que je ne devais rien espérer en ce sens ? Il ne vous réexpédie pas vers votre mère, mais vers un bassin de jeunes gens respectables, c'est-à-dire anglais, protestants et riches, susceptibles de vous épouser. Et comble du cynisme, il m'a demandé de faire la livraison.

Elle demeura interdite un moment, murmura enfin :

— Écossais… Ma famille vient d'Édimbourg. Il préférerait un époux écossais.

Sa voix témoignait du plus grand dépit. Jusque-là elle avait trouvé sa mère insupportable ; elle vouerait désormais une haine tenace à son père. La jeune femme se remémorait la séquence des événements : la rencontre au *Delmonico's* où, malgré son désir, elle n'avait pas été invitée. Ensuite, David Devlin n'avait plus su quelle contenance adopter. Tout s'expliquait.

— Vous ne croyez pas possible de passer outre à cette directive ?

Désemparée, elle hésita avant de poursuivre :

— Vous avez dit tout à l'heure éprouver de l'affection pour moi. J'aimerais au moins en avoir la certitude.

Elle s'approcha de lui, son regard dans le sien, jusqu'à ce que sa poitrine soit à un doigt de la sienne. La lune lui blanchissait les cheveux et donnait à ses yeux gris une teinte irréelle.

— Je vous assure que…

— Taisez-vous !

Elle levait la tête. Il posa ses lèvres sur les siennes. La fraîcheur de la nuit rendait le contact plutôt froid. Vint un mouvement imperceptible. David s'anima, jusqu'à pénétrer sa bouche de sa langue, dans un parfait simulacre de coït. Quand elle se recula, essoufflée, Édith savait que la réserve de l'homme ne tenait ni à l'absence de sentiments ni à celle de désir. Malgré les épaisseurs de la robe, des jupons et de la crinoline, elle en eut la certitude. Tout simplement, il était à la fois orgueilleux et lâche. Elle préférait croire que le premier défaut l'emportait sur le second.

La situation ne paraissait pas sans espoir. Les plus romantiques, dans la société anglaise, enlevaient l'objet de leur désir, avec sa collaboration empressée, pour l'épouser secrètement. Il se trouvait toujours un ministre du culte assez audacieux pour braver toutes les convenances ! Ensuite, après une colère de tous les diables, les parents de la belle finissaient par s'accommoder du gendre et lui venir en aide, afin de garder intacte leur respectabilité.

Trop pusillanime, David n'en arriverait pas à cette extrémité.

Un instant plus tard, une Édith Archibald totalement écœurée de la vie et de sa famille retraitait vers sa cabine en essuyant avec sa main gantée la salive de sa bouche et les larmes de ses joues. David, penché dangereusement au-dessus du bastingage, se lamentait au dieu des amours déçues.

❦

Liverpool se révéla une ville crasseuse, dont tous les édifices noircis par les fumées des machines à vapeur et des âtres gourmands de charbon présentaient une mine triste sous la pluie. La traversée s'était effectuée dans les temps prévus, grâce à une mer calme la plupart du temps. David regardait Édith Archibald s'engager sur la passerelle conduisant à terre avec un parapluie dans une main, un petit sac de voyage dans l'autre. Sur le quai, une grande femme revêche l'attendait, aussi chaleureuse qu'une porte de prison. Leurs regards s'étaient croisés un instant lors de l'accostage. Comme il n'était pas seul, elle ne lui fit pas un signe.

— Une bien jolie fille, glissa D'Arcy McGee debout à ses côtés. Belle et froide comme le sont les Anglaises.

— Écossaise !

David se fit violence, adressa un demi-sourire à son compagnon.

— Elle s'appelle Archibald, sa famille vient d'Écosse.

Mieux valait ne pas dire qu'il ne la croyait pas si froide que cela !

— Ah ! La jeunesse ! Tu connais le nom des jolies filles et moi, celui des vieilles dames percluses de rhumatismes. Suis-moi. Ce serait bien le diable si je ne trouvais pas un bateau capable de nous déposer à Dublin d'ici demain. Je ne tiens pas à passer une nuit sur le territoire de notre ennemie héréditaire.

Gagner l'amitié de cet Irlandais rieur et excentrique n'avait pas été difficile. Déjà, l'autre se proposait de lui faire connaître le comté de Louth, où il était né en 1825.

⟶

Si le véritable port marchand de Dublin se trouvait au nord-est de la ville, le petit paquebot sur lequel David et D'Arcy McGee avaient pris passage vint accoster au quai Rogerson sur la rivière Liffey. De là, dans une voiture découverte, ils cherchèrent leur hôtel. Le jeune homme ouvrait des yeux émus sur tout ce qui l'entourait, son compagnon nommait les édifices, soulignait au passage les endroits où un événement important de l'histoire irlandaise s'était déroulé. L'agent secret avait réservé une chambre dans une pension de la rue York, alors que D'Arcy McGee logeait dans un hôtel de la rue Dame, une bâtisse fort élégante située à deux pas du siège du gouvernement, Dublin Castle. Comme les deux établissements se trouvaient à une distance relativement faible l'un de l'autre, David se laissa convaincre de prendre un verre de whisky au bar de l'hôtel. Il en serait quitte pour effectuer le reste du chemin à pied une heure plus tard.

Après une nuit passée sur la terre ferme — le mouvement continuel d'un navire sur les flots hantait son souvenir —, David sortit très tôt afin de parcourir les rues avoisinantes. Ce quartier cossu abritait le palais épiscopal et la cathédrale Saint-Patrick. Surtout, à distance de marche se trouvaient plusieurs espaces verts, bordés de maisons privées somptueuses et d'édifices publics. Les College Park, Merrion Square et Fitzwilliam Square le cédaient en grandeur et en majesté au Saint Stephens Green, au centre duquel s'élevait une statue équestre du roi George II. Les rues entourant ce parc rectangulaire se nommaient éloquemment North, South, West et East…

Après avoir profité de l'ombre des arbres du Green, David traversa la rue South pour atteindre le site de l'Exposition internationale des arts et manufactures de Dublin. Ouverte au mois de mai, elle prendrait fin le 10 novembre 1865. Après s'être rendu aux bureaux administratifs de l'exposition et avoir obtenu l'autorisation de circuler partout, le journaliste entra dans le jardin Cobourg, où se trouvait un palais de cristal. La construction de fonte et de verre plutôt basse couvrait une très grande superficie.

Une exposition universelle, au XIXe siècle, servait essentiellement à mettre en valeur la production artistique ou manufacturière de pays ou de villes et à afficher la suprématie culturelle et économique d'une nation. Sous la première rubrique, David découvrit des peintures, des sculptures, mais aussi des exercices réalisés par des élèves de diverses contrées : textes présentant les plus belles calligraphies, dessins, travaux d'aiguille, etc. Il passa un moment à admirer des poèmes d'écoliers canadiens écrits avec le plus grand soin.

Quant aux manufactures, les différents objets entonnaient un hymne muet au capitalisme triomphant. Les plus impressionnants étaient certes les machines à vapeur peintes de couleurs criardes, les machines-outils aussi, souvent sous forme de modèles réduits, parfois grandeur nature. Les minéraux, végétaux ou produits animaux voisinaient avec les objets manufacturés. Les marchands du monde trouvaient au même endroit tout ce qui pouvait se vendre et s'acheter sur terre.

L'ambition politique d'une manifestation de ce genre se lisait clairement. C'était un hymne au capitalisme bien sûr, un hymne à l'Empire britannique aussi. David passa devant les fourrures, les poissons — empaillés —, les bois, les minéraux du Canada, les cuirs, les lainages, les bois et même les opales de l'Australie, sans compter quelques pépites d'or. Dans d'autres sections s'alignaient aussi le thé et la soie de Chine, les travaux artistiques, les diamants et les perles de l'Inde, le cacao, le café et l'ivoire de l'Afrique, le coton d'Égypte — qui remplacerait celui des États confédérés sur les marchés anglais —, l'acier, le charbon et les machines du Royaume-Uni. En fin d'après-midi, le journaliste sortit de là convaincu qu'il ne manquait rien aux habitants de l'immense territoire soumis au règne de la reine Victoria. Tous les Irlandais qui se livraient à la même visite comprendraient, du moins les autorités politiques l'espéraient, que ce serait folie de se séparer du Royaume-Uni.

Le journaliste satisfait — David pourrait noircir quantité de pages avec ce qu'il venait de voir, au gré de passages répétés sur les lieux de l'exposition —, l'agent secret devrait aussi trouver son compte à ce voyage.

❦

D'Arcy McGee aimait la compagnie. Son réel talent de conteur et sa connaissance des chansons folkloriques attiraient les clients des tables voisines au restaurant ou au bar. David savait que pendant ses années de jeune révolutionnaire, il avait consacré ses efforts à faire connaître les artistes irlandais. Pour lui, ces créateurs alimentaient l'identité et la fierté d'une nation. Cet homme pouvait citer leurs œuvres de mémoire pendant des heures ! Rien ne le réjouissait plus qu'une oreille attentive, l'agent lui en tendait deux.

Le dimanche 3 septembre, David fut témoin d'un acte de foi canadien. D'Arcy McGee l'avait convié à une conférence prononcée dans une grande salle attenante au palais de cristal du jardin Cobourg. Le thème portait sur l'émigration au Canada : dans une île où la population trouvait si difficilement à gagner sa vie, cela suffisait à attirer une bonne foule. Assis dans les premières rangées, David jouissait d'une vue parfaite du petit homme.

Après avoir été présenté avec tout son titre — le très honorable ministre de l'Agriculture, de l'Immigration et de la Statistique du Canada-Uni —, il commença par dresser un portrait très général des colonies britanniques d'Amérique du Nord, alternant entre l'anglais et le gaélique. Il dérida l'assistance avec une demi-douzaine d'anecdotes. En décrivant les territoires à l'ouest du Haut-Canada, possédés par la Compagnie de la Baie d'Hudson, le politicien s'enflamma :

— Imaginez un espace dix fois grand comme la Grande-Bretagne, quarante fois comme l'Irlande, qui passera sous le gouvernement de la fédération canadienne ! Tous les Irlandais pourraient y recevoir cent soixante acres chacun et tous leurs enfants autant pendant quatre générations et il resterait encore de la place pour tous les déshérités de l'Europe !

Ces mots, dans un pays où la plupart des paysans cultivaient, pour la subsistance de leur famille, un quart d'acre, donnaient le vertige. Il y eut un murmure dans la salle.

— Si vous devez quitter l'Irlande, n'allez pas dans les chantiers ou les manufactures des États-Unis. Vous ne trouverez que mépris là-bas. Les Irlandais sont insultés dans les rues, condamnés aux pires emplois. Venez au Canada, dans ces terres nouvelles. Vous ne serez pas des étrangers, mais les premiers occupants, les pionniers. À titre de fondateurs vous pourrez dire : « Ceci est mon pays, je l'ai construit de mes mains. Je possède le sol : personne ne pourra me l'enlever. »

David voyait les représentants des autorités britanniques changer nerveusement de position sur leur chaise. Si les Irlandais cherchaient par centaines de milliers à se construire un pays ailleurs, c'était parce qu'ils avaient perdu le leur à cause d'une conquête et d'une colonisation étrangères.

— Au Canada, les Français, les Anglais, les Écossais et les Irlandais vont disparaître. Il n'y aura plus que des Canadiens. Cela prendra du temps, mais finalement ils formeront une seule nation, une communauté. Aux États-Unis, soumis aux attaques des nativistes, vous seriez condamnés à rester des étrangers. Pas au Canada !

David prenait des notes. La peinture du Canada se révélait trop belle — Irlandais de naissance et Canadien français d'adoption, il aurait apporté bien des nuances —, celle des États-Unis, trop sombre. Le rôle des immigrants dans la victoire nordiste réduisait l'animosité des Américains pour les étrangers, l'intégration se révélait plus facile. Mais le politicien se muait en un propagandiste enthousiaste du Canada en devenir.

— Bien sûr, en tant que Canadien, il faut abandonner quelques rêves anciens. Vous le savez, à une époque où j'étais jeune, irresponsable et, les plus âgés vous le diront, trop attiré par le whisky, je me suis laissé séduire par la folie révolutionnaire. Il existe encore de ces fous, les mêmes qu'en 1848. Je ne vous expliquerai pas comment régler les problèmes de l'Irlande… quoique les voies légales me paraissent les meilleures. Cependant, la Fenian Brotherhood, aux États-Unis comme au Canada, est une lèpre, un cancer qui ronge la communauté irlandaise. De pauvres gens donnent de l'argent pour une révolution dans une contrée lointaine. Cet argent devrait leur procurer des institutions dans leur nouveau pays, instruire leurs enfants. Actuellement, il sert à maintenir une poignée d'excités qui vivent en parasites.

Dans la salle, un mouvement de chaises se fit entendre, puis les bruits de pas de personnes qui quittaient les lieux.

— Heureusement, il y a bien peu de féniens au Canada, quelques centaines de naïfs, tout au plus. Tout de même, ils excitent la suspicion de nos ennemis et empêchent nos gens de devenir de bons citoyens, respectables et respectés…

Le petit politicien en gilet vert parla de l'importance, pour les Irlandais, de choisir le Canada et de participer, à titre de pionnier, à la construction d'un grand pays, qui se révélerait un jour le joyau de l'Empire britannique. Mine de rien, D'Arcy McGee venait de déclarer la guerre à toutes les organisations révolutionnaires irlandaises, surtout à la Fenian Brotherhood. À deux pas de Dublin Castle, dans une ville où la Fraternité devait compter beaucoup d'appuis, cela provoquerait des remous.

Quand David rejoignit le politicien en soirée, celui-ci affichait sa bonne humeur coutumière.

— Alors, allons-nous toujours à Limerick demain? demanda-t-il en l'apercevant.

— Bien sûr. J'ai des billets de train.

— Parfait. Tu verras, c'est un bien beau coin. Pendant que je terroriserai les foules avec mes déclarations incendiaires, tu visiteras le très romantique château médiéval de la ville.

Il entendait remettre cela. À une demi-douzaine de reprises encore, D'Arcy McGee dénoncerait la Fenian Brotherhood comme un cancer qui rongeait les communautés irlandaises d'Amérique. Le même diagnostic s'appliquait aussi à la Irish Republican Brotherhood en Irlande!

Chapitre 10

À vol d'oiseau, Limerick se trouvait à deux cents milles de Dublin, sur une des rives du fleuve Shannon. Sauf que personne ne voyageait à dos de volatile. À bord d'un petit train crachotant une fumée noire, il fallait compter avec un détour vers le nord, ce qui donnait plutôt trois cents milles et des arrêts dans un chapelet de villes plus ou moins importantes.

Heureusement que le wagon de première classe, quoique vieillot, offrait un confort raisonnable. D'Arcy McGee avait le bon sens d'interrompre son bavardage pour se permettre de longues siestes : les neuf heures d'un trajet souvent interrompu ne furent pas trop pénibles à supporter. À l'origine, au XIIe siècle, Limerick n'occupait que la petite île King, sur le fleuve Shannon. Depuis elle avait débordé de tous côtés sur la terre ferme. Les deux hommes trouvèrent une auberge plutôt rustique, soupèrent tard, surtout de bière, et partagèrent la même chambre mais pas la même paillasse, dont le chaume était frais et odorant. Le plancher de dalles d'ardoise paraissait bien propre et la fenêtre donnait sur les ruines du château du roi Jean, qui en avait ordonné la construction en 1210. Le tout revêtait un charme bien romantique. Le seul problème, y être venu avec un petit Irlandais jovial plutôt qu'en galante compagnie.

Le lendemain matin, D'Arcy McGee se prépara à reprendre son hymne au Canada et sa condamnation des féniens dans la plus grande salle de la petite ville.

— Tu vois ce gros chêne, déclara-t-il devant un petit-déjeuner copieux, mi-sérieux, tu me retrouveras peut-être pendu à sa plus forte branche.

— Je prononcerai la plus belle eulogie, répondit le journaliste en riant. Mais ma sensibilité m'incite à m'éloigner un peu pour échapper au triste spectacle. Je compte visiter un peu les environs.

— Moi qui me fiais à toi pour rendre compte de tous mes discours !

— Celui-là sera identique à tous les autres, je suppose.

Devant des auditoires différents, le politicien s'en tenait toujours au même hymne en l'honneur du Canada et à la même condamnation des manigances de la Fenian Brotherhood.

— Bon, je ferai contre mauvaise fortune bon cœur. Va courir la campagne, c'est de ton âge.

David se décida pour une longue exploration du château. Plusieurs tours imposantes et une partie des murs d'enceinte demeuraient debout. Au sommet d'une tour ronde, appuyé au créneau, le jeune homme se perdit longuement dans la contemplation du fleuve et de la plaine verdoyante s'étendant sous ses yeux. Il se jucha finalement sur le mur lui-même, dans un créneau, s'adossa à la pierre et sortit de sa poche sa copie du roman *Ivanhoé*. Se pouvait-il qu'Édith fasse de même en ce moment ? Le récit de chevalerie se passait justement à l'époque de la construction de ce château, le roi Jean incarnant le monarque dévoyé aux prises avec un soulèvement. Par une magie tout irlandaise, pendant trois bonnes heures le jeune homme se retrouva plongé six siècles plus tôt, parmi les chevaliers, entiché de Lady Marianne.

Passé midi, il descendit de son perchoir. Aucun corps ne se balançait au chêne : le politicien devait maintenant se dépenser à visiter des notables. Comme ils ne devaient reprendre le train que le lendemain matin, David se trouva un cheval de location, pesta d'abondance contre la selle anglaise, du cuir bouilli sur une forme de bois qui ne devait pas faire huit pouces de large. Il se résolut tout de même à souffrir les milliers de heurts de son derrière sur le troussequin pour le plaisir de profiter des environs.

Le paysage en valait la peine. Densément peuplée, à côté des domaines des grands propriétaires terriens, l'Irlande offrait à ses yeux un terroir découpé d'une multitude de petites parcelles dont des paysans tiraient leur maigre subsistance. Ils construisaient au bout de chacune un cottage de pierres sèches, empilées sans mortier, au toit de chaume ou d'ardoise plutôt bas, parfois sans autre ouverture que la porte, dans le meilleur des cas avec une ou deux fenêtres étroites. Un feu de tourbe empanachait les cheminées, embaumait la campagne.

La jolie composition pastorale ne résistait pas à un examen attentif. Beaucoup de ces cottages paraissaient abandonnés, les toitures crevées, les murs à moitié écroulés. Les grands propriétaires chassaient les ouvriers agricoles, intégraient les parcelles à leur domaine. Et quand ces masures étaient habitées, de nombreux enfants efflanqués, crasseux, levaient des yeux affamés. Les plus chanceux portaient des haillons, les autres allaient nus. C'était habituellement le lot des plus jeunes ; mais, même à l'aube de l'adolescence, certains s'exposaient sans la moindre pudeur.

Quand le jeune homme s'arrêta pour permettre à son cheval de boire un peu dans un ruisseau, il prit toute la mesure de la misère ambiante. Une gamine, quatorze ans peut-être, attira son attention avec des « monsieur, monsieur » chuchotés. Elle portait ce qui avait déjà été une robe, un vêtement bien trop petit qui révélait ses jambes maigrichonnes jusqu'aux genoux. Son visage sale laissait deviner des traits plutôt charmants, ses cheveux, mieux lavés, auraient été d'un assez joli roux foncé.

— Tu viens d'où ? continua-t-elle en gaélique.

— New York.

Elle écarquilla les yeux, hésita peut-être une seconde avant de dire :

— Tu m'emmènes, dis, tu m'emmènes avec toi.

Il fit non de la tête, alors qu'elle abandonnait sa ligne à pêche pour s'approcher un peu.

— S'il te plaît ! Je ferai ton ménage, dormirai sur le plancher. Je ne mange presque pas, cela ne te coûtera pas cher. Et je pourrai m'occuper de toi aussi.

La gamine commença à relever sa jupe sur ses cuisses crasseuses. Sans demander son reste, David tira les rênes de son cheval, lui donna un coup de talons dans les flancs pour reprendre la route de Caherconlish. C'était cela le pays de ses parents, qui condamnait ses habitants à la plus extrême misère et à la perte de toute dignité. Sa mémoire ne gardait aucun souvenir des six ou sept premières années de sa vie, sauf la connaissance de la langue, qui se confondait avec la douceur de sa mère. Son esprit n'avait rien trouvé de mieux que l'oubli pour se défendre.

❧

Dublin Castle, un peu au sud de la rivière Liffey, se composait d'un ensemble de bâtiments dont certains éléments, comme les tours ou les voûtes, dataient du Moyen Âge, à l'époque où ils formaient des parties d'un véritable château fort. Au fil des siècles, les pierres des murailles avaient été récupérées pour construire des bâtisses plus modernes, publiques ou privées. D'Arcy McGee jouissait d'une réputation suffisante, avec sa loyauté affichée, pour se voir convié à rencontrer les Britanniques qui administraient la colonie.

David l'accompagna jusque dans les jardins Dubh Linn, un espace de verdure circulaire au milieu des divers édifices officiels. En effectuant un tour complet sur lui-même, il pouvait admirer la chapelle royale, les archives, les appartements de fonction du gouverneur, une bibliothèque. À l'ouest se trouvait une grande construction haute de trois étages : les baraquements de la garnison. D'autres s'élevaient à la périphérie de la ville. Seule la force permettait de maintenir la domination britannique sur Érin.

Septembre pointait déjà, Stephens avait promis l'indépendance de l'Irlande avant la fin de l'année. Bien compté, cela donnait un peu plus de trois mois. De la façon la plus absurde qui soit, le *Head Center* avait établi les locaux du journal *Irish People* dans un petit bâtiment de briques sur Chancery Lane, à deux pas de Dublin Castle. Publier les articles les plus violents sur la domination britannique à côté du siège du gouvernement paraissait une bravade puérile. Quand David passa la porte du périodique pour demander au premier employé venu à voir le grand homme, il eut droit à un regard méfiant. Son accent yankee ne lui servant pas de sauf-conduit, il opta ensuite pour le gaélique.

— Dites-lui que je suis là. David Devlin. Il me connaît.

Toujours sceptique, l'autre obtempéra. Un instant plus tard, David entrait dans le bureau de l'éditeur en chef et directeur de la petite publication… et auteur de la plupart des articles. Avant de pouvoir s'asseoir sur une chaise branlante, David dut poser sur le sol une pile de feuillets couverts d'une écriture serrée. De l'autre côté d'une table, Stephens lui tendit la main sans se donner la peine de se lever ou de dire bonjour.

— Il y a longtemps que vous êtes arrivé. Je me demandais si vous n'aviez pas changé de camp. Suivre D'Arcy McGee pendant tout ce temps…

— L'un de vos compagnons de 1848.

Stephens esquissa un signe de la main, comme pour le faire taire.

—Un traître. Je me demande combien ils le paient pour vomir ses âneries sur nous!

Le politicien avait fait l'objet d'un article fort menaçant dans les pages du *Irish People*. Un imbécile friand d'immortalité suffirait pour que le ministre de l'Agriculture finisse dans une ruelle, une lame d'acier entre les côtes. Heureusement, il s'embarquerait pour le Canada dans moins de quarante-huit heures.

— Il m'a paru utile de voir exactement ce qu'il avait en tête, opposa David.

— Et quelles sont vos conclusions?

— Il a envie de conserver son poste de ministre. Il fait tout pour ça.

Dans ce bureau, David n'ajouterait pas que l'homme semblait des plus sincères.

— Depuis le jour de votre arrivée à Dublin, j'attends votre visite, lui reprocha Stephens.

— Moi, je n'avais rien à vous dire. Je n'ai appris que ce matin, grâce à une lettre, qu'un petit cargo, rebaptisé le *Erin's Hope*, prenait la mer à destination de l'Irlande.

— Par écrit! Êtes-vous fou? Toutes les communications destinées à des Américains doivent être lues.

— Je n'en doute pas. Elle disait: «Cher ami, votre enfant doit naître d'ici vingt-quatre heures.»

Comme le grand patron se montrait inconséquent. Publier des écrits incendiaires aux yeux de tous et s'inquiéter des imprudences des autres !

— Je vois. Et quelle force a cet enfant ?

— Un peu plus de deux cents hommes aguerris, dix mille fusils, deux millions de cartouches, des revolvers. Il s'agit des chiffres convenus avant mon départ. Des événements imprévus ont pu changer la donne.

— Ce n'est pas trop tôt. En sortant, pourriez-vous dire à Pierce Nagel, l'homme qui vous a conduit ici, de venir me voir ?

Congédié comme un laquais... Quand il transmit le message, Nagel marmotta :

— Une autre lettre à dicter, je parie.

❦

— Ouvrez ! Police ! Ouvrez la porte tout de suite, ou nous défonçons ! David se dressa à demi, palpa la surface de la table, près du lit, pour trouver son arme, avant de se souvenir de sa décision de ne pas voyager avec cette pièce d'équipement. Les chocs violents contre sa porte redoublèrent, donnés sans doute avec une matraque.

— Je viens, cria-t-il en cherchant son pantalon.

Sa pudeur coûta le prix d'une porte à son propriétaire. Comme le jeune homme attachait sa ceinture, un solide coup d'épaule fendit le cadre à la hauteur du verrou. Au deuxième, l'huis s'ouvrit tout grand dans un fracas alors que des éclats de bois volaient dans la pièce. Trois individus entrèrent aussitôt, l'un montrait une arme.

Ce n'était pas le temps de discuter. David leva ses mains grandes ouvertes au-dessus de ses épaules. Les deux hommes qui portaient un uniforme de police se saisirent de ses avant-bras, les lui ramenèrent brutalement dans le dos en le poussant vers le lit. Il tomba la face contre le matelas, sentit sur ses poignets la morsure froide de bracelets d'acier. Ils le relevèrent ensuite pour le fouiller sans ménagement.

— Il n'a pas d'arme, dit l'un des sbires.

— Ramassez tout ce qu'il y a dans la chambre, commanda celui des trois vêtu en civil.

David demanda avec son plus pur accent yankee :

— Qu'est-ce qui se passe ?

— Ta gueule, cracha l'autre sur un ton qui n'admettait pas la réplique.

— Avertissez le consul des États-Unis ! Ce n'est pas une façon de traiter un citoyen américain.

— Vas-tu te taire à la fin ?

Le policier avait levé un poing ganté de cuir. Mieux valait réserver ses protestations pour un officier d'un grade supérieur, ce qui ne garantissait en rien des manières plus affables. En cinq minutes, les deux hommes en uniforme ouvrirent l'armoire, les tiroirs de la commode, jetèrent tout pêle-mêle dans son sac de voyage. Quand ce fut terminé, David obtint qu'on lui mette sa redingote sur les épaules. À tout le moins, ils ne voulaient pas lui faire attraper la grippe, les nuits de septembre — le 16, à la première heure de ce jour — pouvaient s'avérer fraîches.

En descendant les escaliers, les deux molosses de la police le tenaient par-derrière, à la hauteur des coudes, chacun de leur côté. Le jeune homme vit tous les clients de la pension dans l'embrasure de leur porte, serrant leur peignoir sur leur poitrine, supputant des crimes commis par le ruffian qui avait séjourné parmi eux.

Dans la rue, un fourgon cellulaire attendait. David y fut poussé sans ménagement, il se retrouva étalé de tout son long, face contre terre, et la cage se referma sur lui. Puis le cocher fouetta le cheval.

Tandis que la voiture roulait sur les pavés inégaux, il entendit :

— Nous t'aiderions bien à te relever, l'ami, mais nous portons les mêmes bracelets que toi.

Ils avaient reculé leurs pieds sous les banquettes placées l'une en face de l'autre, pour ne pas lui mettre leurs chaussures dans la figure.

— Je devrais y arriver seul, à tout le moins je l'espère, répondit-il en gaélique.

Il ne réussit qu'à se tourner sur le dos. L'espace réduit l'empêchait de replier ses jambes suffisamment pour se relever. Heureusement, Dublin Castle ne se trouvait pas très loin. Une demi-heure plus tard, avec ses cinq compagnons d'infortune, David retrouvait l'édifice de la garnison admiré en touriste un peu plus de trois jours plus tôt.

Ces vieux bâtiments d'origine médiévale profitaient de caves profondes et humides où loger les invités de la reine Victoria. Dix d'entre eux partageaient une cellule de dix verges sur cinq taillée dans le roc. Seul un minuscule soupirail, fermé de barreaux de fer, permettait le renouvellement de l'air. Cela n'empêchait pas une horrible puanteur de s'imposer : un seau fermé d'un couvercle de bois mal ajusté, placé dans un coin de la pièce, recueillait toutes les déjections de ces hommes. En plus de la pestilence, il fallait encore voir, et entendre aussi, les autres détenus en faire usage.

Étendu sur une paillasse humide, le dos appuyé sur un mur suintant, David serrait sa redingote sur son corps. Les geôliers avaient à tout le moins eu la délicatesse de retirer leurs fers aux prisonniers.

— Quel est ton nom ? questionna son voisin immédiat.

— David Devlin.

— Américain ?

— Oui. Et toi ?

— Jeremiah Donovan.

Grâce à ses nombreuses lectures, le journaliste connaissait déjà ce patronyme, celui d'un membre du mouvement révolutionnaire.

— Aucun parent avocat à New York ?

— Non, mais mon nom est beaucoup porté dans ce pays.

Une voix venue de l'autre côté de la geôle demanda :

— Jeremiah, tu sais ce qu'on risque ?

— Te révolter contre ta gracieuse souveraine Vicky, c'est de la haute trahison, punissable de mort, répondit l'homme méchamment. Mais dans sa mansuétude, elle commue cette peine presque chaque fois en vingt ans de prison. Tu me diras dans vingt ans si c'est vraiment mieux.

Plusieurs personnes dans la pièce changèrent de position, se sentant terriblement mal à l'aise tout à coup.

— Ne t'inquiète pas trop, enchaîna Jeremiah Donovan à voix basse pour son voisin immédiat. En tant que citoyen américain, tu ne risques pas grand-chose.

❧

— Je suis journaliste au *Herald*. D'ailleurs, si vous avez fouillé dans tout cela, fit-il en désignant le contenu de son sac épars sur le sol, vous avez bien vu mes articles.

Quelqu'un l'avait conduit devant un officier de l'armée britannique. Depuis le lever du soleil, il était le troisième du groupe à subir un interrogatoire.

— Il s'est présenté au *Irish People*, où il a demandé à parler à James Stephens, dit quelqu'un.

Pierce Nagel se trouvait aussi dans la pièce, de même qu'un autre homme en civil. David n'avait pas mis longtemps à deviner le rôle de cet individu dans toute cette histoire. Les Britanniques profitaient d'un espion au sein du petit groupe de révolutionnaires : le secrétaire du grand patron lui-même ! Aucune information ne devait lui échapper.

— En tant que journaliste, normal d'aller voir un chef politique connu même de notre côté de l'Atlantique. Des Américains d'origine irlandaise, juste à New York, il y en a des dizaines de milliers.

L'officier accueillit la réponse de David avec un grand sourire.

— Bien sûr, monsieur Devlin. Mais voyez-vous, votre situation ne me paraît pas si simple. Votre visite chez Stephens et votre intérêt pour D'Arcy McGee m'intriguent. Vous allez rester avec nous le temps que j'en sache un peu plus…

À tout le moins, celui-là n'avait rien de la brute épaisse. David revint très vite dans le cachot.

❧

Devlin se présenta devant le même officier, le lendemain matin. L'homme se tenait seul derrière la table. Son sac de voyage se trouvait tout près de la chaise où on l'avait invité à s'asseoir, tous ses vêtements avaient été soigneusement repliés.

— Monsieur Devlin, désolé de ce contretemps. Je viens tout juste d'apprendre du Colonial Office que vous êtes le chargé de mission de George-Étienne Cartier. Vous auriez dû me le dire. Bien sûr, il était terriblement imprudent de votre part de vous rendre chez Stephens. Comme tout de suite après celui-ci a dicté à notre homme une lettre sur l'arrivée prochaine d'un navire chargé d'armes, nous avons cru qu'il y avait un lien avec votre visite.

— Je peux donc partir ?

— Bien sûr.

Ce fut sans demander son reste que David prit son sac de voyage et quitta la pièce. L'air frais le rasséréna un peu. Son logeur se laissa difficilement convaincre qu'il ne lui revenait pas de payer le prix de la porte défoncée.

— Présentez votre réclamation au gouvernement de Sa Gracieuse Majesté. Moi, je n'ai rien brisé.

L'exposition universelle retint son attention pendant deux jours encore, avant l'embarquement le 20 septembre 1865.

Pierce Nagel ne faisait pas que prendre des lettres en dictée. Il servait d'informateur aux autorités britanniques. Les missives écrites le 12 septembre 1865 avaient été copiées à l'intention des forces de police. L'arrivée imminente de renforts et de milliers d'armes devait être suivie d'un soulèvement dans diverses parties du pays. À vingt et une heures, le 15 septembre, un contingent de policiers avait envahi les locaux du *Irish People*, sur Chancery Lane. Sous les lattes du plancher, les enquêteurs découvrirent les plans détaillés de la révolte et la liste des membres les plus fiables du Irish Republican Brotherhood. Avant la levée du jour, ils se retrouvaient dans les geôles de Dublin Castle.

James Stephens échappa cependant aux rafles. Les autorités n'allaient se saisir de lui que le 11 novembre ; il s'évaderait de prison exactement une semaine plus tard pour se réfugier en France.

Chapitre 11

Les récents événements survenus en Irlande avaient créé une profonde commotion de l'autre côté de l'Atlantique. Quand il débarqua dans le port de New York, David avait déjà un message chiffré à l'intention du consul Archibald, qu'il fit porter par un gamin. Quant à sa mission de surveillance de D'Arcy McGee, elle se soldait par un télégramme rassurant, lui aussi codé, destiné à George-Étienne Cartier.

Entre une visite au *Herald* et une autre au *Harper's Magazine*, le journaliste trouva le temps de rencontrer John Donovan devant un bon repas, dans la salle à manger de l'hôtel *American*, au coin de Broadway et Barclay.

— C'est décourageant, une malchance pareille, pestait l'avocat.

— Stephens s'est promené en clamant que l'insurrection aurait lieu avant la fin de l'année. Cela suffisait pour que les Britanniques placent un espion au *Irish People*...

— Je sais, j'ai reçu un message à ce sujet. J'ai même appris que tu avais goûté à la prison...

L'avocat lui adressait un sourire, comme si l'expérience représentait un rite de passage essentiel.

— Rien de bien grave, éluda David. Américain, journaliste, on m'a laissé aller presque tout de suite.

L'autre hocha la tête, retrouva un visage très dur en disant :

— Ces gens prêts à vendre leur patrie pour un peu d'argent me répugnent. Les Britanniques ont intérêt à expédier Nagel en Patagonie. Dans un pays où habitent des Irlandais, je trouverai certainement quelqu'un pour lui faire la peau.

David enregistra l'information sans fléchir. Il continua :

— Stephens avait l'air de me soupçonner, quand je lui ai transmis ton message. Il m'accusait d'avoir passé trop de temps à jouer au journaliste avant d'aller le voir. Pourtant c'était ma façon de ne pas attirer l'attention ! Les anciens soldats de l'Union que vous avez expédiés à Dublin ne se montraient pas très discrets, je te l'assure. Certains se soûlaient dans les *Public Houses** et criaient à tue-tête qu'ils étaient venus faire la guerre à l'Angleterre !

— Plusieurs d'entre eux apprendront la discrétion : une centaine a été arrêtée aussi.

— Que va-t-il leur arriver ?

— Sans doute la même chose qu'à toi. Les grosses légumes du Parti démocrate ont déjà commencé à insister auprès du gouvernement américain afin qu'il fasse pression pour obtenir leur libération. Tous ceux qui possèdent la citoyenneté américaine seront certainement libérés. Les autres se trouvent dans la merde.

David prenait sa mine la plus désolée. Il parut suffisamment dépité pour que son vis-à-vis se sente mal à l'aise.

— Je vais te faire une confidence. Je t'ai soupçonné de me jouer dans le dos, les dernières semaines avant ton départ, au point d'en avertir Stephens. De là sans doute son attitude...

— Que veux-tu dire exactement ? s'inquiéta le journaliste.

---

* De là est venu le raccourci « pub », pour désigner ces établissements.

— Quelqu'un t'avait vu à quelques reprises avec une jeune femme très bien mise, à Central Park. Je me suis demandé si le Royaume-Uni avait lancé ses beautés dans l'espionnage, pour extorquer des renseignements au plus vertueux d'entre nous.

Donovan prenait un ton badin, mais ses soupçons avaient duré jusqu'à ce que David lui fasse part de sa peine d'amour.

— J'avais même averti les cochers, les trois quarts d'entre eux sont Irlandais, de noter l'endroit où ils la reconduisaient, pour me le faire savoir. Mais tu m'as appris qu'elle t'avait envoyé promener, eux m'ont dit que tu ne la voyais plus. J'ai cessé de me soucier de cela. Tu m'en veux ?

David affichait un masque qui pouvait passer pour de la colère, ou une profonde déception. Le consul Archibald, en mettant un terme à ses espérances amoureuses, lui avait tout bonnement sauvé la vie. Il réussit à articuler :

— Non, je ne t'en veux pas ! Tu aurais pu me poser la question, tout simplement. D'un autre côté, je comprends tes raisons de faire attention. Impossible de faire confiance à quelqu'un. Un espion bien placé vaut certainement tout un régiment.

David avait utilisé ce même argument auprès du consul pour obtenir une augmentation de sa solde. Il poursuivit après une pause :

— Laissons ma susceptibilité de côté. Que va-t-il se passer maintenant ?

— Tout n'est pas perdu. Viendras-tu à la convention, le 16 octobre prochain, à Philadelphie ?

— Déjà une autre ? Il y a eu Cincinnati, il y a quelques mois à peine.

— Convoquée d'urgence, dès que nous avons appris les événements de Dublin. Il fallait réorienter notre action, tout en conservant le même objectif ultime, bien sûr.

Aiguise bien tes crayons, nous allons compter sur toi pour que le monde apprenne les grands changements à venir dans l'organisation !

Le reste du repas se passa à la description détaillée de l'Irlande, au profit d'un Donovan torturé par le désir de s'y rendre, mais résolu à n'y aller que lorsque le pays serait devenu une république indépendante.

~

Philadelphie présentait l'image idéale d'une ville coloniale conçue par des planificateurs britanniques. En forme de damier, toutes les rues étaient tirées à angle droit. La Fenian Brotherhood réussit à obtenir l'usage du Independance Hall pour les trois jours de son congrès. Cela témoignait des attentions des politiciens désireux de se gagner le vote de centaines de milliers d'Irlandais lors des prochaines élections fédérales.

Le Independance Hall, un bâtiment de brique coiffé d'un clocher où avait sonné la cloche de la liberté, situé dans la rue Chestnut, ne pouvait accueillir tous les délégués présents, six cents environ, plus que l'association n'en avait jamais attiré. L'affluence tenait à deux facteurs. L'organisation avait gagné son pari de rallier en masse les vétérans de l'armée de l'Union, qui continuaient de vivre dans ses rangs un peu de la fraternité des baraquements militaires. Elle profitait aussi de la stupeur provoquée par les arrestations effectuées à Dublin un mois plus tôt.

Les hypothèses sur le sort de Stephens allaient d'une exécution secrète par les autorités britanniques à la conviction qu'il pouvait se matérialiser devant leurs yeux à Philadelphie. N'appartenaient-ils pas à un peuple où des farfadets apparaissaient au détour d'un chemin ? À cet égard, pessimistes et optimistes se trompaient : James Stephens se faisait discret, caché sous une fausse identité à Fairfax, à peu de distance de Dublin.

Seuls les chefs du mouvement se réunirent à Independance Hall le premier jour du congrès. Des imprimeurs travaillèrent toute la nuit à reproduire un texte âprement débattu. Dès le lendemain, le journaliste mesura l'ampleur du bouleversement en cours au sein de la Fraternité.

Jusque-là, la société avait été dominée par le *Head Center* O'Mahony, qui exerçait une véritable dictature sur les « centres » de chacun des cercles, ceux-ci sur les capitaines, ces derniers sur les sergents, et les sergents sur les soldats. Si la structure allait demeurer la même, le *Head Center* voyait sa part d'autonomie réduite. D'abord, il serait désormais élu pour un mandat d'un an. Surtout, toutes ses décisions recevraient l'aval d'un sénat, élu lui aussi, composé de quinze membres. Enfin, un exécutif composé de « secrétaires » s'occuperait de dossiers particuliers. De la dictature, on passait à une organisation prétendument républicaine.

— Cela marque la fin des pouvoirs tyranniques confiés à un seul individu! opina Donovan à l'intention de son ami, devant le petit-déjeuner.

Une copie du nouveau *Règlement et statuts de la Fraternité*, qui sentait l'encre humide, traînait au milieu de la table. Dans les halls et les bars des quelques hôtels qui accueillaient les congressistes, d'interminables discussions se dérouleraient toute la journée entre ceux qui faisaient confiance au vieux chef, et ceux qui se disaient des « hommes d'action ». Donovan se trouvait très souvent en conciliabule avec ces derniers. À croire qu'il leur procurait tous leurs arguments.

— Pour réunir des centaines de milliers de personnes, expliquait-il, il faut être vu. Nous avons renoncé au secret pour éviter que les prêtres refusent l'absolution à nos membres. Maintenant que nous sommes connus, certains journaux trouvent curieux qu'une société vouée à la création d'une république en Irlande fonctionne comme une dictature aux États-Unis. Tu devras expliquer que la Fenian Brotherhood fait office de gouvernement en exil de la république d'Irlande. Nous avons choisi le meilleur modèle possible, la Constitution américaine !

David esquissa un signe d'assentiment. Encore une fois, on lui demandait de convaincre les Américains que les Irlandais s'engageaient dans le même processus légitime qui avait donné naissance aux États-Unis. Le parallèle pouvait se défendre très bien.

— Quelles sont les prochaines étapes ?

— Il faudra adopter cette nouvelle constitution aujourd'hui, au Mechanic's Hall. D'ici là, les « centres » des cercles se réuniront pour dresser une liste des candidats au sénat.

— Ils seront choisis parmi les officiers de la Fraternité ?

— Pas nécessairement. Tu peux te présenter si tu veux. Cependant, les élus doivent rallier des appuis dans les cercles les plus importants.

Autrement dit, les personnes ayant conçu les nouveaux statuts de l'association cherchaient des partisans depuis des semaines.

— Il y aura des candidats à la présidence ? Je veux dire à part O'Mahony ?

— Je ne crois pas. Tout de même, il a créé la Fraternité en 1858 et il la tient à bout de bras depuis !

Le Mechanic's Hall, un grand édifice de brique, servait aux réunions des associations ouvrières de la ville. De nombreuses classes s'y déroulaient aussi, de l'alphabétisation à la formation de mécaniciens ou de dessinateurs industriels. On y présentait aussi du théâtre, des concerts, des conférences sur des sujets sérieux ou badins.

En se tassant beaucoup, les six cents délégués logèrent dans la plus grande salle, les plus chanceux sur des chaises, les autres debout à l'arrière ou assis à même le sol dans les allées, entre les sièges. Le projet de constitution avait circulé dans les cercles des villes importantes, ses partisans avaient été envoyés au congrès, on leur avait mis en bouche les arguments favorables. Des personnes censées avoir reçu la proposition en matinée se levaient pour livrer de vibrants plaidoyers… en lisant des feuilles soigneusement écrites ! Les quelques opposants, quant à eux, voyaient leurs propos noyés sous les sifflets et les cris. Si l'un d'eux insistait, les accusations de traîtrise fusaient de toute part.

Parmi les partisans de la nouvelle constitution, il y eut Michael Murphy, très nerveux, qui commença son inter-vention par une affirmation douteuse :

— Je représente cent vingt-cinq mille féniens qui ont le malheur d'habiter au Canada, sous la dictature des Britanniques !

Des huées, destinées au gouvernement colonial du Canada, se firent entendre. Pour lui permettre de se trouver là, les cercles de Toronto avaient dû se mettre en règle avec la trésorerie de la Fraternité. Le nouveau *Règlement et statuts* fut adopté sans difficulté. Au sortir de la salle, David fit en sorte de marcher au coude à coude avec Michael Murphy.

— Cent vingt-cinq mille membres, vraiment ?

L'autre lui jeta un regard un peu gêné, puis il tenta de se justifier :

— Je voulais dire cent vingt-cinq mille hiberniens, des féniens, en fait.

— Je suppose que vous avez obtenu leur assentiment, avant de faire une affirmation semblable ?

— … Je vois quelqu'un m'appeler, par là !

L'homme s'esquiva. Autour de David, les féniens paraissaient heureux des changements adoptés. Plus de transparence, une capacité de se faire représenter, cela ne pouvait soulever la controverse. L'organisation ne conservait plus une once de secret.

~

Le lendemain, dès le début de l'après-midi, les délégués purent se prononcer sur le choix d'un président. John O'Mahony, le seul à présenter sa candidature, fut accueilli sur la scène par des acclamations. Pourtant, l'homme n'arrivait pas à sourire. Être élu ne le consolait pas de la perte de son pouvoir absolu.

Un jeu compliqué de mise en nomination des candidats au sénat se déroula ensuite. Les « centres » essayaient d'obtenir une représentation de chacune des grandes régions des États-Unis. Quand les quinze nouveaux élus quittèrent les lieux pour se rendre à Independance Hall, les féniens s'égaillèrent dans les environs. Le clou du congrès viendrait au retour des notables.

David chercha les délégués de diverses villes afin d'en savoir un peu plus sur chacun des sénateurs choisis, tous des Irlandais habitant l'Amérique depuis une vingtaine d'années. Chacun d'eux avait réussi sur la terre d'accueil, en tant que marchand ou professionnel. Parmi ceux-là, le journaliste n'en connaissait qu'un, William Randall Roberts, le riche commerçant de New York. Cet homme se vit confier la présidence du sénat.

À la clôture du congrès, tenue en soirée, O'Mahony s'installa dans un grand fauteuil couvert de feutre vert, sur l'estrade. Derrière lui prenaient place les quinze sénateurs, sur des sièges moins imposants. Le tout donnait l'impression d'une messe, présidée par un évêque et une petite troupe de célébrants. Il restait quatre chaises vides, à droite de la scène. L'aréopage n'était pas encore au complet.

William Randall Roberts vint vers le lutrin placé à l'avant-scène, sur la gauche, de nombreux feuillets à la main. Les grands événements de cette réunion, annoncés par Donovan, se produiraient au cours des prochaines minutes.

— Vous le savez tous, les tyrans qui tiennent l'Irlande sous leur botte ont ruiné nos espoirs d'une libération rapide de notre pays. Un message arrivé aujourd'hui m'a appris que le navire *Erin's Hope* a été arraisonné par la marine britannique. Plus de deux cents de nos frères, partis pour participer à la révolution, croupissent dans les geôles de l'ennemi.

Un navire en mer ne pouvait recevoir de message. Le petit voilier s'était approché du point de rendez-vous sans que personne à bord ne sache que le raid dans les locaux du *Irish People* et aux domiciles des chefs avait décapité le mouvement.

— Bien sûr, l'espoir renaîtra dans notre île. D'ici là, inutile de rester inactifs. Nous comptons maintenant plus de deux cent mille membres, dont la moitié au moins figuraient parmi les meilleurs soldats du monde. Notre ennemi ne se trouve pas seulement de l'autre côté de l'Atlantique. Vous le savez, le drapeau du Royaume-Uni flotte sur tout le territoire au nord des États-Unis, de l'Atlantique au Pacifique. Une immense contrée, avec trois millions d'habitants et moins de dix mille soldats pour la défendre. Nous allons nous emparer du Canada, en faire un pays sous domination irlandaise, avec Montréal comme capitale. Puis une armée composée de féniens la tiendra en main. Des vaisseaux corsaires ruineront le commerce du Royaume-Uni.

Tous écoutaient avec stupeur. Le silence fut rompu par des hommes dispersés dans la salle, avertis du déroulement de la soirée, qui lancèrent les premiers hourras. Il fallut longtemps avant que les autres délégués n'enregistrent vraiment les paroles prononcées devant eux. Un à la fois d'abord, puis de plus en plus nombreux, les féniens se levèrent en hurlant leur approbation.

Arrivés comme membres d'une Fraternité vouée à fomenter une révolution en Irlande, aussi rapidement que l'on retourne un gant, ils acceptaient un nouvel objectif. Ils avaient été conditionnés par les événements récents. Les centaines de bâtiments coulés par les navires sudistes et le raid contre le Vermont à partir de Montréal provoquaient une envie frénétique de revanche chez tous les Américains. Habilement, William Randall Roberts proposait aux féniens un objectif qui paraîtrait légitime au gouvernement tout comme à la population des États-Unis.

— Si le Royaume-Uni veut récupérer le Canada, nous le troquerons contre l'Irlande. Sinon, nous garderons le Canada et libérerons l'Irlande par la force, avec l'aide de nos frères dans l'île.

Les cris reprirent dans la salle, assourdissants. Tous autour de David paraissaient convaincus que la conquête du Canada se comparait à un grand pique-nique sur l'île Coney ou à une parade de la Saint-Patrick par un beau 17 mars sur Broadway. Pourtant, la plupart de ces hommes savaient qu'une guerre pouvait être longue et cruelle.

— Pour arriver à cette fin, il importe de donner à notre mouvement la forme et la respectabilité du gouvernement en exil de la république irlandaise.

Ou Donovan inspirait Roberts, ou c'était l'inverse. Leurs discours se révélaient identiques.

— Ce gouvernement profitera d'un siège digne de lui : ceux parmi vous qui vivent à New York connaissent la maison Moffatt, dans Union Square. La Fenian Brotherhood y logera désormais.

Les New-Yorkais dans la salle lancèrent de nouveaux cris. L'édifice de pierres pouvait très bien servir à abriter un gouvernement. Tous les pauvres travailleurs irlandais, au prix de dix cents par semaine, paieraient un château à leur nation.

— Notre respecté président y vivra.

L'orateur se retourna, inclina respectueusement la tête vers O'Mahony. L'autre répondit-il vraiment par une grimace ?

— Le sénat se réunira là. Les membres de l'exécutif y travailleront. Voici leurs noms : aux finances, Michael Campbell… aux affaires extérieures, George Killian… aux affaires intérieures, John Donovan… et finalement, Thomas William Sweeny à la guerre !

Chaque fois que William Randall Roberts prononçait un nom, cette personne montait sur l'estrade et prenait place sur l'une des chaises encore libres.

Le dernier acte d'un véritable coup d'État se déroulait sous les yeux des délégués. Bien sûr, O'Mahony devenait président, élu par acclamation. Mais le chef du sénat proposait une réorientation de la stratégie et présentait lui-même tout l'exécutif aux délégués. Si la Constitution américaine avait servi de modèle à cette réorganisation, on en donnait une bien curieuse interprétation. Le tout rappelait plutôt la Constitution britannique, avec un monarque essentiellement décoratif et un chef de l'exécutif qui désignait les ministres et rédigeait le discours du trône !

— Je viens de déclarer ouvertes les hostilités. J'ai montré le champ de bataille, le Canada. Je laisse maintenant la parole au secrétaire à la guerre, le brigadier général Thomas William Sweeny.

Celui-ci était monté sur la scène dans un uniforme de parade, son épée pendue au côté et, concession à la modernité, un revolver accroché à sa ceinture. Cela faisait bien des armes pour un homme qui avait perdu son bras droit sur un champ de bataille. Ce handicap valait toutes les médailles pour montrer sa valeur. Il saisit le lutrin de son unique main et commença d'une voix forte, martiale, qui portait dans tous les coins de la salle :

—Vous formez une armée considérable, au moins cent mille hommes avec une expérience du combat. Le Canada ne compte pas dix mille soldats réguliers, dont aucun n'a jamais fait face à l'ennemi. Toute la population de ces colonies habite à trois, quatre jours de marche de la frontière américaine. Elle se compose en grande partie de peuples conquis, opprimés : des Irlandais, plus de deux cent mille frères ; des Canadiens français aussi, qui ont essayé il y a moins de trente ans de se libérer de leurs fers. Ils ne demanderont pas mieux que de voir leur territoire annexé à l'Irlande, ou aux États-Unis. Quand nous allons marcher vers Montréal, nous ne rencontrerons pas des ennemis, mais des opprimés qui nous recevront en libérateurs.

Qu'un homme bien informé dise des choses pareilles laissait David perplexe. Le brigadier général continua à expliquer combien l'Amérique du Nord britannique se défendrait mal, combien les féniens seraient supérieurs en nombre et en détermination.

Quand il s'arrêta enfin, William Randall Roberts revint au lutrin, le temps de déclarer :

— Maintenant, notre président va conclure ce congrès, où nous avons accompli de si grandes choses !

O'Mahony s'arracha de son fauteuil et, sans entrain, s'approcha à son tour au-devant de la scène. D'une voix monocorde, il remercia tout le monde de l'excellent travail effectué, félicita tous ceux qui s'étaient vu confier de lourdes responsabilités et affirma sa certitude qu'ensemble, ils accompliraient des merveilles !

Tout à leur excitation, les délégués n'entendirent rien. Personne, sauf David Devlin, ne paraissait s'apercevoir que, sur le même ton, le président aurait tout aussi bien pu réciter une page du dictionnaire.

—

— Dois-je t'appeler « Honorable », « Excellence », ou quelque chose du genre ?

Donovan grimaça. Dans le train les ramenant à New York, ils occupaient des compartiments voisins, mais il avait invité son ami dans le sien pour boire un whisky.

— John fait très bien l'affaire.

— Le projet canadien ne te paraît pas très risqué ?

— Le Canada n'est pas défendu. Moins que le Mexique il y a vingt ans, lors de son invasion.

Entre 1846 et 1848, une petite armée américaine avait pu marcher jusqu'à la ville de Mexico. Cela avait permis d'annexer aux États-Unis un immense territoire.

— Sans l'appui d'un gouvernement, pour la logistique d'une campagne militaire, je ne vois pas comment il sera possible de mener une action de cette envergure.

Si Donovan avait paru soucieux jusque-là, la lassitude marqua son visage. Il commença par demander :

— Tu distingues bien ce qui peut se publier de ce qu'il faut taire ?

David se contenta d'un signe de tête affirmatif.

— Nous venons de recruter des dizaines de milliers de membres en promettant la révolution imminente. Tu as vu, nous comptions deux fois plus de délégués que lors du dernier congrès. Mais les chefs du mouvement en Irlande ont été arrêtés, sauf James Stephens, qui semble être disparu. Si nous ne proposons rien, la Fraternité va s'effriter. Le Canada se trouve à portée de main.

Une carotte pour faire marcher les ânes. Comment tous ces révolutionnaires pourraient-ils assurer leur subsistance, sans l'entrée régulière des dizaines de milliers de dix cents hebdomadaires ? Puis la maison Moffatt devait coûter une fortune. À l'heure où la Fenian Brotherhood décidait de vivre sur un grand pied, sa raison d'être, l'indépendance de l'Irlande, paraissait s'estomper de l'horizon. Il fallait fixer le regard de tous les membres sur un nouvel objectif.

— Encore un mot et je te chasse, déclara Donovan. J'aimerais dormir un peu avant d'arriver à New York. Murphy parle de cent vingt-cinq mille féniens au Canada. Qu'en penses-tu ?

— Il y a moins de trois mois, il me disait que tout le Canada comptait mille frères. Même avec les hiberniens, je doute qu'il atteigne vraiment un chiffre pareil. Il s'agit d'une société de secours mutuels qui pousse le zèle jusqu'à échanger des coups de poing avec les orangistes. Ne comptez pas sur un appui significatif de ce côté-là.

Donovan resta immobile, puis vida son verre en dissimulant mal sa mauvaise humeur. Il devait compter sur un appui massif des Irlandais habitant de l'autre côté de la frontière. La main sur la porte du compartiment, il remarqua :

— Il faudrait en savoir plus sur la situation là-haut. Cela te dirait d'y retourner pour cueillir des informations ? Jouer le rôle de notre agent secret, en quelque sorte.

— Je commence tout juste à gagner un revenu décent comme journaliste, à New York. Ce que tu me demandes là exigerait que je m'éloigne pour une longue période. Je vais y penser.

— À demain, fit son compagnon en refermant la porte derrière lui.

Chapitre 12

David Devlin avait convenu avec le consul Archibald qu'il lui ferait un rapport de ses activités toutes les semaines, le dimanche, dans un petit salon du *Delmonico's*. Leur première rencontre s'était déroulée dans une atmosphère polaire; le climat ne s'était pas tellement réchauffé depuis. À tout le moins, chacun arrivait à conserver une attitude polie et à profiter de l'excellent repas.

Dès son retour de Philadelphie, l'agent secret avait envoyé un mot, chiffré bien sûr, pour le mettre au courant des derniers développements. Le jeune homme utilisait toujours le roman *Ivanhoé* comme clef; à compter du 1ᵉʳ janvier prochain, ce serait *Quentin Durward*. Cependant, pas question de se donner la peine d'aller acheter deux copies pour en envoyer une au consul, dans un bel emballage cadeau.

— Ils sont complètement fous, tonna le diplomate. Déclarer la guerre au Royaume-Uni, puis projeter d'envahir le Canada.

Cette saute d'humeur ne demandait pas vraiment de réponse. Le vieil homme continua avec une question:

— Vous les croyez sérieux?

— Ils le paraissent. Bien sûr, ce projet vise à ranimer la flamme des membres, après les arrestations survenues à

Dublin. Mais la faiblesse des défenses du Canada leur fait penser que cela est possible. Il a été question que je me rende voir l'état des forces féniennes là-bas.

— Très faibles, d'après ce que j'en sais.

— Je le crois aussi. Mais ce n'est pas ce que Michael Murphy, le « centre » de Toronto, prétend.

Son interlocuteur secoua la tête, surpris que des hommes raisonnables s'engagent dans pareille aventure. Ces Irlandais le surprendraient toujours.

— Acceptez d'y aller, dit-il. Les Canadiens ont déjà mis sur pied un petit service secret, quand les sudistes menaient des raids depuis leur pays. Ils le réactiveront, et recommenceront les patrouilles de miliciens aux frontières. Nous devons concerter nos efforts avec les leurs. Vous rencontrerez les responsables de la police là-bas.

David se trouvait mandaté pour un nouveau voyage dans son pays. Il remarqua :

— Le grand avantage des féniens réside dans la complicité au moins passive des autorités politiques américaines. Les achats d'armes, dans les arsenaux de l'Union, se sont poursuivis.

— Je sais... Ce foutu Andrew Johnson ! Il semble convaincu que son attitude va lui rallier le vote des Irlandais lors des élections fédérales. Il devrait refaire ses calculs : rien n'indique qu'il dirigera son parti dans un an.

Arrivé au pouvoir grâce à l'assassinat de Lincoln, Johnson tentait de remporter l'investiture du Parti républicain pour les élections de 1868.

— Sa prétention peut être plus modeste, observa le journaliste. Il se donne un outil utile dans son petit affrontement avec le Royaume-Uni.

— Ah ! La Alabama Claim... Les réclamations financières. Mon pays ne se saignera pas à blanc pour rembourser les pertes subies par la marine marchande américaine.

— À moins que votre gouvernement ne constate qu'il lui en coûterait encore plus cher pour défendre le Canada contre une attaque.

— L'ambassadeur Bruce, à Washington, veut rencontrer le secrétaire d'État Seward. Nous devrions en savoir un peu plus sur les intentions américaines bientôt.

Après cet échange, les deux hommes n'eurent plus rien à se dire. Archibald se demandait s'il n'avait pas fait une sottise en se mêlant des amours d'Édith. Dans la lettre qu'il venait de recevoir, elle l'appelait « monsieur » et le priait de ne plus lui écrire, puisqu'il avait déjà réussi à ruiner son existence. Pour éviter un mauvais gendre, perdre une fille…

❦

Quand John Wilkes Booth avait décidé de tuer Abraham Lincoln, un drame à six personnages avait commencé. À l'instant où le comédien s'attaquait au président, l'un de ses complices, un américain d'origine allemande, Georges Atzerodt, devait assassiner le vice-président Andrew Johnson et un autre, Lewis Powell, le secrétaire d'État William Seward. Le premier ne tenta rien ; le second, après avoir forcé son entrée dans la maison de sa victime, la poignarda à plusieurs reprises. Ces deux individus, Atzerodt et Powell, avaient partagé l'échafaud de Mary Surratt le 7 juillet 1865.

Contre toutes les attentes de ses médecins, William Seward survécut aux nombreux coups de poignard infligés par Powell et il se rétablit suffisamment pour reprendre ses fonctions après quelques mois. Après avoir fait antichambre un bref moment, sir Frederick Bruce, l'ambassadeur britannique, rencontra cet homme encore fragile au début de l'après-midi du 26 octobre 1865. Après les échanges de civilité habituels et les souhaits d'un total rétablissement, il s'exclama :

— Monsieur, une organisation irlandaise vient de déclarer la guerre au Royaume-Uni. Quelle mesure votre gouvernement entend-il prendre contre ces gens ?

— Excellence, vous habitez ce pays depuis assez longtemps pour savoir que nos citoyens peuvent former les associations qui leur plaisent, se donner les objectifs qu'ils veulent bien, sans crainte d'une intervention de l'État.

— Mais il est tout à fait illégal de se porter à l'attaque d'une contrée avec laquelle les États-Unis sont en paix.

Le secrétaire d'État répondit d'abord par un sourire au diplomate, avant de déclarer :

— Je connais bien les lois des États-Unis. Je crois avoir eu l'occasion de vous dire déjà que j'ai longtemps pratiqué le droit. D'ailleurs, n'ai-je pas utilisé ces arguments, quand votre pays accueillait les navires corsaires des États rebelles ?

— Ce n'était pas la même chose ! Les capitaines de ces navires possédaient une commission de leur gouvernement, la guerre sévissait entre les Confédérés et l'Union. Nous n'avons fait que reconnaître le statut de belligérants de ces marins.

— Je me souviens de vous avoir expliqué à cette époque-là que je ne faisais pas la même interprétation des lois britanniques. Nous semblons revivre cette conversation aujourd'hui, sauf que les rôles sont changés.

Le sourire de Seward allait s'élargissant. L'ambassadeur adopta un ton peu diplomatique :

— Je comprends à ce que vous me dites que votre gouvernement n'entend pas réprimer cette organisation.

— Des citoyens américains exercent leur droit d'association et leur droit de parole. Ils n'ont commis aucun crime.

— Ils rendent publics des plans d'agression contre un pays avec lequel les États-Unis vivent en paix. Ils achètent des armes et des munitions dans les arsenaux de votre gouvernement.

— Les Américains peuvent acquérir des armes.

— En quantité suffisante pour mener une guerre?

— La loi ne donne aucune limite au nombre de fusils qu'ils peuvent posséder.

Sir Frederick Bruce avait mené de longues conversations avec Seward au cours des années précédentes, pendant lesquelles ce dernier réclamait que la Grande-Bretagne cesse son soutien aux rebelles. Le vieil homme, bien qu'affaibli par l'attaque subie six mois plus tôt, ne se priverait certainement pas du plaisir de provoquer son vis-à-vis. Cette fois, l'angoisse avait changé de camp. Après quelques mots encore, il se leva en prenant une mine contrite :

— Je suis vraiment désolé de vous chasser de façon aussi cavalière, mais je dois recevoir un autre visiteur.

L'ambassadeur dut quitter son siège, se diriger vers la porte, accompagné par son hôte. Dans l'antichambre, un avocat éminent de New York, Georges Killian, attendait patiemment son tour en feuilletant un journal. William Seward afficha une mine réjouie et se tourna vers Frederick Bruce en disant :

— Mais vous vous connaissez peut-être déjà, puisque vous venez du même coin du monde. Monsieur Killian, un officier d'une association irlandaise établie à New York.

Celui-ci se leva pour tendre la main au diplomate. Seward continua à l'intention du nouveau venu :

— Sir Frederick Bruce, ambassadeur du Royaume-Uni dans notre pays.

— Enchanté, Excellence, commença l'avocat. Nous sommes collègues, en quelque sorte. Je suis le secrétaire aux affaires extérieures de la Fenian Brotherhood.

Les années d'expérience permirent au diplomate de prononcer «enchanté» d'une voix presque convaincue. Il serra la main de Seward et répéta ses vœux d'un complet retour à la santé avant de s'esquiver.

Dans le bureau du secrétaire d'État, Killian occupait le fauteuil libéré par le visiteur précédent. Lui aussi sacrifia aux échanges anodins avant de dire :

— Nous souhaitons simplement que le gouvernement américain n'intervienne pas. Nous prendrons le Canada. Quand l'Irlande sera libre, vous le ramasserez comme un fruit mûr. L'Amérique appartiendra enfin aux Américains.

— Nous ne sommes pas en guerre contre le Royaume-Uni.

— Nous, oui. Le gouvernement américain n'a rien à craindre de nous. Nous allons conduire cette guerre pour vous. Ne vous en mêlez pas.

— Si vous respectez toutes, mais vraiment toutes les lois américaines, mon gouvernement n'aura aucune raison d'intervenir.

Pareille réponse n'engageait aucunement le secrétaire d'État ; elle restait suffisamment vague pour que Georges Killian croie y trouver son compte. Ils se séparèrent tout à fait contents l'un de l'autre.

❦

Willam Randall Roberts avait eu raison : la maison Moffatt, dans Union Square, s'avérait digne de servir de siège au gouvernement en exil de la république d'Irlande. La façade en pierre, ornée de colonnes, suait la richesse et le prestige. David Devlin se trouva dans un vaste hall aux murs de marbre. À l'homme vêtu d'un uniforme vert, copié sur celui des soldats de l'Union, il expliqua :

— J'ai un rendez-vous avec monsieur Roberts.

L'autre consulta une liste avant de dire :

— Au premier, Monsieur Devlin, juste en haut de cet escalier. Monsieur Donovan est déjà là.

Quand il arriva à l'étage, ce fut pour apercevoir une petite salle d'attente meublée de quelques sièges. Donovan se leva de l'un d'eux en disant :

— Ou j'étais très en avance, ou tu es très en retard.

— Convenons que je suis juste à l'heure et que tu étais en avance, répondit-il en riant.

L'avocat cogna sur une grande porte, entendit « entrez ». Ils se retrouvèrent dans une vaste pièce lambrissée de bois sombre, meublée d'un bureau et de nombreux fauteuils. Le président du sénat quitta sa chaise pour leur désigner un petit groupe de sièges placés à l'écart. Quand ils eurent pris place, il commença :

— Monsieur Devlin, John m'a expliqué que vous doutiez de l'ampleur du soutien que nos frères du Canada pourront nous donner.

— À la demande de John, j'ai rencontré Michael Murphy à Toronto l'été dernier. À ce moment, cet homme disait qu'il y avait mille féniens au Canada. Trois ou quatre mois plus tard, il parle de cent vingt-cinq mille : une inflation étonnante.

— Il nous a expliqué que l'association porte un autre nom, précisa Donovan, mais que les objectifs étaient les mêmes.

David secoua la tête, comme si pareille prétention l'étonnait.

— Verse-t-il les cotisations de mille personnes, ou de cent vingt-cinq mille ?

La question ne reçut pas de réponse, mais les deux autres échangèrent un regard agacé.

— Voudriez-vous vous rendre au Canada, afin de tirer cela au clair ? demanda Roberts.

David hésita un peu, suffisamment longtemps pour que son interlocuteur propose :

— Bien sûr, la Fraternité couvrira toutes vos dépenses.

— Je vais m'en charger. Toutefois, je ne pourrai que vous répéter les informations données par des tiers, sans pouvoir les vérifier vraiment.

— Ce que vous nous direz pourra être confirmé, ou infirmé, par d'autres personnes que nous dépêcherons au nord. Le brigadier général Sweeny effectue un travail d'espionnage pour notre opération militaire. Ses hommes se trouvent déjà là-bas.

Traverser la frontière ne posait aucune difficulté, rien n'empêchait d'envoyer autant d'éclaireurs que nécessaire. Le Canada se trouvait à quelques heures de train tout au plus.

— J'ai quelques engagements incontournables, mais dans trois ou quatre semaines je pourrai me rendre à Montréal.

— Passez aussi du côté de Toronto, précisa Roberts.

❧

Pendant les jours qui suivirent, David s'installa à la maison Moffatt, reprenant là ses habitudes du quartier général de la 32ᵉ Rue. Une véritable bibliothèque se constituait lentement, contenant toutes les publications sur les Irlandais en Irlande, en Grande-Bretagne, aux États-Unis et au Canada. Quant aux petites incursions dans le bureau du président de la Fraternité, les répéter aurait été suicidaire. D'abord, l'édifice abritait de nombreux employés, en uniforme vert, des vétérans de l'armée de l'Union qui gardaient un œil attentif sur tout ce qui se passait. Puis les locaux occupés par O'Mahony et Roberts se trouvaient soigneusement verrouillés. Le lundi 13 novembre, en atteignant le palier du premier étage, sur le chemin de la bibliothèque située au second, David entendit des éclats de voix venir du bureau de Roberts.

— Vous n'aviez aucun droit de faire cela ! C'est la prérogative exclusive du secrétaire aux finances, Campbell.

— Pensez-vous que je resterai inactif dans le bel appartement que vous m'avez donné ici, pour me tenir à l'œil ? J'ai des choses à réaliser, il me faut de l'argent pour y arriver !

— Je vais vous en empêcher, vieil imbécile.

David entendit un bruit de chute, puis un coup de feu. Il courut vers la porte du bureau, l'ouvrit. John O'Mahony tenait Roberts en joue avec un revolver. Le président du sénat avait renversé sa chaise, derrière son bureau, en voulant se précipiter sur son visiteur. Le coup de feu l'avait laissé immobile et pâle. Son grand magasin ne l'avait pas préparé à faire face à une arme chargée.

David resta dans l'embrasure de la porte. Bientôt, deux hommes en uniforme le rejoignirent, posèrent la main sur la crosse du revolver pendu à leur ceinture, sans dégainer, ne sachant pas lequel des deux protagonistes devait recevoir leur protection.

— Assurez-vous que cet homme ne mette plus les pieds ici. Il a voulu usurper mon pouvoir, tonna O'Mahony.

Les soldats hésitèrent, assez longtemps pour qu'il dise encore :

— Je suis le président. Faites sortir cet homme. Empêchez-le de remettre les pieds ici. La prochaine fois que je le vois, je l'abats comme un chien.

Les deux militaires se concertèrent du regard. Le plus âgé s'avança vers Roberts en disant :

— Monsieur, je crois qu'il vaut mieux que vous sortiez.

Il tendit la main pour lui prendre le bras, l'autre s'esquiva, mais se dirigea tout de même vers la porte en jurant, chiffonna une feuille avant de la jeter au sol en se retirant.

David récupéra le morceau de papier alors que O'Mahony retournait derrière le bureau. Le président redressa la chaise lancée par terre, y prit place, déposa son revolver et déclara :

— Messieurs, l'épisode du sénat est terminé. Je redeviens le chef. Vous convoquerez les membres de l'exécutif pour une réunion spéciale, ce soir. Maintenant, laissez-moi travailler.

Les trois hommes passèrent la porte. Par un nouveau coup d'État, John O'Mahony retrouvait son siège de dictateur de la Fenian Brotherhood. Cela pouvait-il se faire aussi simplement ? Deux soldats venaient de le reconnaître pour leur chef.

David retourna sur le palier, attendit d'être seul dans la bibliothèque pour regarder le feuillet ramassé sur le sol. Il s'agissait d'un « bon » de cinquante dollars de la république irlandaise, la somme que le détenteur pourrait obtenir de celle-ci six mois après sa création. La signature de John O'Mahony figurait au bas du document.

Celui-ci avait décidé de se constituer un trésor de guerre en vendant des « bons » à un prix moindre que leur valeur nominale. Des gens pariaient en tirer un jour du profit quand le nouveau gouvernement les honorerait. Par exemple, une personne pouvait payer un document de ce genre vingt-cinq dollars, et espérer en obtenir cinquante, un an ou deux plus tard, après l'indépendance. D'où viendraient les ressources pour rembourser tous ces « bons » ? Cela demeurait un mystère total.

— Le vieux salaud ! Chasser Roberts un revolver à la main !

— Et l'autre a obtempéré sans rouspéter.

David aurait dû retenir son ironie, elle lui valut un regard mauvais de Donovan. Il tenta de se racheter :

— Il veut rencontrer les secrétaires ce soir. Il reculera peut-être.

— Ou il nous congédiera tous. Nous avons été nommés par Roberts. On peut se voir après ?

— Je me trouverai à la bibliothèque…

— Je passerai te chercher.

———

— Messieurs, l'existence d'un sénat, dont le président assume le rôle de chef de l'exécutif, est incompatible avec notre mission. Des changements à la constitution s'imposaient pour redonner à la présidence la possibilité de prendre des décisions rapides et de profiter des occasions pour déclencher un soulèvement en Irlande.

O'Mahony souhaitait revenir à la situation antérieure. Dès le prochain congrès, les délégués auraient à se pencher sur la question.

— Roberts vous a choisis parce qu'il savait pouvoir vous faire confiance, dit-il aux quatre hommes devant lui. Je compte sur le fait que votre fidélité à la cause l'emporte sur celle que vous devez à cet homme. Aussi, je vous offre de conserver vos postes de secrétaires, et d'agir comme un conseil auprès de moi. Cependant, vous devez me jurer fidélité.

Quelle naïveté ! Chasser tout le sénat mais garder les personnes nommées par son adversaire. Le plus zélé des compagnons de William Randall Roberts, Donovan, prêta serment le premier. Les trois autres, Campbell, Killian et

Sweeny, firent de même ensuite. Le *Head Center* se réjouissait de s'en tirer à si bon compte.

David écrivait dans un coin de la bibliothèque, dans le halo de la seule lampe à gaz toujours allumée. De l'entrée de la pièce, Donovan lui fit signe de venir le rejoindre. Les deux hommes se rendirent à la salle à manger de l'hôtel *American* pour un souper tardif.

— Quel curieux bonhomme, remarqua le journaliste. Aucun de vous quatre ne cessera de voir Roberts. Tout ce qu'il obtient ce soir, c'est que son adversaire ne se présentera plus à la maison Moffatt, ni aucun des autres sénateurs.

— Il gagne autre chose, la mainmise sur l'argent. Les chefs des cercles vont continuer d'envoyer les cotisations à Campbell. Beaucoup ne s'apercevront même pas des changements à la direction.

— Que devient ma petite mission ?

— Rien de changé. Sweeny prépare ses plans d'attaque contre le Canada. Roberts a établi le siège du sénat dans l'appartement de la 32ᵉ Rue.

⁓

Lors de son rendez-vous suivant au *Delmonico's*, David trouva le consul Archibald en compagnie d'un gros homme vulgaire, d'origine écossaise, Gilbert McMicken. Le diplomate donnait suite à son désir de consulter les agents secrets canadiens. Habitant la région de Windsor, McMicken avait effectué un court séjour à Ottawa, à titre de député conservateur. Si son passage à la Chambre d'assemblée ne laisserait aucun souvenir dans les annales politiques, des services aussi importants que discrets rendus au premier ministre John Alexander Macdonald en avaient fait un allié pour la vie. Peu après avoir quitté son siège de député, la reconnaissance de ce dernier lui valut un poste aux douanes. Les raids menés contre le Vermont par les sudistes l'amenèrent à changer de carrière. Ainsi, de 1864 à 1871, il dirigerait pour le compte du Canada une petite équipe d'espions. À la surveillance des Confédérés succédait celle des féniens.

À la suite de l'exposé des derniers événements par David, McMicken lança entre deux bouchées :

— Damnés papistes ! Incapables de s'entendre entre eux et ils veulent un pays. Au mieux, ils peuvent remplacer les nègres comme domestiques, et encore, un jour sur deux, ils sont trop soûls pour travailler.

Archibald le regarda avec dédain : l'homme mangeait comme un porc et parlait comme un idiot. Le consul se surprit à penser combien David Devlin faisait un espion très présentable.

— Cela changera quelque chose au projet canadien ? demanda le diplomate.

— Pas vraiment, dit le journaliste. Le vrai pouvoir est aux mains de Roberts. O'Mahony peut s'illusionner, seul dans sa grande maison de Union Square. Il risque de se faire chasser de l'organisation lors du prochain congrès. De votre côté, pouvez-vous me dire quelle attitude adoptera le gouvernement américain ?

— Dans un pays démocratique, les citoyens peuvent en toute légalité amasser des armes et planifier une petite guerre privée, murmura Archibald avec amertume.

— La solution, ce sont des putes ! clama McMicken.

Alors que ses deux compagnons tournaient la tête vers lui, il enchaîna :

— Ces Irlandais, ça baise comme des lapins. Regardez la taille de leurs familles. Une ou deux putains pour coucher avec ces secrétaires et nous apprendrons tout ce que nous avons besoin de savoir.

Le Canadien allait poursuivre dans cette veine pendant une demi-heure, présentant comme preuve de l'efficacité de sa stratégie un exemple biblique : Dalila, qui avait pu rendre Samson impuissant en usant de ses charmes pour connaître le secret de sa force. Son discours s'émaillait des pires insultes à l'égard des catholiques en général, des Irlandais en particulier. David le trouvait si ridicule qu'il alternait entre l'envie de rire et celle de lui trancher la tête avec son couteau à steak !

À grand-peine, Archibald le ramena à l'objet de sa présence à New York :

— Combien y a-t-il de féniens au Canada, selon vous ?

— Pas beaucoup. Environ six cent cinquante, répartis entre dix-sept cercles dans le Haut-Canada.

— Et dans le Bas-Canada ? Dans les colonies de l'Atlantique ?

— Sais pas. Je ne traîne pas chez les catholiques, encore moins parmi les Français, mes hommes non plus.

Cette fois, son identité adoptive donnait à David un autre motif de penser au meurtre. Il se contenta de soupirer. À son intention, Archibald précisa :

— Dès que j'ai reçu votre message, après le congrès de Philadelphie, j'ai envoyé un télégramme au gouverneur général du Canada, Monck. Celui-ci m'assure que neuf régiments parcourent les frontières...

— Cela ne donne rien, interrompit McMicken. Cela veut dire au mieux un homme à tous les dix milles. Cent mille envahisseurs pourraient passer entre eux sans qu'ils le sachent !

Le consul poussa un long soupir, puis ajouta :

— La défense du Bas-Canada revient au major général James Lindsay, celle du Haut-Canada au major général George Napier. De son côté, le ministre George-Étienne Cartier augmentera considérablement les forces de la milice...

— Une véritable farce! l'interrompit McMicken. Il confie des armes à des ouvriers, des boutiquiers, des étudiants. Ils vont finir par s'entretuer, ils ne savent pas se servir d'un fusil.

Le nouveau soupir, très peu diplomatique, d'Archibald fut suivi par des paroles qui l'étaient encore moins:

— Monsieur McMicken, votre train ne doit-il pas quitter la gare très bientôt? Je m'en voudrais de vous le faire manquer. D'un autre côté, je dois m'entretenir seul à seul avec monsieur Devlin.

L'autre fut un peu lent à comprendre qu'il venait d'être congédié, il mit encore dix bonnes minutes pour vider son assiette et finir la bouteille d'un excellent bordeaux que le consul avait commandée. Quand il quitta enfin les lieux, David risqua avec un sourire ironique:

— Comme vous avez de charmants compatriotes. Son accent écossais se discerne bien plus facilement que le vôtre!

— Ne me parlez plus de ce personnage. D'après ce que vous me disiez, Montréal intéresse les féniens. Pourtant leurs appuis semblent se trouver à Toronto.

— Question de stratégie. D'abord, ils pensent que les Canadiens français vont les appuyer, unis par leur haine contre le même envahisseur. Le brigadier général Sweeny a tiré cette conclusion de son étude des invasions de 1775 et 1812. Surtout, en prenant Montréal, les féniens contrôleraient toutes les voies de communication du Canada: le train et la navigation sur le fleuve Saint-Laurent. En interrompant le commerce et les transports de troupes, ils pensent étouffer le Haut-Canada

— Pour que cela fonctionne, il faudrait effectivement que les Canadiens français leur donnent un appui au moins tacite. Cela vous paraît réaliste?

David réfléchit à la question pendant un moment, puis expliqua:

— Non. Au mieux pour les féniens, les Canadiens de langue française regarderont l'affrontement de loin. Au pire, ils appuieront les Britanniques. Pourquoi voudraient-ils changer d'occupants ? À la longue, l'entreprise des féniens ne peut conduire qu'à une annexion aux États-Unis. Pour eux, l'assimilation aux Américains n'est pas plus intéressante que la domination des Anglais.

— George-Étienne Cartier veut vous rencontrer. Vous me ferez savoir à quel hôtel vous descendrez, il vous fera signe. Voyez aussi Thomas D'Arcy McGee. Nous aimerions compter sur lui.

— À quel titre dois-je l'aborder, cette fois ?

— Agent du gouvernement britannique. Si nous voulons son appui, autant jouer franc jeu avec lui.

L'idée de renouer avec le politicien plaisait à David. Le consul n'en avait pas fini de ses directives.

— Je profite des confidences de quelques féniens. Je me méfie de ces informateurs. Certains peuvent jouer double jeu. Actuellement, deux personnes, Jim McDermott et Rudolph Fitzwilliam, me donnent des informations sur une base régulière.

— Je connais les deux. J'ignore ce que le premier peut vous raconter, mais le second est l'assistant du secrétaire aux finances, Campbell. Celui-là sait exactement l'effet des querelles entre les chefs sur les effectifs de la Fraternité.

— Il affirme que Roberts achète des armes dans les arsenaux du gouvernement américain. Il posséderait de quoi équiper des milliers d'hommes pour une campagne de plusieurs mois. Il fait même confectionner des uniformes.

— Je sais. Pantalon bleu, tunique verte : un calque de celui de l'armée de l'Union. Tous les employés de la maison Moffatt le portent avec fierté.

— Fitzwilliam m'a remis ceci.

Archibald posa un bouton de laiton sur la table :

— Vous voyez les lettres IRA gravées dessus ?

— Irish Republican Army. C'est le nom donné à la force militaire.

Quelques minutes plus tard, les deux hommes se séparaient.

Chapitre 13

Tandis qu'il s'engageait dans l'étroit tube de fonte, le bruit des roues d'acier sur les rails se fit assourdissant. David Devlin eut envie de se mettre les deux mains sur les oreilles. Le pont Victoria, qui permettait de franchir le Saint-Laurent, prenait la forme d'une interminable boîte de métal, les parois à quelques pouces à peine des voitures. Heureusement, il ne s'étirait que sur un mille et demi. La locomotive roulerait bientôt sur l'île de Montréal.

Après un trajet d'une journée, il fut heureux de descendre du train à la gare du Grand Tronc, rue Saint-Bonaventure. Montréal lui semblait une bien petite ville, après tous ces mois passés à New York : une population d'un peu plus de cent mille habitants avec les banlieues, le double de celle de Toronto, presque le double aussi de celle de Québec. La moitié, établie à l'est de la rue Saint-Laurent, parlait français. Les anglophones se partageaient la partie ouest, les Irlandais s'établissaient le plus souvent au sud, les Anglais et les Écossais généralement au nord.

David demanda à un cocher de le conduire dans le quartier du port. En ce début de soirée du 25 novembre, autant profiter du confort d'un fiacre plutôt que marcher dans le froid, malgré la faible distance à parcourir. De cela aussi, il avait perdu l'habitude : à cette période de l'année, la neige pouvait tout aussi bien couvrir le sol le lendemain matin. Pourtant, un curieux sentiment l'habitait, celui de revenir chez lui après une longue absence.

Il avait opté pour l'hôtel *Saint-Louis*, situé au carré Viger, au coin de la rue Saint-Paul. Un seul pâté de maisons le séparait de la rue des Commissaires, et du fleuve qui coulait au-delà de celle-ci. À cause de l'obscurité, précoce en cette saison, du trottoir, le jeune homme devinait plus qu'il ne voyait les mâts des navires amarrés aux quais Richelieu et Jacques-Cartier.

L'établissement hôtelier, bien que modeste, était situé à proximité des commerces, du palais de justice et de l'hôtel de ville, l'assurant qu'il serait bien fréquenté.

❧

Le lendemain un peu avant midi, un domestique vint à l'hôtel lui remettre une invitation de la part de George-Étienne Cartier. Celui-ci l'attendait dans l'une de ses résidences, au coin des rues Notre-Dame et Bonsecours. David pénétra dans une grande maison bourgeoise une vingtaine de minutes plus tard, traversa sans s'arrêter un beau salon confortablement meublé, se laissa conduire au premier étage, dans un bureau qui faisait aussi office de bibliothèque. Jovial, Cartier se leva pour accueillir son invité :

— Désolé de vous kidnapper ainsi, mais je dois partir cet après-midi pour Ottawa. Je n'arrive pas à me résoudre à transférer mes pénates dans cette ville ennuyeuse, j'en suis quitte pour passer ma vie dans un wagon de chemin de fer. Asseyez-vous, j'ai demandé que l'on nous prépare un lunch.

Le bureau avait été débarrassé de tous les papiers pour recevoir du pain, du fromage, des viandes froides et une bouteille de vin. Le politicien de petite taille, gras, était affublé d'une tête qui paraissait un peu trop grosse pour son corps. Néanmoins, ses mouvements vifs et sa façon de s'exprimer donnaient une impression d'énergie peu commune. Alors que la mode favorisait les ornements pileux au visage, l'homme présentait toujours des joues glabres.

Après que chacun se fut servi une assiette et un verre de vin, Cartier reprit la parole :

— Archibald m'a dit le plus grand bien de votre travail. Il m'a fait comprendre tout l'intérêt que j'aurais à être mieux informé. Si je comprends bien, Montréal est appelé à jouer un rôle important dans ce qu'il convient de désigner comme un Canada irlandais et libre.

— Celui de capitale et de base d'opérations militaires. Mais vous bénéficiez déjà d'un excellent moyen de vous informer : un service secret canadien.

— Vous avez rencontré McMicken, je pense ?

Le politicien posait sur David un regard amusé. Le jeune homme acquiesça.

— Alors, vous savez que John Macdonald profite de certains renseignements que je ne considère pas comme si fiables. Quant à moi, je reçois les informations que le premier ministre veut bien confier au Cabinet. Cet espion est moins l'homme du gouvernement que celui de Macdonald.

Tension et méfiance affectaient les relations entre les chefs canadiens-français et canadiens-anglais du Parti conservateur. Le politicien mesurait bien l'incongruité de sa situation. On le privait d'informations essentielles.

— Je suis le ministre de la Milice et de la Défense. Mon ministère devrait pouvoir compter sur ses propres informateurs. Pour le moment, on me communique certains des renseignements que glane le petit réseau du consul Archibald. Je doute que les intérêts de mon pays soient toujours identiques à ceux de la mère patrie. Je ne sais que ce qu'il me confie.

Il disait cela avec le sourire. Cet homme manœuvrait entre des partenaires puissants, les États-Unis, l'Empire britannique et même le Canada anglais, de façon à ce que la petite communauté canadienne-française ne soit pas trop mal lotie dans la reconfiguration de la carte de l'Amérique du Nord.

— Que comptez-vous faire à Montréal? enchaîna-t-il après une pause.

— Pour satisfaire Archibald autant que les féniens, je dois m'enquérir de la force de la Fraternité dans cette ville. Je ferai un tour du côté de Toronto pour la même raison.

— J'ai recommandé au chef de police, William Ermatinger, de vous rencontrer. Je tiens à ce que vous voyiez aussi D'Arcy McGee. Selon lui, les féniens sont plus nombreux que le prétend McMicken!

Le drôle de farfadet se trouvait donc à nouveau sur son chemin. Il demanda avec une certaine ironie dans la voix:

— Je dois me présenter à D'Arcy McGee comme un agent de Sa Majesté?

— Quand mon collègue est revenu de Dublin, il s'est précipité ici pour me remercier de lui avoir trouvé un aussi charmant ange gardien!

— Pourtant, j'ai été très discret.

— Mais, comme mon collègue me l'a expliqué, qu'un journaliste américain s'attache à ses pas lui a semblé tout à fait exagéré. Surtout, celui-ci se révélait entiché de la fille du consul britannique à New York, et déçu quant à son inclination.

David ne put s'empêcher de rougir. Bien sûr, présentée comme cela, sa couverture s'avérait peu plausible. Son effort pour gagner l'amitié du politicien avait dû paraître suspect dès la première minute, alors qu'il se croyait habile. Quant aux hypothèses du petit Irlandais sur sa vie amoureuse, autant ne pas y songer.

Le reste de la rencontre se déroula sur un ton plus léger. L'homme politique se passionna pour l'expérience d'un jeune Canadien français dans les armées de l'Union, jusqu'à ce qu'il doive se préparer à partir pour Ottawa. Vers quatorze heures, David se trouva libre d'explorer à sa guise la ville de Montréal. Il marcha dans la rue Notre-Dame vers l'est, remonta Saint-Denis un peu vers le nord, puis revint vers l'ouest par Sainte-Catherine. La construction de grands magasins sur cette artère commerciale commençait tout juste. Dans quelques années, des commerces identiques à ceux de New York, occupant cinq ou six étages, supplanteraient les petits établissements familiaux.

〜

Les Irlandais étaient arrivés en nombre à Montréal au début des années 1830. Beaucoup travaillèrent à l'aménagement du canal Lachine, puis à son élargissement plus tard. Lors de la Grande Famine, un nouveau contingent débarqua. Dans les années 1850, ces immigrants fournirent les bras nécessaires à la construction du Grand Tronc et du pont Victoria. Maintenant, ils composaient une partie importante des travailleurs non qualifiés des manufactures, disputant aux Canadiens français les plus mauvais emplois.

Le lundi matin, David parcourut la rue Sainte-Anne, près des ateliers ferroviaires. Il poussa même jusqu'au monument érigé par les ouvriers irlandais une dizaine d'années plus tôt quand, pour construire le pont Victoria, ils avaient déterré les ossements de compatriotes morts du choléra au début des années 1840 : une énorme pierre, ornée d'une plaque de bronze. L'hommage de pauvres à plus malheureux qu'eux. Ensuite, il quitta le quartier Sainte-Anne pour visiter le quartier Saint-Antoine, lui aussi habité par une majorité d'Irlandais.

Explorer la ville ne suffisait pas, le jeune homme devait rencontrer les féniens de Montréal. Un télégramme de O'Mahony à une vieille connaissance, Francis McNamee, lui facilita considérablement les choses. Ils se retrouvèrent dans une taverne semblable à toutes les autres : une grande salle au plafond plutôt bas, un plancher de madriers de pin couvert de sciure de bois, des tables grossières, des bancs branlants. À une extrémité de la pièce, une demi-douzaine de serveurs se tenaient derrière un long comptoir recouvert d'une feuille de zinc.

L'établissement, situé dans le quartier Sainte-Anne, au coin des rues de l'Inspecteur et Saint-Paul, en face du marché au foin, portait le nom de *Tipperary Tavern*, une allusion à la petite ville irlandaise. Les mieux informés savaient que là s'étaient déroulés les principaux événements de la révolution irlandaise de 1848.

À son arrivée, David tenait une copie du *New York Herald* bien en évidence : cela permit à son interlocuteur de le reconnaître tout de suite et de lui signifier de venir le rejoindre. Après les présentations, les deux hommes prirent place de part et d'autre d'une petite table placée près d'une fenêtre.

— Je crois comprendre que vous connaissez John O'Mahony depuis un moment, demanda David en gaélique.

— Je me suis rendu à New York pour le rencontrer en 1862, car je voulais créer un cercle de la Fraternité dans cette ville. Les autres fois, je l'ai vu lors de congrès.

— Et votre cercle date de cette époque. Comment avez-vous procédé ?

— Je suis membre de la société Saint-Patrick. À la fin d'une réunion, j'ai demandé à quelques camarades, des personnes sûres que je savais fidèles à la cause de l'Irlande, de venir chez moi. Ils devinrent les premiers capitaines.

Un peu comme à Toronto, une association populaire en cachait une autre, plus militante.

— Combien de membres comptez-vous maintenant ?

— Trois cent cinquante, à peu près.

— N'est-ce pas plutôt lent, comme recrutement ?

David gardait en mémoire les progrès très rapides de la campagne menée auprès des vétérans de l'armée de l'Union. L'autre lui fit grise mine avant de répondre :

— Nous ne vivons pas à New York. Vous ne verrez pas d'articles favorables dans la presse, même dans les journaux irlandais. Nous écoperions de problèmes avec la police, si nous faisions la promotion d'une société révolutionnaire. À New York, les féniens peuvent posséder un bel édifice dans Union Square. Notre recrutement se déroule une personne à la fois, de bouche à oreille, auprès d'individus sûrs. Et encore, nous ne portons pas les noms de féniens, mais celui d'hiberniens.

— Vous êtes donc en contact avec Michael Murphy ? s'empressa de demander David.

— Bien sûr.

— À combien estimez-vous le nombre de féniens qui s'affichent comme hiberniens ?

L'autre garda le silence, puis continua :

— Je comprends votre préoccupation. Michael a un problème avec les chiffres. Sept cents, tout au plus. Tous les autres hiberniens sont comme les membres de la Saint-Patrick. Ils chantent des airs patriotiques, proposent des toasts à O'Connell et aux constitutionnalistes, puis cherchent à devenir riches et importants dans la société canadienne. Il y en a même un qui vient de se construire un joli château à flanc de montagne !

Devant le regard inquisiteur de David, son interlocuteur dut expliquer :

— Au flanc du mont Royal. C'est la dernière mode. Les riches Anglais et Écossais de la ville vendent leur maison près du port ou de la rue Saint-Jacques pour aller s'établir à la campagne, en haut de la rue Sherbrooke. Aucun Canadien français parmi eux, mais maintenant il y a un Irlandais.

— Avec votre effectif actuel, pensez-vous pouvoir fournir une aide réelle, s'il y a une attaque contre le Canada ?

David avait baissé la voix au niveau du murmure pour la dernière question. Le travail se terminait dans les ateliers environnants. La journée de labeur s'étendait d'une étoile à l'autre, l'obscurité régnait déjà. Il en résultait un quart de travail interminable l'été, plus court l'hiver. Bientôt l'endroit serait envahi par les travailleurs.

— Plus grande que celle que vous paraissez imaginer. D'abord, nous essayons de noyauter les sociétés loyales, comme la Saint-Patrick. Si nous réussissons, nous pourrons gagner ses adhérents au projet révolutionnaire.

— Comment cela ?

— Nous parrainons des féniens comme membres de la Saint-Patrick. Il arrive même que la Fraternité paie les frais d'adhésion. Une fois nos amis admis, nous tentons de les proposer à des postes de direction.

Le travail habituel d'infiltration, de façon à faire passer, mine de rien, des mots d'ordre révolutionnaire.

— C'est si difficile de se joindre à la Saint-Patrick ?

— Depuis un an, Thomas D'Arcy McGee et le père Dowd, le chapelain de l'organisation, ont tenu à ce que les nouveaux venus s'engagent sous serment à ne pas avoir été et à ne jamais devenir membre d'une société secrète. Même si les nouveaux prêtent ce serment, si leurs affinités féniennes sont connues, ou s'il y a seulement des soupçons, les autres rejettent leur demande d'adhésion.

Michael Murphy, à Toronto, devait utiliser une stratégie d'infiltration semblable auprès de la Société des hiberniens. David crut bon de rappeler :

— Aux États-Unis, la Fraternité a laissé tomber le secret.

— Nous vivons dans une colonie britannique. Adhérer à une société républicaine vouée à l'indépendance de l'Irlande serait assimilé à une trahison.

— Je comprends. Je reviens à ma question : serez-vous en mesure d'appuyer une attaque contre le Canada ?

— Certainement, malgré notre petit nombre. Nous saurons bien nuire à l'effort de défense de la milice canadienne et des troupes britanniques.

McNamee demeura songeur un moment. Le scepticisme de ce visiteur l'agaçait. Comment le convaincre de ne pas compter ses hommes comme quantité négligeable ?

— Pouvez-vous vous libérer demain, et même les jours suivants ? Nous pourrions aller à Toronto ensemble.

— Je suis à votre disposition.

— Dans ce cas, je vous retrouverai à votre hôtel en début d'après-midi.

Cette question réglée, les deux hommes convinrent de manger ensemble. Le Montréalais assurait que pour dix cents, l'établissement offrait un excellent steak avec abondance de légumes. Quelques cents de plus permettaient de boire de la bière jusqu'à plus soif. À cette heure, des dizaines d'employés des ateliers du Grand Tronc et de manufactures plus modestes, des deux côtés du canal Lachine, profitaient déjà du menu de la taverne.

La conversation porta sur des sujets innocents. L'expérience des ouvriers irlandais à Montréal ressemblait à celle de toutes les villes américaines, à une différence près :

la population du Bas-Canada, en majorité de langue française, se trouvait très largement de religion catholique.
Cela ne signifiait pas pour autant qu'elle entretenait des
rapports harmonieux avec les Irlandais. D'ailleurs, ceux-ci
menaient une lutte de tous les instants pour obtenir des
institutions distinctes de celles des francophones. Ils exigeaient leurs propres églises et des prêtres de leur communauté. En fait, s'ils consentaient à abandonner leur langue,
c'était pour adopter l'anglais, plutôt que le français. Leurs
motifs allaient d'un racisme pur et simple au désir de se
donner la possibilité de chercher des emplois partout en
Amérique. Les mariages mixtes — Irlandais / Canadien
français — sans être rares, restaient tout de même peu
nombreux.

Les échanges s'étirèrent jusqu'à vingt heures. Les clients
venus manger cédaient la place aux esseulés, désireux
d'avaler quelques chopes avant de rentrer. Deux cents
personnes se trouvaient dans la grande salle, dont deux
douzaines de prostituées. Quand McNamee alla retrouver
son épouse, David commanda une autre bière, décidé à tuer
le temps encore un peu. Après quelques minutes à feuilleter
des journaux à la mauvaise lueur des lampes à kérosène, il
s'intéressa à deux nouvelles venues, une femme toute menue
et une enfant de dix ans peut-être. Elles ne se trouvaient
pas en terrain inconnu, les serveurs allaient les saluer, de
même que des clients qui, aux aises qu'ils prenaient, devaient
être des habitués.

Les bises échangées, la plus jeune des deux sortit de sa
poche une petite flûte, l'instrument que les Irlandais appe-
laient un sifflet, lança dans l'air quelques notes aigrelettes.
Les conversations ralentirent suffisamment pour que la plus
âgée des deux commence à chanter d'une voix étonnamment forte, compte tenu de sa gracilité. Son répertoire

comportait surtout des *laments*, des complaintes, tantôt en gaélique, tantôt en anglais, sur des sujets convenus : les immigrants esseulés, les personnes laissées là-bas, les ravages de la Grande Famine…

Elle termina son tour de chant en évoquant à mots couverts la lutte pour l'indépendance de l'Irlande dans un petit refrain de son cru, tout en circulant entre les tables la main tendue. Tous y allaient de quelques sous, David comme les autres. Un peu plus loin, elle marqua une hésitation quand un gros homme lui pinça une fesse au passage. Même si David vit ce qui se passa ensuite, il lui fallut un instant pour l'assimiler vraiment. La jeune fille avait vivement tourné sur elle-même, au point que sa robe s'était relevée un peu en corolle, elle avait enfoui sa main droite dans sa manche gauche, puis décrit un arc de cercle avant de revenir à son point de départ.

Après quoi l'homme s'était levé à demi en criant : « La salope, elle m'a coupé ! » Sa joue mal rasée offrait une longue estafilade. Il y posa les doigts, regarda le sang, se dressa tout à fait et tenta de se précipiter vers la chanteuse qui faisait face. Les serveurs le cueillirent pour l'expulser dehors sans ménagement.

La jeune femme reprit son couplet en continuant de recueillir les oboles. Ensuite, malgré l'insistance des garçons qui essayaient de la retenir un peu, elle s'entêta à quitter les lieux, disant devoir poursuivre sa soirée de travail. David, tout comme les employés de la taverne, doutait que son agresseur se soit évanoui dans la nature. Sa colère mettrait quelques heures à se calmer.

Son côté chevaleresque prit le dessus, surtout que la chanteuse, bien jolie, et sa petite sœur — la ressemblance entre elles ne laissait pas de doute — ouvraient de grands yeux terrifiés.

— Mademoiselle, fit-il en s'approchant, si vous le permettez, je vous accompagnerai jusqu'à votre prochaine destination.

Elle le regarda des pieds à la tête, méfiante :

— Merci, mais je peux me débrouiller seule.

— Il sera dehors, à vous attendre.

Moins confiante, elle jeta un coup d'œil sur sa sœur, avant d'ajouter :

— Non, je vous assure !

— Rien ne m'empêche de sortir en même temps que vous.

— Vous pouvez aller et venir à votre guise.

Quand elle se dirigea vers la sortie, il lui emboîta le pas en échangeant un regard entendu avec l'un des serveurs, l'air de dire : «Jolie, mais têtue en diable!» Les derniers soirs de novembre se faisaient bien sombres sous un ciel d'un noir d'encre. Sur le trottoir, elle porta une main à son cou pour refermer son col, posa l'autre sur les épaules de sa petite sœur. David suivait deux pas derrière quand il entendit un bruit sur sa gauche. L'homme de tout à l'heure se précipitait vers la chanteuse en grognant :

— Sale garce, je ne te manquerai pas.

Le sang, noir sous la pâle lueur du réverbère, lui couvrait la moitié d'une joue. David ne lui laissa pas le loisir d'atteindre sa victime, l'arrêtant d'un coup de pied dans l'entrejambe. L'autre laissa échapper une plainte étouffée, porta ses deux mains sur la partie endolorie de son anatomie. Un coup de poing en plein front le projeta sur le dos.

— Autant ne pas s'attarder ici, murmura David en la prenant par le coude.

— Je m'en serais sortie sans vous, dit-elle en lui montrant le couteau tiré de sa manche.

Tout en la forçant à avancer d'un pas rapide, le jeune homme saisit la lame d'un geste vif, un morceau de tôle d'acier épais, taillé en biseau étroit, aiguisé comme un rasoir. Sans véritable manche, un lacet de cuir enroulé plusieurs fois sur ses trois premiers pouces permettait de la tenir sans se blesser les doigts. Il la rendit à sa compagne, qui la fit disparaître prestement dans le fourreau dans sa manche.

— J'aurais pu l'étriper.

— Pas s'il avait mis la main sur vous en premier.

Au regard à la fois reconnaissant et terriblement inquiet de la petite fille posé sur lui, David jugea préférable de changer de sujet. Il enchaîna :

— Vous chantez très bien. Et votre accompagnatrice se révèle une virtuose de la flûte.

— Merci pour nous deux.

Elle devait avoir entre dix-huit et vingt ans, pas très grande, une demi-tête de moins que le jeune homme. Ses longs cheveux bouclés formaient un cadre opulent à son visage très fin, à la peau très pâle, aux yeux très bleus. Le trio franchit une centaine de verges d'un pas rapide, dans la rue Saint-Paul, vers l'est.

— Vous êtes certaine que je ne peux pas vous accompagner jusqu'à votre destination ?

— Nous nous dirigeons dans la bonne direction. Si vous continuez un peu vers l'est, nous allons vous escorter.

Un peu plus, elle lui offrait de le reconduire. Comment ne pas sourire à sa petite ruse ?

— Je m'appelle David Devlin. Et vous ?

Un silence, puis elle consentit enfin :

— Eithne… Eithne Ryan. Ma sœur se nomme Máire.

— Bonsoir, Máire, fit-il en se penchant vers la gamine.

— Bonsoir, répondit-elle avec un sourire timide.

La chanteuse prononçait le prénom à l'irlandaise, Máire pour Mary. Comme ils arrivaient à la hauteur de la rue Saint-Sulpice, Eithne s'arrêta.

— Je prends par ici.

David se retourna. Personne ne semblait suivre leur trace.

— Accepteriez-vous de manger avec moi, vous et la charmante Máire, l'un de ces soirs?

Elle jeta sur lui un regard amusé, la tête inclinée sur le côté.

— Un véritable chevalier servant… Vous savez que je fais le tour des tavernes pour chanter. Vous me retrouverez, si vous cherchez un peu.

Elle le défiait. Il répondit sur le même ton:

— Je me débrouillerai!

Chapitre 14

Le lendemain, David Devlin et Francis McNamee se livraient à une excursion dans l'île Sainte-Hélène, afin d'examiner les baraquements militaires. Le jour suivant, ils prenaient le train pour Toronto. Le voyage fut long — une journée pour l'aller, une autre pour le retour, sans compter la nuit dans une petite chambre de la taverne de Michael Murphy — et peu utile. Le chef des hiberniens avait confirmé sa capacité de mobiliser des dizaines de milliers d'hommes pour soutenir une attaque contre le Canada. Les moyens qu'il mettrait en œuvre restaient néanmoins nébuleux.

Alors qu'ils posaient le pied sur le quai de la gare, au retour, une petite délégation attendait Francis McNamee dans la plus grande fébrilité :

— James Stephens a été arrêté ! cria l'un des hommes d'entrée de jeu.

— Comment cela ?

Les explications données par plusieurs voix s'exprimant en même temps prirent lentement tout leur sens dans l'esprit de David. Le 11 novembre précédent, des policiers avaient encerclé la maison Fairfax, en banlieue de Dublin, afin de se saisir du chef révolutionnaire. L'information venait seulement d'arriver de l'autre côté de l'Atlantique.

— Nous avons convoqué une réunion spéciale à la *Tipperary Tavern*. Autant y aller directement.

À son arrivée dans le commerce, avec une demi-douzaine de compagnons, David s'adressa à un serveur :

— Quand Eithne passera ce soir, pouvez-vous lui rappeler que je veux toujours lui payer un souper, à elle et à sa sœur ?

— Je le lui répéterai.

Pendant ce petit aparté, les féniens, Francis McNamee en tête, étaient montés à l'étage. David les rejoignit après avoir commandé une bière au comptoir. Cinq ou six autres personnes, en plus de la délégation qui les avait accueillis à la gare, se trouvaient déjà là. Presque tous les officiers de la Fraternité, capitaines et sergents, assistaient au rendez-vous. Après que chacun eut pu exprimer sa haine des Britanniques pour l'arrestation de Stephens, le « centre » résuma la situation :

— Après cela, il ne se passera plus rien en Irlande. Le mouvement a été décapité. La lutte doit se transporter sur le continent américain. L'ennemi se trouve ici aussi, inutile de le chercher à l'autre bout du monde. Devlin désire savoir ce que nous pouvons faire pour en mettre plein les bras aux soldats britanniques quand nos frères américains attaqueront. Nous sommes allés à l'île Sainte-Hélène, je voulais lui montrer l'ennemi.

— Comment pourriez-vous attaquer une place aussi fortement défendue ? s'enquit David.

— Il y a bien des Irlandais dans cette garnison. Ils se retrouvent dans les mêmes tavernes que nos membres, près du port. Nous espérons nous en faire des amis, en amener certains à devenir féniens.

Cela n'était pas impossible. Les Canadiens ne l'apprendraient que plus tard, mais au moment où se tenait cette réunion, James Stephens s'était évadé de prison depuis quelques jours déjà, grâce à la complicité de geôliers membres de la Fraternité, pour se rendre en France. La pauvreté poussait des milliers d'Irlandais dans l'armée ou les forces de police, mais certains finissaient par trahir leur employeur.

— Aujourd'hui, vous comptez des membres chez les soldats?

— Deux ou trois, dont celui qui s'occupe de l'arsenal. J'en possède déjà une clef. Nous pourrions aller faire main basse sur une centaine de fusils, cette nuit si vous voulez.

— Mais nos hommes ne sauraient pas s'en servir! clama l'un des individus présents.

McNamee jugea bon de préciser à David:

— Aucun vétéran dans nos rangs, comme aux États-Unis. Parmi nos membres, plusieurs n'ont jamais tenu une arme. Une minorité s'entraîne au tir à la cible.

— Le mieux serait de profiter de la nouvelle loi de milice de George-Étienne Cartier, intervint un autre. En formant des régiments irlandais, nous pourrions demander d'être incorporés à celle-ci. Dans ce cas, les Britanniques nous fourniraient des armes et des instructeurs militaires.

— Vous croyez cela possible? interrogea David.

Le visiteur n'en paraissait pas convaincu.

— Bernard Devlin, le président de la société Saint-Patrick, a organisé un peloton, précisa un rouquin. Toutefois, dans l'éventualité d'une attaque fénienne, il va tirer sur les Irlandais, pas sur les Britanniques. Mais cela vaut la peine d'essayer. Deux ou trois régiments de féniens perturberaient la défense du Canada.

— Surtout, nous pourrions nuire aux Britanniques, ajouta McNamee, en interrompant les communications. Les Irlandais ont construit les voies ferrées, les canaux, les lignes télégraphiques. Ils pourraient les mettre hors d'état de servir, de telle façon que les réparer prendrait des semaines.

Plusieurs, autour de la table, avaient participé à des chantiers de construction. Ils savaient de quoi ils parlaient.

— Par exemple, continuait McNamee, une seule voie ferrée permet d'aller de Toronto à Montréal, ou d'ici à Québec. Si une attaque est menée contre Montréal, un peu de poudre noire, et nous pourrions faire en sorte que les renforts doivent venir à pied. Cela donnerait trois ou quatre jours pour des troupes en garnison à Québec, le double pour celles de Toronto.

— Il y a les canaux…, s'inquiéta David, et la navigation sur le fleuve.

— Il serait facile de faire sauter les portes d'une écluse. Isoler le Haut-Canada ne poserait aucune difficulté. Depuis Québec, ce serait plus difficile. Un vapeur arrive à remonter le Saint-Laurent jusqu'à Montréal en une journée.

Une stratégie de ce genre pouvait fonctionner. Il ne fallait que quelques volontaires pour placer la charge et la faire exploser.

— Le mieux, proposa un autre fénien, serait d'attaquer le Haut-Canada, pour amener les autorités à dépêcher toutes les forces disponibles vers cette partie du pays. Pendant ce temps, le gros de l'armée de la Fraternité pourrait se masser du côté du Vermont pour foncer vers Montréal. Nous saurions comment rendre les canaux et les voies ferrées inutilisables. Le temps que les renforts reviennent de Kingston ou de Toronto à pied, notre ville appartiendrait déjà aux Irlandais.

Le brigadier général Sweeny proposait justement cette stratégie. Si les villes de Québec et de Montréal dégarnissaient leurs défenses pour soutenir les garnisons du Haut-Canada, cela laisserait la vallée du Richelieu grande ouverte à une invasion.

— Vos hommes réaliseraient ces opérations de sabotage ? demanda David.

— Sans aucun doute. La seule difficulté sera l'achat d'une ou deux tonnes de poudre noire. Impossible de dire que c'est pour la chasse aux canards.

— Si ce n'est que cela, glissa David, je ne doute pas qu'un navire puisse en amener dix tonnes jusqu'au port, depuis New York. Certains de vos membres travaillent comme débardeurs ?

— La moitié d'entre eux sont Irlandais, les autres Canadiens français. Il sera facile de recevoir et d'entreposer discrètement une cargaison de ce genre.

Pendant une heure encore, les féniens décrivirent en détail les interventions nécessaires pour entraver les communications entre le Haut-Canada et le Bas-Canada. Si les chemins de fer, aux États-Unis, prenaient la forme d'une immense toile d'araignée, au Canada il s'agissait plutôt d'un fil tendu entre Rivière-du-Loup et Sarnia, avec quelques embranchements pour rejoindre des villes importantes. Une charge d'explosifs suffirait.

Quand les féniens eurent évoqué tout leur soûl les opérations de sabotage qu'ils se promettaient de mener, David décréta en quelque sorte la fin de la réunion :

— Messieurs, je transmettrai toutes les informations que vous venez de me donner au brigadier général Sweeny. Je ne doute pas qu'il veuille maintenir les communications avec vous pour synchroniser vos actions.

Après un échange de poignées de main, les hommes se dispersèrent. David allait sortir, quand un serveur, celui à qui il avait parlé à son arrivée, s'approcha de lui :

— Eithne et sa sœur partageront votre repas demain soir, vers dix-huit heures trente, ici. Cependant, elles devront vous quitter tôt pour gagner leur vie.

— Alors, j'essaierai de mastiquer rapidement! répliqua le jeune homme avec un sourire amusé.

~

En arrivant à son hôtel, David trouva la carte de visite de William Ermatinger dans une enveloppe soigneusement cachetée, accompagnée d'un petit mot pour lui fixer un rendez-vous. Cet homme avait occupé le poste de surintendant des forces de police du Bas-Canada et, depuis 1856, celui d'inspecteur de la milice volontaire, à l'invitation de George-Étienne Cartier. Pendant les raids sudistes contre le Vermont, le ministre lui avait octroyé le statut de « magistrat aux frontières » du Bas-Canada.

Il jouait le même rôle que McMicken dans cette section de la colonie. Sachant que Montréal comptait un quart d'Irlandais, dont plusieurs centaines de féniens, David apprécia la prudence du policier. Afin d'assurer la plus grande discrétion à leur rencontre, celui-ci lui demandait d'aller se promener dans les sentiers du mont Royal. À l'heure prévue, un fiacre aux portières décorées de rouge s'approcha. L'agent secret leva la main pour signaler sa présence au cocher, monta prestement quand celui-ci arrêta ses chevaux.

— Monsieur Devlin, enchanté de vous rencontrer. Je suis là pour vous donner des informations et en recevoir de vous.

D'une certaine façon, William Ermatinger représentait l'envers de Gilbert McMicken. Grand, bien bâti, il affichait une allure martiale. Fils d'un marchand de fourrures, né à Sault-Sainte-Marie d'une femme amérindienne, fille d'un chef de la nation des Sauteux, époux d'une Canadienne française, il incarnait la nouvelle race de Canadiens dont rêvaient D'Arcy McGee et George-Étienne Cartier, une synthèse des diverses communautés en présence sur le territoire. Après des études de droit, cet homme avait servi dans la Cavalerie royale de Montréal, jusqu'à atteindre le grade de lieutenant, puis dans l'armée espagnole, où il obtint celui de colonel. De retour à Montréal, il entra dans la police en 1842 et en assuma la surintendance l'année suivante.

— Quelles sont les forces féniennes à Montréal ? commença David.

— Quatre cents personnes peut-être, avec à leur tête Francis McNamee. Un curieux bonhomme, que l'on a soupçonné de donner des informations aux autorités.

— Sérieusement ?

Cela cadrait mal avec l'homme qui lui avait tant vanté les forces révolutionnaires du Canada.

— J'ai aussi mes sources ! répondit l'autre en riant. Ces accusations datent du temps où McNamee était soupçonné d'empocher des cotisations de membres. Je ne sais pas si elles étaient fondées, ni dans le cas des malversations ni à propos de la trahison. Nous n'avons pas un service d'information centralisé. Je ne parle à peu près jamais à McMicken, je ne me fie qu'à moitié à ce qu'il me dit. L'armée britannique possède certainement son réseau d'informateurs au Canada. Alors, ce gars peut se confier à des militaires, à mon collègue du Haut-Canada, à des diplomates britanniques, et je n'en saurais rien.

— Ils veulent former des régiments de miliciens.

— Cartier m'a nommé inspecteur de la milice. Au début, je cherchais des sympathisants sudistes. Maintenant, je dois garder un œil sur les féniens.

— Dans ce paysage, expliqua David, je dois me démêler entre les associations légitimes, les organisations utilisées comme paravent, les féniens eux-mêmes…

Le policier secoua la tête en riant. Lui aussi s'y perdait.

— Les hiberniens, comme les membres de la Saint-Patrick, doivent servir de couverture aux féniens. La plupart ne tenteront jamais rien contre le gouvernement canadien, mais tous célébreront de façon grandiose si l'Irlande obtient son indépendance. Une minorité se mobilisera pour accélérer les choses.

— J'aimerais rencontrer le président de la Saint-Patrick, Bernard Devlin.

— Dites-lui que vous voulez le voir pour un article. C'est un paon !

Après ce jugement à l'emporte-pièce, le policier accepta de préciser :

— Son père, grand propriétaire terrien en Irlande, est venu ici pour fuir des ennuis financiers. Ce type désire devenir riche et important. Il rêve de se mêler de politique, de prendre le siège de député occupé par D'Arcy McGee. Si ce dernier continue de mener sa petite guerre contre les féniens, il se mettra à dos plusieurs de ses compatriotes. Même les plus modérés détestent que McGee ridiculise les révolutionnaires. D'ailleurs, demain il remettra cela, à l'hôtel *Exchange*, lors d'un banquet où il doit prendre la parole.

David enregistra cette information, puis pendant de longues minutes, il exposa les projets de sabotage dont il avait été question lors de la réunion du cercle fénien, la veille. La conversation dura jusqu'à ce que le cocher frappe doucement sur le toit du fiacre.

— Cela signifie que personne ne se trouve dans les environs. Descendez sans tarder, fit Ermatinger.

Après une poignée de main, David se retrouva dans un sentier du mont Royal. Le cocher fouetta les chevaux et la voiture s'éloigna rapidement. Personne ne saurait qu'il venait de passer une heure avec le surintendant de police.

⟶

Dès dix-huit heures, David Devlin se trouvait à la *Tipperary Tavern*, devant une bière. Un endroit plus élégant aurait offert un cadre plus adéquat à ce rendez-vous qu'il se plaisait à croire galant. Si la négociation par l'intermédiaire d'un serveur avait manqué d'un certain décorum, l'arrivée de Eithne lui donnait raison. Elle avait revêtu sa meilleure robe de laine… Rien de commun avec les robes à crinoline des bourgeoises, qui ne pouvaient convenir qu'à des personnes tout à fait inactives. Celles qui devaient gagner leur vie ne s'encombraient pas d'un accoutrement pareil.

Quand ses compagnes se furent jointes à lui — Máire accompagnait Eithne —, ils commandèrent chacun une pièce de viande. Même si toutes deux paraissaient convenablement nourries, elles mangèrent avec application. Mieux valait tirer profit de toute nourriture, car l'occasion d'un prochain repas pouvait se dérober au moindre incident. Elles ne laisseraient rien dans leur assiette.

— Il y a longtemps que vous chantez dans les tavernes ? demanda David.

— Deux ans, répondit Eithne entre deux bouchées. Depuis que nous sommes seules.

— Vos parents ?

— Morts. Le typhus.

Ses yeux l'implorèrent de changer de sujet. Le souvenir de ces événements voilait le regard de Máire.

— Cela vous permet de gagner votre vie ?

— Mieux que si je travaillais en usine ou comme domestique. Puis nous sommes ensemble…, déclara-t-elle en mettant le bras autour des épaules de sa sœur.

— D'un autre côté, c'est irrégulier…

Elle fit un geste de la main, comme pour repousser l'argument.

— Dans les manufactures aussi, des mises à pied surviennent souvent.

Les entreprises adaptaient leur production aux attentes du marché. Les ateliers de couture, par exemple, pouvaient faire travailler des femmes quinze heures par jour pour sortir les vêtements de la prochaine saison, puis renvoyer tout le monde à la maison pendant des semaines. Même dans les secteurs où la demande se révélait plus soutenue, l'arbitraire total de l'employeur régnait : il pouvait mettre quelqu'un au chômage juste pour le plaisir de voir un nouveau visage.

— Ce n'est pas trop dur ? Je veux dire, avec ce qui s'est passé l'autre soir…

— Pensez-vous vraiment que les filles, dans les ateliers ou dans une maison privée, ne risquent pas tout autant de se retrouver avec une main aux fesses ?

David se sentit un peu mal à l'aise devant ce langage, très incorrect dans la bouche d'une jeune femme. L'autre enchaîna :

— Je regrette toutefois que Máire ait laissé l'école. J'espère bien la mettre pensionnaire chez les religieuses, l'an prochain.

— Je ne veux pas y aller…

Máire paraissait déterminée, sa sœur aussi ! Une lutte épique pour l'enfermer dans un couvent se dessinait à l'horizon. Eithne émit un « Chut » en adressant un regard complice, le premier, à David. Elle posa à son tour quelques questions :

— Et vous, que faites-vous dans la vie ? Gentleman et rentier ?

— Pas encore. Journaliste.

— Où ça ?

— New York.

Son interlocutrice ne cacha pas sa surprise, ni son scepticisme.

— Oh ! Un long voyage pour venir jusqu'ici. Que se passe-t-il à Montréal, qui soit susceptible d'attirer l'attention des lecteurs de la grande ville ?

— Rien de particulier. Je suis ici pour voir des gens.

— Comme Francis McNamee, l'autre soir ? Je ne savais pas qu'il pouvait intéresser qui que ce soit aux États-Unis.

La présence de David ne pouvait se justifier facilement. Il s'en tira en prétextant un désir de venir travailler à Montréal un jour si les choses se gâtaient pour lui à New York. La jeune femme lui jeta un regard soupçonneux, mais laissa le sujet. Pendant tout le reste de leur tête-à-tête — la contribution de Máire se limiterait à son unique protestation —, la conversation porta sur la musique traditionnelle irlandaise. Avant la disparition de ses parents, elle avait eu le temps d'apprendre à jouer du violon de même qu'à danser, et son répertoire comptait des dizaines de chansons.

À l'heure habituelle, elle exécuta son petit tour de chant. Le résultat financier fut très limité — la jeune orpheline faisait recette, la femme qui avait partagé un repas avec un homme trop bien mis pour cadrer dans ce quartier, pas du tout. Elles quittèrent les lieux avec le jeune homme sur les talons.

— J'aimerais vous revoir, admit David, debout devant ses deux compagnes immobiles dans le halo d'un réverbère.

— Venir de New York à chaque fois, ce ne sera pas simple.

— Si je déménage...

— Nous verrons, mais d'ici là...

Eithne passa son bras autour des épaules de sa petite sœur, un geste qu'elle avait répété très régulièrement pendant tout le repas, et s'engagea vers l'est dans la rue Saint-Paul. Après une vingtaine de pas, s'adressant à Máire elle prononça assez fort pour que le jeune homme, debout près du réverbère, entende :

— Reste ici un moment, et ne te retourne pas…

Vive et légère, elle revint, plaqua ses lèvres sur celles de David, douces et fraîches dans cette soirée du début décembre. Les yeux dans les siens, elle murmura :

— Mais à votre retour à Montréal, vous saurez bien me trouver… si vous en avez toujours envie.

Elle repartit d'un pas léger.

⬥

— C'est ton amoureux ? demanda Máire.

Les deux sœurs sortaient de la dernière taverne de leur tournée, un établissement donnant sur le Champ-de-Mars. Même si elles avaient quitté David depuis plus de trois heures, la jeune femme savait de qui parlait la fillette. Eithne rit brièvement avant de demander :

— Se peut-il que tu aies regardé, tout à l'heure ?

— Juste un peu. Dis, c'est ton amoureux.

— Il habite très loin. Impossible d'avoir un amoureux à qui il faut toute une journée de train pour venir ici et une autre pour retourner chez lui.

L'argument ne convainquit la petite fille qu'à moitié.

— Alors pourquoi l'as-tu embrassé ?

— C'était gentil, ce qu'il a fait l'autre soir, avec cet homme. Puis nous inviter…

— Il est très beau, fort, avec des vêtements élégants. Tu crois qu'il est riche ?

— Plus que nous, en tout cas.

— Il te trouve très jolie !

Ailleurs que dans une rue sombre et froide, Máire aurait vu les joues de sa sœur roses de plaisir. Pourtant, Eithne jugea bon de protester :

— Comment peux-tu dire cela ? Un homme comme lui doit rencontrer quantité de femmes très bien vêtues... plus grandes que moi.

Elle avait soigneusement évité le mot « joli » : sans aucune poudre pour se blanchir le teint, aucune crème pour se rougir les lèvres, sa beauté la distinguait des autres. Un éclat de miroir cassé, récupéré dans une poubelle, lui permettait de vérifier quotidiennement que son visage ressemblait à sa voix. Seule la précarité de sa condition l'empêchait d'attirer l'attention. Chanter, pour tendre la main ensuite, cela s'assimilait à de la mendicité. Sans ressources, elle devait à une détermination farouche, à un sens aigu de l'honneur, à une voix vraiment exceptionnelle, sa capacité d'assurer la subsistance de deux personnes sans jamais utiliser ses charmes.

— Il te trouve très jolie. Sa façon de te regarder... Qu'est-ce qu'il fait dans la vie ? Cela se peut, écrire dans les journaux ?

Pour Máire, cela paraissait aussi mystérieux que s'il s'était présenté comme l'empereur de Chine. Eithne pesait les mots de la fillette, les comparait à ses propres impressions. Oui, son intérêt semblait réel, tant pour sa voix, sa silhouette, son visage, ses paroles. Elle répondit avec un certain retard :

— Il a déclaré écrire dans le *Herald*. On regardera. On en voit des copies souvent. Mais il n'est pas ici pour cela...

— Que veux-tu dire ?

— L'autre soir, il discutait avec McNamee. Il s'occupe des affaires de la révolution !

Dans sa bouche, le mot semblait sacré. Par un curieux amalgame, elle réussissait à lier tous ses malheurs à l'oppression britannique exercée contre les Irlandais. Même si elle ne gardait aucun souvenir d'Érin, étant arrivée si jeune à Montréal, les effets de la Grande Famine l'avaient chassée de chez elle. Les logements minables, la nourriture rare, de mauvaise qualité, le travail manuel sur les canaux, puis la construction du Grand Tronc, tout cela avait ruiné la santé de son père. Dans les quartiers situés au nord de Sainte-Anne, des Anglais et des Écossais vivaient tellement mieux… Le typhus qui avait tué ses parents frappait systématiquement les rues où se concentraient les Irlandais et les Canadiens français, épargnant celles où habitaient les exploiteurs. Même les hommes qui voulaient la conduire à la prostitution, lui semblait-il, se trouvaient dans les communautés ennemies.

— Le mouvement fénien ? demanda la fillette en levant des yeux inquiets.

— Oui. Mais ne dis pas un mot à ce sujet. Il travaille à notre revanche. Un jour, nous rentrerons dans Érin libérée des Anglais. Alors, nous serons heureuses !

Son souvenir imprécis lui permettait d'idéaliser complètement cette contrée. Máire gardait son scepticisme pour elle. L'Irlande ne lui disait rien ! Elle ne connaissait qu'un pays, qu'une ville où tenter de chercher le bonheur. Les deux sœurs avançaient rapidement pour éviter la morsure du froid. Bientôt elles atteignirent leur appartement, une petite pièce qu'elles partageaient avec une couturière, Bridget Boyle.

— J'espère que son amoureux est parti, dit Máire. Je m'endors…

— Patrick est gentil, voyons. Cela ne fait rien si nous parlons un peu en arrivant…

Malgré l'heure tardive, Eithne aimait discuter des affaires de l'Irlande avec Patrick James Whelan, un grand rouquin. Sa sœur n'aspirait qu'à se recroqueviller sous une couverture de laine pour trouver un peu de chaleur et de repos. Avant minuit, toutes deux s'endormiraient blotties l'une contre l'autre, enroulées dans la même couverture.

～

Le lendemain, David accéda à la salle à manger de l'hôtel *Exchange*, près de l'édifice de la Bourse. Le local avait été décoré de drapeaux et de branches de conifères, les deux d'un beau vert sombre, qui se mariait très bien au reste du décor. Thomas D'Arcy McGee échangea un regard amusé avec le jeune homme, tout en prenant garde de ne pas révéler qu'ils se connaissaient.

Au terme d'un excellent repas, le politicien d'origine irlandaise passa de longues minutes à alterner les anecdotes amusantes et les condamnations très senties des féniens. Il les présenta comme des démagogues sans conscience qui tentaient de noyauter les sociétés irlandaises légitimes, comme la Saint-Patrick. Cette stratégie rendait tous les Irlandais suspects de trahison. Dorénavant, ne se demanderait-on pas si ces associations poursuivaient des fins acceptables, ou si elles se faisaient les interprètes d'une minorité déloyale aux autorités politiques ? À la suite de ce discours accusateur, le lundi suivant, le président des orangistes, Ogle Gowan, réclamerait que le gouvernement donne des armes aux anglo-protestants afin qu'ils puissent se défendre contre les traîtres irlandais.

Les mots du politicien laissaient les auditeurs perplexes. Comme personne ne s'empressait autour de lui, David s'approcha pour dire, assez fort pour que deux ou trois personnes entendent le prétexte qu'il invoquait et puissent le répéter :

— Monsieur D'Arcy McGee, pouvez-vous m'accorder une entrevue ?

— Bien sûr, répondit l'autre sur le même ton. Le mieux serait de venir chez moi, dans une heure.

Il donna une adresse rue Chatham, à l'intersection de la rue Saint-Jacques, dans le quartier Saint-Antoine. Le journaliste frappa à la porte au moment convenu, une jeune et timide adolescente lui ouvrit pour le conduire dans le petit local qui servait de bureau au politicien. Les pièces de l'appartement contenaient peu de meubles — alors que la mode victorienne favorisait la surabondance —, tous de médiocre qualité.

— Papa, monsieur David Devlin veut vous voir.

— Merci, Fasa, répondit D'Arcy McGee en se levant.

Elle portait le nom un peu barbare d'Euphrasia, de là ce diminutif convenant mieux à son jeune âge. Les conditions d'existence très difficiles de son père avaient fait en sorte que de ses cinq enfants, deux seulement vivaient toujours. En fait, l'obtention d'un poste au Cabinet lui avait permis, à presque quarante ans, de sortir de la misère.

Le politicien fit signe à son visiteur de prendre place sur une mauvaise chaise, puis retourna à sa table de travail.

— Il paraît que vous avez connu les geôles de Dublin Castle après mon départ ? J'y ai passé quelques jours en 1848. Belle hospitalité, n'est-ce pas ?

— Ce fut une expérience tout à fait oubliable. Mais je regrette que mes grandes ruses devant vous aient été si maladroites.

— Ne vous tracassez pas. Vos efforts pour ne jamais regarder une jeune femme, alors que vos yeux revenaient sur elle... Vous vous trahissiez sans cesse.

— Vous la connaissiez ?

Le politicien continuait de poser sur son interlocuteur un regard amusé.

— Comme vous, je peux lire une liste de passagers. Si on doit passer dix jours sur un navire avec un petit groupe de gens, autant apprendre leurs noms dès le départ, afin de savoir qui éviter.

David hocha la tête, espérant qu'il arrivait mieux à donner le change à ses camarades de New York.

— Vous semblez bien informé sur les plans des féniens et leur stratégie d'infiltration, continua-t-il. Vous avez été membre de la Fraternité ?

— Jamais. Ma période révolutionnaire a été courte et tiède. Mais au cours d'une vie, on accumule les rencontres dans divers milieux. Cela permet d'apprendre beaucoup de choses.

— À combien évaluez-vous la force des féniens au Canada ?

— Quatre cents à Montréal, le double à Toronto et dans les quelques villes de cette région.

L'évaluation de D'Arcy McGee correspondait à celle de Ermatinger, à peu de choses près.

— Et parmi ces quatre cents, il y en a plusieurs résolus à tenter une action armée ?

— Je ne sais pas, fit le politicien après une courte réflexion. Je ne doute pas que tous sont disposés à en parler avec enthousiasme. Certains ne pourront probablement jamais passer aux actes, d'autres y prendront un plaisir vicieux.

Un peu comme à la guerre, songea David, se rappelant des hommes timides qui s'y réalisaient dans l'horreur tandis que d'autres, dont on aurait attendu toutes les audaces, souffraient à chaque seconde de se trouver là.

— Depuis que je suis dans cette ville, j'ai entendu parler à plusieurs reprises de Bernard Devlin. Il semble jouir d'une très grande réputation.

Le visage de D'Arcy McGee s'assombrit. Après un bref silence, il confia :

— C'est le président de la société Saint-Patrick.

— Fénien ?

— J'en doute, à moins qu'il pense avoir de bonnes chances de devenir le potentat de la future république d'Irlande. Je crois qu'il n'y a de place dans sa vie que pour une seule grande cause, sa propre personne.

Encore une fois, l'opinion de D'Arcy McGee rejoignait celle de Ermatinger.

~

Un télégramme destiné à Bernard Devlin reçut une réponse immédiate et positive : après la grand-messe à l'église Saint-Patrick, il le rencontrerait dans sa maison de la rue Brunswick. Un domestique vint ouvrir la porte au visiteur, pour le conduire dans la bibliothèque où se trouvait un homme grand, beau et très satisfait de lui-même. Pendant de longues minutes, il évoqua l'ampleur et le rôle de la société Saint-Patrick à Montréal, ses efforts pour que la communauté irlandaise devienne à la fois influente et respectée.

— Les choses semblent bien se passer, remarqua le journaliste. Vous profitez même d'un compatriote au sein du Cabinet, Thomas D'Arcy McGee.

Le visage de Bernard Devlin se renfrogna un peu, son vis-à-vis se risqua à enfoncer le clou :

— Il semble jouir d'un grand ascendant dans cette ville.

— Il était un auteur d'une certaine réputation, jadis. Je suis allé le chercher à Buffalo en 1857. Il crevait de faim alors. Je voulais quelqu'un pour diriger mon journal, le *New Era*, qui a paru pendant un an. Puis quand nous avons vu une occasion de faire élire un Irlandais dans l'une des trois circonscriptions de Montréal, le choix s'est porté sur lui. Nous avons quêté pour lui procurer un cens électoral. En fait, avant son élection, il a toujours vécu grâce à des souscriptions publiques.

Un peu plus et il affirmait que le politicien avait subsisté grâce à la charité. Pour se porter candidat, un homme devait posséder des moyens financiers : le cens. La générosité de certains amis, dont Bernard Devlin, avait permis à D'Arcy McGee d'amasser la somme requise. La complicité qui avait existé un jour entre ce gentleman et le politicien s'était éteinte.

— Il y a à New York une société, la Fenian Brotherhood, qui possède des ramifications jusqu'au Canada. Vous la connaissez ?

— Je n'en ai jamais entendu parler.

Impossible pour quiconque savait lire. Les articles à son sujet abondaient dans les journaux.

— Pas plus tard qu'hier, D'Arcy McGee déclarait justement que ses membres tentaient d'infiltrer la société Saint-Patrick, dont vous êtes président.

— C'est une sottise. Il doit avoir recommencé à boire, pour dire des choses pareilles. Vous savez, il ne garde aucun souvenir de quelques années de sa vie…

Le sous-entendu devait souligner combien lui faire confiance pouvait se révéler dangereux.

— Personne ne veut noyauter la Saint-Patrick, insista-t-il après une pause.

Pendant quelques minutes encore, Bernard Devlin parla des Irlandais de Montréal, mais le cœur n'y était plus. Les deux hommes se quittèrent sur une poignée de main sans chaleur.

David Devlin en savait assez. Demeurer plus longtemps à Montréal ne donnerait rien. Encore une visite discrète à George-Étienne Cartier, puis il pourrait rentrer. Le lundi 4 décembre 1865, en fin d'après-midi, il arrivait à Ottawa. Cette toute petite ville, avant de jouer un rôle politique, vivait de l'exploitation des forêts de pin de la rive québécoise de la rivière des Outaouais.

Après s'être présenté au magnifique édifice tout neuf du gouvernement, pas tout à fait terminé d'ailleurs, David apprit que George-Étienne Cartier était rentré chez lui. Un gardien lui donna son adresse. Le ministre habitait rue Sparks, à peu de distance. À Ottawa, le journaliste s'adressait à tout le monde dans un mauvais anglais et s'identifiait comme David Langevin. Il fit de même auprès de la vieille dame qui vint lui ouvrir la porte d'une maison bourgeoise : elle lui désigna l'appartement du premier étage.

Un instant plus tard, une charmante femme l'accueillait dans un logement douillet. Outre l'ennui que lui inspirait la nouvelle capitale, une autre raison amenait le politicien à garder sa résidence principale, et sa famille, à Montréal : il tenait deux ménages, l'un dans cette ville, l'autre à Ottawa, avec Luce Cuvillier.

— Je suis désolé d'être venu ici, mais une rencontre à Montréal devenait risquée…, fit David pour se justifier d'être là, quand il se trouva seul dans la pièce de travail du ministre.

— Oh! Vous n'apprenez rien aujourd'hui qui ne soit déjà de notoriété publique. Qu'avez-vous découvert de nouveau ?

Pendant une demi-heure, le jeune homme révéla les noms des féniens qu'il avait rencontrés, décrivit dans le détail les projets de sabotage qu'ils avaient évoqués devant lui.

— Évidemment, ils pourraient nuire considérablement à nos efforts de défense, admit le politicien.

— En formant des bataillons de milice, ils souhaitent recevoir des armes et un entraînement du gouvernement, pour se retourner contre lui en temps opportun.

— C'est la difficulté de notre situation. Les Britanniques ne désirent pas stationner des dizaines de milliers de soldats ici. Alors il faut se fier à la milice, amener tous les hommes adultes à devenir des combattants, les préparer à repousser une attaque. Nous devons accueillir tous les volontaires comme s'ils étaient des patriotes. Les refuser sur la base de leur origine nationale irait à l'encontre de ce que nous entendons accomplir avec la fédération des colonies.

Le recours à des citoyens soldats exposait le ministre à tous les dangers, son visiteur en convenait très bien.

— Dans les journaux de ce matin, les orangistes réclament des armes pour se défendre contre les Irlandais, glissa-t-il.

— Une conséquence des accusations de D'Arcy McGee.

— Et les hiberniens disent vouloir s'armer pour se protéger des menaces des orangistes.

— Voilà. Vous mesurez toute la difficulté de mon rôle de ministre de la Milice. Je suis obligé de distribuer des fusils à ces deux groupes en souhaitant que plutôt que de s'entre-tuer, ils tireront en direction d'envahisseurs venus des États-Unis.

Le politicien affichait un sourire désabusé. L'agent demanda :

— Vous croyez la menace sérieuse ?

— Il y a moins de vingt ans, les Américains prenaient le Texas, puis la moitié du Mexique par la force. Aujourd'hui, ils sont en train de négocier l'achat de l'Alaska à la Russie. En fédérant les colonies, nous deviendrons peut-être un morceau suffisamment gros à avaler pour qu'ils craignent de s'étouffer.

— Mais maintenant plus personne ne semble s'intéresser à votre projet d'union.

À tout le moins, les journaux se faisaient muets à ce sujet.

— Depuis que les Américains se font moins menaçants, mes compatriotes oublient que le temps presse. Je ne serais pas fâché si les féniens provoquaient une petite frayeur. Cela nous permettrait de réaliser notre projet. Cependant, cela ne doit pas mener ce pays au bord de la guerre civile.

L'entretien s'achevait, le politicien retournerait bientôt à sa double vie conjugale.

Chapitre 15

Pendant de longs mois ensuite, à New York le journaliste s'installa dans une routine paisible qui ne serait interrompue que par quelques missions à l'extérieur de la ville. Ses journées se passaient entre sa chambre confortable dans Greenwich Village, des demi-journées à la bibliothèque Astor, la douzaine de cafés, de tavernes ou de restaurants où il prenait ses repas et d'interminables promenades.

Le million d'habitants de New York signifiait autant d'histoires qui ne demandaient qu'à être racontées. Les quotidiens à un cent, deux cents pour les plus chers, cherchaient à atteindre l'armée des travailleurs de la cité. Pour cela, les éditeurs s'éloignaient des sujets politiques pour chercher ce qui passionnait l'homme de la rue. Pour paraphraser un directeur de journal, on aurait pu dire que si le chien qui mordait son maître n'intéressait personne, le maître qui mordait son chien fascinerait les foules. David pouvait exploiter tout le registre des faits divers : John Donovan lui communiquait des détails inédits sur les cas les plus scabreux auxquels sa pratique du droit criminel l'exposait et les noms de personnes à interviewer ensuite.

La ville elle-même fournissait des sujets inépuisables. Se disant que le simple fait de nourrir une population aussi démesurée devait représenter des efforts inouïs, David passa des semaines à hanter le port et les gares pour voir l'arrivée des victuailles et les suivre jusque sur la table des consommateurs. Ses articles sur les grands abattoirs du nord-est de la ville, de gigantesques usines à tuer hautes de six étages et construites au milieu d'édifices résidentiels, avaient représenté le clou de la série. Sa petite publication sur les communautés irlandaises des États-Unis, des textes épars réunis en livre, se vendait bien. Pourquoi ne pas produire un guide du même genre sur le New York criminel, celui des plaisirs, celui du travail, et ainsi de suite ? Inconsciemment, il traçait de quoi s'occuper pendant les dix années à venir.

Au milieu de toutes ses activités professionnelles, David réussissait à se trouver deux ou trois fois par semaine dans les locaux de la Fenian Brotherhood, partageant son temps entre ceux de la 32e Rue et de la maison Moffatt, dans Union Square. Les deux factions rivales le recevaient poliment, puisqu'il faisait bien attention de ne pas afficher de préférence. Néanmoins, ses rencontres régulières avec John Donovan faisaient de lui un sympathisant de l'équipe des « hommes d'action », dirigée par Roberts et Sweeny.

Cela ne l'empêcha pas d'assister au congrès organisé par John O'Mahony dès le 2 janvier 1866 au Clinton Hall à New York, situé dans le triangle formé par la 8e Rue, la rue Lafayette et la place Astor. Il s'agissait en fait de l'ancien théâtre Astor, qui avait été la scène, en 1849, d'une grande manifestation nativiste qui avait laissé une trentaine de cadavres sur le pavé. La compétition entre deux acteurs shakespeariens avait servi de prétexte à la violence : le premier, britannique, identifié à l'aristocratie de ce pays et le second, américain, incarnation des valeurs viriles et démocratiques de la nation américaine. Le désir du premier de jouer *Macbeth* au théâtre Astor avait suscité la mobilisation des bandes de voyous de la rue Bowery, pour l'en empêcher par la force. Un tel enthousiasme pour Shakespeare laissait David bien perplexe.

L'édifice, dont toutes les façades s'ornaient de fausses colonnes grecques, abritait désormais une bibliothèque publique consacrée au commerce, à deux pas de la bibliothèque Astor que David fréquentait avec assiduité. L'endroit profitait de la présence d'une grande salle pourvue de fauteuils. Confortablement assis, les délégués de la faction O'Mahony écoutèrent Thomas William Sweeny présenter son plan d'invasion du Canada. Les officiers de l'organisation le rejetèrent ensuite. Un peu plus tard dans la journée, ceux-ci décidaient de revenir aux règlements de 1863 : John O'Mahony rétablissait son pouvoir absolu sur la Fenian Brotherhood.

Évidemment, tous ceux qui avaient rallié le groupe de Roberts ne le voyaient pas ainsi.

David Devlin se trouva à l'« autre » congrès de la Fraternité, à Pittsburg, à l'extrémité sud-ouest de l'État de la Pennsylvanie, le 19 février suivant. Le brigadier général Thomas William Sweeny expliqua de nouveau son plan d'invasion : deux colonnes armées entreraient par le Haut-Canada pour faire diversion. Le gros des forces révolutionnaires se masserait au Vermont, pour passer par la région de Missisquoi au Bas-Canada, suivre la vallée du Richelieu, prendre Saint-Jean avant de s'emparer de Montréal. Ensuite, la Fraternité demanderait au gouvernement américain de reconnaître le territoire conquis comme un pays souverain, rebaptisé la Nouvelle-Irlande !

Ces plans se trouveraient rendus publics dès le lendemain dans un *Manifeste* tiré à plusieurs milliers de copies. Les Britanniques n'avaient plus qu'à les attendre de pied ferme. Comme conspirateurs, les féniens affichaient une naïveté infinie !

Alors que toutes les grandes villes des États-Unis vibraient au rythme des manifestations de protestation condamnant la répression du mouvement révolutionnaire en Irlande, l'agitation qui touchait Toronto paraissait d'une nature bien différente. John Alexander Macdonald, le premier ministre du Canada-Uni, avait acquis la conviction qu'une attaque serait menée contre la métropole du Haut-Canada le 17 mars, le jour de la Saint-Patrick. Poussé d'un côté par Donovan, de l'autre par le consul Archibald, David Devlin se trouvait sur le quai de la gare de Toronto, le 15 mars 1866, dans le froid humide et venteux du nord.

Les journaux publiés dans la ville lui permirent de comprendre la fièvre ambiante. Sur un ton consterné, le *Irish Canadian* jugeait de son devoir de faire connaître à ses fidèles lecteurs le contenu précis de la lettre encyclique de l'évêque de Toronto, qui condamnait les sociétés secrètes en général, la Fenian Brotherhood en particulier. Ses membres seraient excommuniés. Le *Globe* et le *Toronto Leader* réclamaient, chacun de leur côté, qu'aucune parade ne soit tenue le 17 mars : les Irlandais qui oseraient manifester ce jour-là afficheraient simplement leur déloyauté.

Surtout, au même moment les hommes de dix-huit à soixante ans se voyaient invités à rejoindre la milice par le brigadier général Patrick McDougall. Il souhaitait recruter dix mille volontaires dans la seule ville de Toronto. Elle comptait environ cinquante mille âmes. Pourtant, l'affluence fut telle qu'on dut en accepter quatorze mille, de peur que les candidats refusés ne fomentent des émeutes. Les journaux clamaient qu'il lui aurait été possible d'en réunir le double ! Personne ne semblait se dérober à l'appel.

Dans les rues de la ville, David sentait bien la fébrilité nationale et martiale. Deux fois, des passants l'interpellèrent afin de savoir à quel régiment il avait offert ses services. Jeune, visiblement valide, n'afficher aucune couleur militaire et ne pas se consacrer à apprendre à marcher au pas le rendait suspect. «Je m'appelle Jones, je viens de Cleveland», répondit-il à chaque occasion. Se présenter sous un patronyme irlandais et parler avec un accent yankee l'aurait immédiatement conduit en prison, car on l'aurait suspecté d'être un émissaire fénien.

Arrivé à la *Irish Tavern*, il marcha tout droit vers le comptoir, où Michael Murphy classait encore une fois ses innombrables factures. D'entrée de jeu, il demanda en gaélique :

— Vous allez parader, après-demain ?

— Certainement. Pas question d'abandonner la rue aux orangistes.

— Et si la violence éclate ?

— Tant mieux. Quand la troupe sera occupée avec nous, nos frères pourront passer la frontière et la prendre à revers.

Celui-là entendait jouer un rôle dans la guerre à venir.

— Je n'ai pas entendu parler d'une attaque imminente…, glissa David.

— Pas chez Roberts, bien sûr. Mais le mouvement ne se limite pas au millionnaire de New York !

— Vous voulez dire… O'Mahony est en mesure de se lancer dans la bataille aussi vite ?

— Pas seulement lui. Vous n'avez pas lu les journaux de New York, hier soir ?

Une fois n'était pas coutume : David avait négligé d'acheter ses périodiques favoris. Quand il fit non de la tête, l'autre le gratifia d'un sourire narquois.

— Ceci vient d'arriver.

Murphy lui tendait une feuille. Un télégramme de John O'Mahony annonçait au tavernier l'arrivée de James Stephens dans la métropole américaine. Après avoir réussi à s'échapper de Dublin Castle grâce à des geôliers gagnés à la cause fénienne, il était passé en France. Là, les journaux rendirent compte de son entrevue avec l'empereur Napoléon III, qu'il avait tenté d'entraîner dans le conflit. Celui-ci, déjà empêtré dans son aventure mexicaine, n'allait certainement pas se mettre à dos le Royaume-Uni. Le *Head Center* de Dublin n'avait eu d'autre choix que de revenir en Amérique chercher le gîte et le couvert dans la trop grande maison Moffatt. Sa présence à New York suffisait à ranimer la flamme des fidèles de O'Mahony.

— Et s'il ne se passe rien du côté américain ? demanda encore David.

— Nous en serons quittes pour prouver que les orangistes ou les propriétaires des journaux libéraux ne décideront pas à notre place si nous devons, ou non, tenir une parade de la Saint-Patrick !

Présentées comme cela, les choses prenaient une tournure plus raisonnable : une bravade, une démonstration de force alors que le gouvernement se préparait à une attaque.

Le samedi suivant, jour de la Saint-Patrick, quelques centaines d'hiberniens paradèrent bel et bien dans les rues du quartier… Saint-Patrick. Plusieurs officiers de l'association auraient à s'expliquer auprès de leurs confesseurs. Le grand tour de force des autorités fut de faire en sorte qu'aucun extrémiste parmi les loyaux sujets de Sa Majesté ne vienne lancer des insultes aux participants. John Alexander Macdonald et George-Étienne Cartier gagnaient leur pari. Les Canadiens de toutes les origines rejoignaient les rangs de la milice, les orangistes gardaient assez de sens commun pour demeurer discrets, les Irlandais reniaient ceux des leurs qui n'affichaient pas la même sagesse !

～

Si le monde avait une extrémité, ce devait être la ville de Eastport, blottie au bout d'une presqu'île dans le Maine. L'isthme y donnant accès était si étroit qu'on avait l'impression que le train roulait un moment sur l'eau. Cette région vivait de l'exploitation de la forêt et des pêcheries. Du côté américain de la frontière, la population de toute la région de Passamaquoddy se chiffrait à quelques milliers. Du côté canadien, il n'y en avait guère plus. Quelle folie amenait là David Devlin, en ce début d'avril 1866 ? Pas la sienne, en tout cas ! Quand, le 1er avril, Donovan lui demanda de s'y rendre, il crut d'abord à une mauvaise blague.

— Je suis sérieux, je te dis ! O'Mahony désire faire de l'île de Campobello la première terre irlandaise libre depuis la conquête de l'Irlande par les Anglais.

— ... Pourquoi diable ?

— Pour ne causer de peine à personne ! Actuellement, les États-Unis et le Royaume-Uni se la disputent. Le grand chef a décidé de gagner le territoire pour son pays d'accueil, mais pendant quelque temps le drapeau irlandais y flottera !

— Mais pourquoi ? répéta le journaliste, pas plus éclairé. Il ne doit pas y avoir dix habitants là-bas.

En plus du scepticisme, il espérait encore pouvoir se dérober à cette mission.

— Plutôt cent. Le symbole.

— Que peut-il bien gagner dans cette aventure ridicule ?

— Reprendre l'initiative, aller plus vite que Roberts, impressionner Stephens, qui a recommencé à parler publiquement de la révolution imminente en Irlande.

Après une pause, Donovan avait conclu avec un sourire amusé :

— Qui sait ce qui peut trotter dans la tête de ces vieux fous romantiques.

Dix jours plus tard, debout sur la jetée, David Devlin constatait que son camarade ne lui avait pas tout révélé. Si l'intention de O'Mahony était de reprendre l'initiative perdue aux mains de Roberts, l'idée de s'emparer de Campobello ne venait pas de lui. Bernard Killian, le secrétaire aux affaires extérieures auprès de Roberts, la lui avait instillée… vraisemblablement à la demande de son chef.

L'objectif de la Fenian Brotherhood se trouvait à un peu plus d'un mille nautique de Eastport, sous les yeux de David : une grande île dans la baie de Fundy, toute proche aussi du Nouveau-Brunswick. Le jeune homme n'était pas seul à profiter du point de vue, des centaines de féniens erraient déjà dans la ville en ce 10 avril, faisant presque doubler la population d'un coup. Du côté de Calais, un peu plus au nord sur la rivière Sainte-Croix, il y en avait tout autant.

Dans les deux petites localités, ces hommes occupaient, à quatre ou cinq par chambre, les auberges existantes. Des habitants offraient aussi en location l'espace dont ils disposaient, y compris des remises ou un coin de leur grange. David avait eu la chance de trouver une chambre chez un cultivateur un peu à l'écart de Eastport. Il louait un mauvais cheval de labour pour se déplacer.

L'inactivité pesait sur les épaules des féniens. Ils avaient laissé leur emploi pour courir à l'aventure, les vivres coûtaient cher — les habitants des environs élevaient leurs prix à des niveaux inimaginables — et l'action tardait à venir. Bernard Killian allait de l'un à l'autre pour les encourager à la patience. Ces hommes n'avaient pas pu voyager dans des trains de passagers avec un équipement militaire complet. Avant d'agir, il fallait attendre les armes et les munitions qui arriveraient par la mer.

— Avec ce retard, les Britanniques ont le loisir de se préparer remarqua David à l'intention de Killian. Je suppose que les bâtiments de guerre stationnés à Halifax sont déjà en route pour venir ici.

Les deux hommes se tenaient face à la mer, le visage fouetté par un vent humide.

— Cela donne aussi le temps à nos amis canadiens de se rendre jusqu'ici. Quand les soldats britanniques arriveront, ils devront d'abord ramener l'ordre de leur côté de la frontière.

— Vous voulez dire que les Irlandais des villes canadiennes vont se révolter ?

— Je compte sur eux. Michael Murphy s'est engagé à apporter des armes jusqu'à Saint Stephens !

Se pouvait-il que les discours du tavernier de Toronto soient autre chose qu'une bravade ? David Devlin expédiait à la chaîne des télégrammes au *New York Herald*, pour informer son éditeur de l'évolution de la situation. Certains, chiffrés, iraient au consul Archibald, par le truchement d'un nom et d'une adresse d'emprunt, bien sûr.

Killian ne le savait pas encore, mais la veille, le 9 avril 1866, les journaux canadiens annonçaient que Michael Murphy et cinq de ses compagnons avaient été arrêtés à la gare de Cornwall. Dans leurs bagages, les policiers, accompagnés par le maire de la ville, avaient trouvé quelques dizaines de revolvers. Ils se dirigeaient vers Portland au Maine, le terminal américain du Grand Tronc, d'où il leur aurait été facile de rejoindre Calais, passer la frontière du Nouveau-Brunswick et distribuer leurs armes aux féniens. Rien de tout cela ne se produirait.

Alors que Michael Murphy et ses compagnons apprenaient à connaître la prison de Cornwall, l'impatience des hommes massés à Eastport croissait dangereusement. Certains songeaient à rentrer à la maison ; d'autres, ceux qui avaient pu trouver des armes, se lancèrent à la conquête du petit îlot, presque désert, pendant la nuit du 14 avril. Le drapeau irlandais flotta quelques heures sur ce lopin de terre. Au matin, les féniens abandonnaient le terrain pour revenir à Eastport. Bien peu de gloire, beaucoup de ridicule.

Le 17 avril 1866, le lieutenant-gouverneur du Nouveau-Brunswick vint établir ses quartiers dans le village de Saint Andrew, à la tête d'un régiment de soldats réguliers et de quelques centaines de miliciens. Déjà, deux navires de guerre, le *Her Majesty's Ships Pylades* et le *HMS Rosario*, patrouillaient les eaux de la baie de Fundy, passant au large d'Eastport, à la vue de tous. Menée rapidement, la prise de Campobello aurait été facile. Maintenant, elle n'aurait lieu que si les Britanniques s'abstenaient d'intervenir, pour ne pas créer un incident diplomatique puisque la souveraineté du Royaume-Uni sur l'île ne se trouvait pas encore établie.

Le 17 avril aussi, les armes tant attendues arrivaient à bord du *Ocean Spray*, un petit cargo. Voulant les récupérer, Bernard Killian se heurta à une résistance inattendue : le collecteur des douanes entendit les garder en sa possession, le temps qu'un tribunal statue sur l'identité de leur propriétaire. Killian n'eut aucun mal à faire reconnaître ses droits… pour frapper un nouvel écueil. Le commandant du *United States Ship Winooski* s'improvisa le gardien de la cargaison du *Ocean Spray* et demanda au gouvernement quelle attitude adopter.

Les Américains comprenaient qu'une attaque lancée depuis les États-Unis contre le Canada entraînerait leur pays dans une guerre contre le Royaume-Uni. C'était justement le calcul des Irlandais, qui entendaient profiter de ces circonstances pour obtenir leur indépendance. La réponse du gouvernement américain à la question du commandant du *USS Winooski* vint sous la forme du général George Meade, le vainqueur de Gettysburg. À la tête d'une troupe, il exigea que les trois cents féniens toujours à Eastport respectent la *Loi de neutralité*. Elle stipulait que des citoyens américains ne pouvaient se porter à l'attaque d'une nation avec laquelle leur pays vivait en paix. Les membres de la Fraternité profitèrent des trains suivants pour quitter la ville afin d'éviter la prison.

Le lendemain, dans une localité redevenue calme, David Devlin croisa à nouveau Bernard Killian en montant dans le wagon qui le conduirait à Portland.

— Ferez-vous le voyage avec moi jusqu'à New York ? demanda-t-il.

— Non, je descendrai à Calais. Je verrai à quels tribunaux je dois m'adresser pour recouvrer nos armes. Nous les avons achetées légalement, elles nous appartiennent.

L'avocat remettrait éventuellement la main dessus. Surtout, la petite angoisse soulevée par les féniens dans la population du Nouveau-Brunswick se révélerait très bénéfique aux projets de George-Étienne Cartier. Une élection anticipée tenue dans la colonie au cours de l'été balaya le Parti conservateur local, opposé à la fédération, pour le remplacer par le Parti libéral, favorable à celle-ci.

Chapitre 16

— Pensais-tu que cela pouvait réussir ? demanda David.

— Nous ne pouvions pas perdre, expliqua Donovan, quelle que soit l'issue de cette aventure. En cas de succès, cela aurait galvanisé nos troupes, qui se seraient précipitées pour participer à l'invasion planifiée par Sweeny. Avec cet échec, la réputation de O'Mahony se trouve ruinée et l'unité de la Fraternité sera restaurée. Dans trois mois, il ne lui restera plus assez de partisans pour payer le loyer de la maison Moffatt.

L'avocat avait une nouvelle fois retrouvé son ami à la gare, une précaution qui lui donnait la primeur de l'analyse du journaliste, avant de la lire le lendemain dans les quotidiens.

— Mais cela ruine tous nos projets canadiens ! grommela celui-ci. Les États-Unis ont envoyé leur général le plus prestigieux après Grant pour faire respecter la *Loi de neutralité*.

— Cette fois-ci, convint un Donovan devenu soudainement plus maussade. Seward avait pourtant laissé entendre qu'il ne se mêlerait de rien. D'un autre côté, nous avons reçu l'assurance de récupérer nos armes bientôt. Nous les utiliserons pour attaquer le Bas-Canada !

— S'ils ne nous jouent pas encore le même tour la prochaine fois !

— Il faudra les convaincre de nous laisser agir. Des États-Unis allant du Mexique au pôle Nord, cela devrait les intéresser, non ? Tu viens manger au *Coffee House* ?

◂━

Cette fois, Donovan avait affiché un sourire amusé lorsqu'il demanda à David de retourner à Montréal. Son ami avait évoqué Eithne au retour de sa dernière mission…

Dès son arrivée dans la métropole du Canada-Uni, David rencontra successivement Francis McNamee, pour planifier les prochains actes de sabotage, et le policier Ermatinger, pour lui dire où poster des sentinelles quand les choses s'accéléreraient.

Les tâches qui l'avaient amené à Montréal expédiées, il s'empressa de se vendre à la *Tipperary Tavern*. Quand Eithne passa à sa table la main tendue, en plus de pièces, il lui glissa dans la paume un petit mot : « Demain au jardin Guilbeault, je serai à l'entrée vers quatorze heures. » La jolie femme eut le temps de le lire discrètement tout en interprétant une chanson patriotique ; elle lui adressa un signe affirmatif de la tête en quittant l'endroit.

Le jardin Guilbeault se trouvait rue Saint-Urbain, au nord de Bagg : il occupait tout le quadrilatère jusqu'à la rue Saint-Laurent, un bel espace vert, aux fleurs et aux arbustes abondants… pendant la belle saison. Depuis peu, le propriétaire avait ajouté quelques cages où les Montréalais étonnés pouvaient contempler un lion efflanqué, deux chameaux fatigués, un peu miteux, et diverses autres bêtes plus ou moins exotiques.

— Vous avez su me retrouver, fit-elle comme elle le rejoignait, un sourire ironique sur les lèvres et lui tendant la main.

Elle reprenait la conversation exactement où ils l'avaient laissée plusieurs mois plus tôt. David tint ses doigts, se demanda un instant s'il devait les baiser, se trouva ridicule. Des yeux, il avait admiré sa silhouette depuis qu'elle était apparue. Même menu, son corps offrait toutes les courbes qui l'attiraient et elle se déplaçait avec une grâce toute féline. Si sa robe de laine et son châle la protégeaient du froid, le petit chapeau de paille qu'elle portait un peu incliné sur le front témoignait de l'arrivée du mois de mai.

— Je savais où vous chercher, répondit-il.

Puis en se tournant vers Máire, qui devait avoir pris deux pouces depuis l'automne précédent, il enchaîna :

— Mademoiselle, c'est un plaisir de vous revoir.

— Pour moi aussi, monsieur, glissa-t-elle rougissante, en lui tendant elle aussi la main.

Ils visitèrent le jardin, s'arrêtant devant chacune des cages contenant des animaux.

— Vous avez des amis très respectables et très bavards, murmura la jeune femme. Cet avocat, venu à Montréal il y a quelques semaines… Tout un personnage.

— Je le trouve surtout très indiscret.

— Et peu subtil. Croyez-vous immortaliser notre ville dans les journaux de New York? J'ai parcouru le *Herald*, par curiosité, sans rien voir sur le sujet.

Pendant quelques minutes, la conversation porta sur ses articles; puis elle dériva sur les chansons traditionnelles du répertoire de la jeune femme. Quand le jardin n'offrit plus aucun animal susceptible d'intéresser Máire, ils prirent place dans un petit palais de cristal — Montréal en possédait un vrai, rue Sherbrooke coin Metcalfe, de dimensions tout à fait respectables, où se tenaient diverses expositions —, une grande serre en fait, où une bonne centaine de personnes pouvaient s'asseoir autour de tables de fonte. L'après-midi demeurait assez frais, le thé rasséréna les adultes ; les gâteaux rencontrèrent plus de succès auprès de la petite.

David appréciait les yeux d'un bleu profond, la chevelure lourde et bouclée qui captait le soleil et offrait des reflets parfois roux, parfois plus sombres, selon la façon dont la jeune femme inclinait la tête. Plus que tout, son intelligence, sa détermination farouche de survivre dans un monde difficile et le soin qu'elle prenait de sa petite sœur le touchaient vraiment. Quand ils se quittèrent un peu plus tard, il demanda un peu timidement :

— Y a-t-il quelqu'un dans votre vie ?

— Bien sûr, ma petite Máire, minauda-t-elle en passant son bras autour des épaules de la fillette, un sourire moqueur sur les lèvres.

— Vous savez ce que je veux dire ! répondit-il, plutôt vexé.

Elle le toisa, et sans perdre son air taquin rétorqua :

— Si j'avais quelqu'un, je ne me trouverais pas ici. Pour quel genre de femme me prenez-vous ?

— Pourrai-je vous revoir ? enchaîna-t-il en éludant la question.

— Si c'est une fois tous les six mois, tôt ou tard vous ne me retrouverez plus seule.

Voilà bien quel était l'obstacle. Des centaines de très jolies petites Irlandaises habitaient New York, y compris plusieurs orphelines avec une sœur ou un frère accroché à leurs jupons, dont elles prenaient soin. Lui s'entichait de celle qui se trouvait à Montréal.

— Je vais essayer de venir plus souvent.

— Plus question de déménager dans notre ville ? Vous avez évoqué cette possibilité devant moi.

— … Pas tout de suite, je dois terminer un travail là-bas. Mais vraiment, cela pourrait arriver un jour.

— Dans ce cas, je vous reverrai avec plaisir.

Le trio s'arrêta un peu plus tard près des grilles du jardin Guilbeault. Il se permit de poser ses lèvres sur les siennes, s'attirant les regards courroucés de badauds. Ensuite, ils attendirent un tramway tiré par un cheval poussif, firent route ensemble jusqu'au coin de la rue Saint-Paul. Dans l'heure qui suivit, David passa à l'hôtel *Saint-Louis* récupérer son sac de voyage et alla prendre le train qui le conduirait à New York.

Les grands événements approchaient. David avait passé quelques jours à Saint Albans à la fin du mois de mai, afin de reconnaître les lieux. Il en avait profité pour réserver toutes les chambres des trois auberges de la ville et celles disponibles chez les habitants des environs, et même quelques champs pas trop éloignés et bien drainés. Les cultivateurs le croyaient demeuré : louer un terrain pour quelques semaines, à une époque de l'année où rien ne pourrait être semé ou récolté, «pour établir un campement», leur paraissait bien étrange. En prime, il réserva une chambre chez l'un d'eux, de même qu'un cheval et une selle, et repartit avec la promesse d'un retour prochain.

Quand il remit les pieds à Saint Albans, plus personne n'ignorait que la petite ville serait le point de départ de l'aile «est» de l'armée républicaine irlandaise, en route vers le Canada. Ses citoyens se souvenaient très bien de la vingtaine de sudistes venus quelques années plus tôt depuis Montréal pour voler deux cent mille dollars dans les établissements bancaires de l'endroit, tuant au passage une personne innocente. Malgré les désordres que la troupe irlandaise causait dans cette petite municipalité, ces Américains ne voyaient pas d'un mauvais œil que leurs voisins du nord

reçoivent une volée de coups de pied au cul… Puis la soudaine affluence s'avérait bonne pour les affaires.

Le mardi 29 mai 1866, David trouva l'auberge *Albans' Arms*
plongée dans la plus grande excitation. Sweeny y avait établi
son quartier général, les principaux officiers militaires
logeaient là, à plusieurs par chambre. Donovan y habitait aussi.

— Ça y est, fit ce dernier en s'assoyant à la même table
que son ami. La machine est en marche.

Haletant, il avait essayé de parler à voix basse, mais dans
l'excitation, il augmentait de volume. Tout le monde l'avait
entendu dans la salle. David esquissa un signe de la main
pour lui signifier de se calmer, chuchota comme pour
donner l'exemple :

— Que veux-tu dire ?

— Je viens d'envoyer le télégramme de Sweeny au brigadier général William Lynch. Il doit quitter Cleveland et
traverser le lac Érié. Quand l'attention se portera sur lui,
les hommes qui se trouvent à Buffalo passeront la frontière,
pour prendre les Britanniques à revers.

L'attaque vers le Haut-Canada servirait de leurre. Près
de dix-sept mille féniens devaient se réunir à Saint Albans
et dans quelques petites localités environnantes pour se
diriger vers Montréal. On était encore très loin du compte,
même si des volontaires arrivaient d'aussi loin que la
Virginie et le Tennessee. Un homme de la Californie avait
même été promené dans toute la ville comme la preuve que
la diaspora irlandaise tout entière participait à l'entreprise
révolutionnaire.

— Quand connaîtrons-nous les progrès de Lynch ?

— Ses volontaires se mettront en route la nuit venue.
Quelqu'un va nous envoyer un télégramme.

Encore une fois, David fit signe à son ami de baisser le
ton. L'autre continua :

— J'ai offert dix dollars à l'employé du télégraphe pour qu'il reste à son bureau toute la nuit.

Après cette flambée d'enthousiasme, le retour sur terre s'annonçait plutôt difficile. Au milieu de la soirée, la rumeur se répandit que le brigadier général Lynch ne s'était jamais présenté à Cleveland. Orphelins de leur chef, une bonne moitié des hommes massés dans cette ville avaient décidé de retourner à la maison. Les plus résolus prirent l'initiative de se rendre à Buffalo, dans l'État de New York. L'excellent réseau ferroviaire leur permit d'y arriver le 30 mai… pour découvrir que de nombreux officiers supérieurs s'étaient envolés de là aussi.

Ces défections ne se révélaient guère surprenantes. S'ils trouvaient normal que leurs disciples meurent pour leurs idées, les grands révolutionnaires entendaient bien ne pas être du nombre. Ils menaient une vie trop confortable pour l'exposer au combat. Au fond, le plus étonnant n'était pas la quantité de ceux qui fuyaient, mais celle de ceux qui restaient !

À Buffalo, le plus haut gradé demeuré sur les lieux se nommait John O'Neil, un colonel de cavalerie venu du Tennessee pour ce rendez-vous guerrier. Le jeudi 31 mai 1866, en fin de soirée, huit cents hommes se montraient toujours résolus à le suivre. Montés sur des barges remorquées par de petits vapeurs, ils quittaient Black Rock dans l'État de New York pour prendre pied un peu plus tard à Freeburg's Wharf, à deux milles de Fort Érié. L'invasion du Canada venait de commencer !

~

— Cette fois, ils ont traversé, affirma un Donovan soulagé, devant un petit-déjeuner, au matin du 1er juin.

— Ils doivent se rendre maîtres de Fort Érié ?

— C'est déjà fait. La garnison compte quelques soldats, toute la localité six cents habitants tout au plus. La gare du chemin de fer Érié et Ontario a été prise, les lignes télégraphiques coupées.

— Et après ?

— Marcher vers l'est, le plus loin possible. Des volontaires arrivent encore à Buffalo, de même que des fusils. Ils recevront des renforts dans la journée.

Cela ne se concrétisa pas. Dans l'après-midi du 1er juin, le navire de guerre *USS Michigan* patrouilla la rivière Niagara, empêchant le passage au Canada des armes, des hommes et des vivres. Le colonel O'Neil devrait agir avec les forces qui l'entouraient déjà. Le projet initial était de chercher des chevaux afin de former une cavalerie capable de fondre sur une cible, pour se retirer ensuite. Les cultivateurs, plutôt que de se départir de leurs montures, s'empressaient de les cacher dans les bois. En après-midi du 2 juin, après un bivouac inconfortable, le corps expéditionnaire se heurta à un régiment de la milice, dont un peloton de volontaires recrutés parmi les étudiants de l'Université de Toronto. Après le premier choc, qui laissa une trentaine de cadavres sur le terrain, l'officier à la tête des Canadiens sonna la retraite au clairon.

Maître du champ de bataille à Ridgeway mais privé de renfort, de munitions et de vivres, le colonel O'Neil décida de se replier vers le lieu du débarquement. Là encore, il sortit vainqueur d'une escarmouche. La plupart de ses hommes purent embarquer avec lui sur les barges ; les morts, les blessés et quelques retardataires faits prisonniers restèrent derrière. Dans l'obscurité, le *USS Michigan* vint arraisonner les embarcations. Seuls les officiers furent retenus en prison pour avoir enfreint la *Loi de neutralité.*

Pour les autres, le gouvernement préférait acheter des billets de train et les renvoyer dans leur foyer…

Le colonel O'Neil retrouva sa liberté le 6 juin après avoir promis d'être sage désormais.

⌐

À Saint Albans, les visages devenaient maussades. Les nouvelles du champ de bataille avaient provoqué un éclat de joie. Bien que modeste, Ridgeway constituait la première victoire des forces irlandaises contre l'armée britannique. Cependant, toute la stratégie de Sweeny se soldait par un échec. L'attaque avortée contre le Haut-Canada n'avait entraîné aucun mouvement de troupes. Le Bas-Canada demeurait tout aussi bien défendu qu'une semaine plus tôt. Non seulement les dix-sept mille soldats qui devaient se masser au Vermont ne s'étaient pas montrés, mais des quatre mille effectivement venus, plusieurs rentraient à la maison le 4 juin.

En bon journaliste, David parcourait les campements son carnet à la main, à la recherche de personnes à interviewer. Alors qu'il quittait un charpentier originaire du New Jersey, Donovan le rejoignit :

— Sweeny souhaite te rencontrer, pour te confier une mission.

— Tu sais ce dont il s'agit ?

— Nous avons reçu un télégramme de Roberts, qui demande que l'on attaque le Bas-Canada. Tu devines ce qu'il attend de toi.

Quand il approcha de la pièce qui servait aux réunions de l'état-major de la Fraternité, les deux hommes de faction devant la porte le fouillèrent soigneusement. Puis on lui permit de se présenter au brigadier général, Donovan sur ses talons.

— Monsieur Devlin, commença l'officier, nous allons attaquer. Je souhaite éviter que des milliers de Britanniques nous accueillent de l'autre côté de la frontière. Vous connaissez les féniens de Montréal. Pouvez-vous voir à ce que les actions de sabotage promises soient exécutées ?

— Le train circule encore jusqu'à Montréal, m'y rendre ne sera pas difficile. Je rencontrerai McNamee et j'essaierai de le convaincre d'attaquer des installations militaires. Mais je ne fais confiance à cet homme, et à tous ses compagnons qu'à moitié.

L'officier secoua la tête, dépité.

— Je sais, je sais. Mais sans eux, nous risquons de nous faire repousser bien rapidement jusqu'à la frontière. Quand partirez-vous ?

— Dans une heure. Je récupère mes bagages et me mets en route.

— Vous reviendrez me faire un rapport dès que possible.

Chapitre 17

Se précipiter à Montréal, rien de moins !

Si le train circulait librement, les passagers se raréfiaient. Personne ne désirait se retrouver dans une zone de guerre. À l'employé des douanes qui monta dans son wagon pour s'enquérir de sa destination, David Devlin se présenta comme un journaliste du *Herald*, une lettre de son employeur à l'appui.

Quand la locomotive commença à rouler du côté canadien de la frontière, le jeune homme vit dans la campagne, près de la voie ferrée, des petits regroupements de tentes, des bivouacs de la milice. Des milliers de soldats amateurs avaient laissé leur emploi ou leurs cours à l'université ou dans des collèges pour venir défendre leur pays. Dans les journaux achetés à la gare de Saint-Jean, au moment d'un changement de train, il constata que la population canadienne tirait une immense fierté de la bonne tenue des miliciens à Ridgeway. L'officier anglais à leur tête qui avait fait sonner l'ordre de retraite, alors que la bataille aurait très bien pu tourner à leur avantage, devrait d'ailleurs s'en justifier devant une commission d'enquête.

Le train effectua un dernier arrêt à Saint-Lambert, puis s'engagea sur le pont Victoria. Au début de la soirée, David descendait enfin à la gare de la rue Saint-Bonaventure. Chez

McNamee, dans le quartier Saint-Antoine, une dame ouvrit la porte, non sans avoir soulevé d'abord un coin du rideau d'une fenêtre afin de l'identifier, après qu'il eut utilisé le heurtoir de bronze à trois reprises.

— Désolé, je craignais que ce soit la police, fit-elle pour expliquer sa lenteur.

Quelle sotte ! Il aurait pu être un policier en civil et elle venait de confesser avoir de bonnes raisons de se méfier des forces de l'ordre.

— Je dois rencontrer monsieur McNamee.

— Il ne se trouve pas ici…

— Je dois le voir tout de suite. C'est de la plus haute importance. Je lui apporte des nouvelles de New York.

Elle hésita un peu, se mordit la lèvre inférieure, céda enfin en se tassant de côté pour le laisser passer. Quand la porte se fut refermée sur son dos, elle cria un « Francis, c'est pour toi » sonore et l'abandonna dans l'entrée. Le « centre » vint le rejoindre bientôt et l'entraîna dans un petit boudoir qui servait de fumoir, à en juger par la lourde odeur de cigare qui empestait les meubles et les draperies.

— Vous avez senti l'atmosphère dans la ville ? demanda-t-il. Les gens sont devenus fous. Nos domestiques sont disparus, convaincus que je finirais en prison.

En effet, la fièvre s'emparait de Montréal. Des hommes à l'air emprunté dans un uniforme mal coupé, un grand fusil à la main qu'ils tenaient comme un parapluie, s'agitaient en tous sens. Ces miliciens se dirigeaient vers la frontière américaine. Puis, dans les rues, surtout autour de la gare, mais sans doute partout ailleurs près des équipements publics, des militaires en armes allaient et venaient.

— Si vos domestiques sont partis, cela signifie qu'ils vous soupçonnent d'être fénien.

— Ces gens-là savent tout. Ils vivent dans la maison. Quand je suis constipé, quand j'attrape la diarrhée...

Il cessa heureusement son énumération pour enchaîner plutôt :

— Mais ces soldats dans les rues, les policiers qui sont mobilisés toute la journée et toute la nuit, cela n'augure rien de bon. Ils couchent même au poste de police afin de se tenir prêts à intervenir.

L'émissaire du brigadier général Sweeny n'allait pas confesser que la situation tenait largement à son intervention. Quand il avait fait part à George-Étienne Cartier des plans de sabotage, celui-ci avait expliqué que Ermatinger saurait rendre les forces de défense suffisamment visibles pour que les féniens se transforment soudainement en loyaux sujets de la couronne britannique.

— C'est la guerre. Que croyiez-vous qu'il allait se passer ? Qu'ils resteraient chez eux pour ne pas vous déranger dans votre entreprise de démolition ? Je viens ici vous apporter les ordres de Sweeny : agir contre les militaires de Montréal.

— On ne peut plus aller dehors sans tomber sur un homme en uniforme !

— Vous refusez d'obéir ?

— ... Non, je n'ai pas dit cela, répondit l'autre après une longue hésitation. Que faut-il que je fasse ?

Voilà que l'espion du consul Archibald, et accessoirement du ministre de la Milice du Bas-Canada, devait se muer en chef d'une cellule révolutionnaire.

— D'abord, rencontrer les plus fiables des membres de votre cercle. Pas dans une taverne. Elles doivent toutes être surveillées.

Une ombre passa sur le visage de Francis McNamee.

— Je possède un commerce de matériaux de construction, dans l'est, au coin des rues Sainte-Marie et Longueuil. Il y a une cour à bois avec une remise. Nous avons déjà tenu des réunions là-bas.

David connaissait maintenant assez bien la ville pour savoir que la rue Longueuil donnait accès à l'endroit du port où le traversier qui effectuait l'aller-retour vers ce village prenait ses passagers. Un peu plus loin, il y avait la rue D'Iberville. Dans ce quartier à la population canadienne-française, la surveillance serait sans doute relâchée.

— Comment allez-vous convoquer tous ces gens ? demanda-t-il.

— … Ne pourriez-vous pas vous en occuper ? Personne ne vous connaît, ici.

— Une riche idée : un Américain avec un nom irlandais qui part à la recherche d'autres Irlandais, peut-être déjà identifiés comme des militants féniens. La police connaît certainement plusieurs d'entre eux.

L'autre ne dissimula pas son découragement. La vie de révolutionnaire lui pesait, tout d'un coup.

— Dans ce cas, je ne vois pas comment… Je ne peux pas m'en charger non plus.

Un long silence suivit. Le commerçant espéra entendre qu'il était préférable de tout laisser tomber, mais il se reprit :

— J'y pense tout à coup, cette fille… Vous la connaissez, Eithne Ryan. Elle chante dans toutes les tavernes fréquentées par les Irlandais.

David changea de position sur sa chaise, soudainement mal à l'aise, alors que l'autre continuait :

— Elle pourrait dire aux hommes qu'elle verra dans la soirée de venir à une réunion. Si chacun d'eux réussit à rejoindre ensuite un seul camarade, nous aurons à peu près tout le monde. Ces gars travaillent douze heures par jour pour gagner ce qu'ils boivent en une heure.

— Elle fait partie de la Fraternité ? questionna David.

— Non, mais c'est une sympathisante. Elle a chanté lors des rassemblements de toutes les sociétés irlandaises de la ville. Quelques hymnes patriotiques et elle convainc n'importe qui de payer une cotisation pour la libération de l'Irlande.

David avait vu lui-même des débardeurs aux bras noueux la larme à l'œil après deux ou trois complaintes, parmi les plus touchantes, sur les thèmes du pays perdu et de la fille laissée là-bas.

— Comment pourrait-elle procéder ?

— Je vais préparer une liste des personnes les plus susceptibles de se trouver dans un débit de boisson. Elle commence sa tournée à la *Tipperary Tavern* un peu après sept heures ce soir, en visitera six ou sept, jusque vers onze heures peut-être. Si vous la rencontrez à son premier arrêt, vous lui remettrez une liste, elle parlera aux militants qu'elle croisera ce soir.

L'homme s'apprêtait à lui donner les noms des féniens les plus déterminés. Pourtant, une inquiétude empêchait l'agent de se réjouir tout à fait.

— Vous êtes certain qu'elle ne dira pas un mot ?

— Oui. Elle est plus attachée à la cause irlandaise que quiconque !

Assez pour servir de messagère, David n'en doutait pas. La mêler à cette histoire lui répugnait. D'un autre côté, comment se dérober sans soulever des soupçons ? Prenant son silence pour un acquiescement, Francis McNamee avait pris place à une petite table, ouvert un tiroir pour chercher une feuille de papier, une plume d'acier et une bouteille d'encre. Un instant plus tard, le jeune homme parcourait

la liste, une dizaine de noms, l'heure du rendez-vous projeté, minuit, et le lieu.

— Mieux vaut partir, insista son compagnon. Sinon,
vous risquez de la rater.

De toute façon, si elle était arrêtée, on ne pourrait pas
vraiment lui tenir rigueur d'avoir joué la messagère pour
une réunion dont elle ne savait rien de l'objet. Sur le trottoir, en sortant de chez McNamee, David fit signe au premier fiacre croisé dans la rue et donna l'adresse de la
Tipperary Tavern.

Son entrée dans la grande salle fit faire une fausse note
à la jeune femme, tellement elle fut étonnée et heureuse de
le voir. Les yeux fixés sur lui, elle compléta la dernière de
ses chansons. David sortit juste un peu avant elle, après
avoir échangé un regard, préférant profiter de l'obscurité
de la rue pour lui parler. Dehors, il l'attira contre le mur de
l'établissement, demandant nerveusement :

— Pourriez-vous me rendre un service ?

Ses deux mains dans les siennes exprimaient le plaisir
qu'elle avait à le voir.

— Mais cela peut être dangereux, la prévint-il. Si vous
avez la moindre hésitation, refusez. Je ne vous en voudrai
pas.

— De quoi s'agit-il ? fit-elle, tout à coup très sérieuse.

En lui présentant la petite liste, il lui expliqua ce qui était
attendu d'elle.

— Je le savais… Les voyages de New York à Montréal,
les gens que vous rencontrez ici…

Après un silence, elle continua :

— Je veux aider. John Carroll se trouvait à l'intérieur.
Máire, enchaîna-t-elle en se penchant sur sa jeune sœur,
voudrais-tu entrer dire un secret à l'homme qui portait une
casquette de velours vert ?

Le reste de la demande se perdit ensuite dans l'oreille de la fillette. Celle-ci tourna les talons pour retourner dans la taverne.

— Je suis contente de vous voir, lui confia Eithne en se collant à son corps pour l'embrasser.

Il referma ses bras sur elle, palpa sous ses mains un dos mince et nerveux, visiblement robuste, s'attarda un peu sur sa taille. Aucun corset ne l'empêchait de sentir la chaleur de sa chair.

— Il faudrait dire à ces hommes d'emmener les militants qu'ils connaissent.

— Oui, je comprends. J'y vais tout de suite.

La porte de la taverne s'ouvrait de nouveau, ils se séparèrent. Máire vint prendre la main de sa sœur, elles partirent vers l'est, dans la rue Saint-Paul. Jusqu'à ce qu'elles se perdent dans l'obscurité, la jeune femme jeta des regards furtifs vers David.

<hr />

La tournée des tavernes s'était avérée fructueuse. Une douzaine d'hommes se trouvaient dans la grande remise de Francis McNamee. La réunion prenait une allure fantomatique. Allumer la lumière aurait été imprudent. Seule la clarté blafarde de la lune entrant par une fenêtre permettait de distinguer des ombres. David répéta les demandes du brigadier général Sweeny, rappela quels objectifs militaires ces hommes avaient évoqués eux-mêmes la première fois qu'ils les avaient rencontrés. Son petit discours fut suivi par un long silence. À la fin, Francis McNamee se sentit obligé de dire:

— Si nous nous manifestons, les autorités hésiteront à affaiblir les garnisons de Montréal pour envoyer des troupes dans la région de Missisquoi!

— Il y a des soldats partout dans la ville, rapporta tout bas un homme dans l'obscurité. Près des baraquements militaires, des sentinelles se dressent à toutes les dix verges.

— J'ai vu des militaires à l'extrémité du pont Victoria, fit un autre. Ce doit être semblable sur la rive sud du fleuve. Il y a même des vapeurs qui patrouillent afin d'empêcher quiconque de placer des explosifs sur les piliers qui plongent dans le cours d'eau.

Heureusement, songea David. Personne n'oserait provoquer une catastrophe ferroviaire, au risque de tuer des centaines de civils.

— Je dois dire à celui qui m'a envoyé que vous refusez d'obéir à ses ordres ? conclut-il.

— Nous ne pouvons agir. Aller mettre une bombe contre les murs des baraquements de l'armée ou de la milice serait comme nous livrer directement à la police, plaida McNamee. Le branle-bas de combat actuel nous réduit à l'impuissance.

— Dans ce cas, aussi bien aller dormir. Afin de moins attirer l'attention, sortons un à la fois. Je transmettrai vos paroles à Sweeny.

Un bon moment s'écoula avant qu'un premier homme s'esquive en silence. Ses compagnons l'imitèrent l'un après l'autre, piteux. Ces Irlandais venaient de prendre la mesure de leur courage, aucun d'entre eux ne se sentait très fier. Ils trouvaient leur lot au Canada trop avantageux pour se résoudre à un attentat suicidaire. Bientôt, David se retrouva seul avec Francis McNamee.

— Nous ne pouvons faire autrement, plaida ce dernier.

— Je comprends, concéda le jeune homme. Partez tout de suite. Nous ne devons pas être vus ensemble. Je sortirai un peu plus tard.

Ils se séparèrent sur une dernière poignée de main. L'émissaire de l'armée républicaine irlandaise releva le col de son paletot, marcha de long en large pour se réchauffer. Lorsqu'il se glissa dehors à son tour, son cœur sauta un battement quand il entendit chuchoter son nom. Une petite silhouette sortit de derrière une pile de madriers, approcha de lui d'un pas léger.

— Eithne, voulez-vous bien me dire ce que vous venez faire ici ?

— Je suis allée mettre Máire au lit et suis venue vous rejoindre. Vous êtes fénien ?

Il plaça son doigt sur ses lèvres et l'entraîna dans la remise. Les petits conciliabules au clair de lune, même s'ils pouvaient passer pour galants, attireraient l'œil des passants.

— Je ne dirai rien de mes activités. Ce serait dangereux pour la personne qui en saurait trop, et pour moi.

Présenté comme cela, il se donnait une aura plus mystérieuse encore, de quoi multiplier par dix l'intérêt d'une jeune chanteuse terriblement romantique.

— Je comprends, fit-elle. Je ne dirai plus un mot à ce sujet.

Tout en parlant, elle examinait la cabane, une construction aux planches mal jointes, encombrée de barils de goudron et de clous, d'outils et de pièces de bois ou de métal. Dans un coin, des rouleaux d'une toile forte et rugueuse entassés les uns sur les autres fournissaient un siège à peu près acceptable. Elle fit signe au jeune homme de venir la rejoindre, se blottit contre lui en frissonnant. Machinalement, il passa son bras autour de sa taille, sa main remonta dans son dos, avec pour résultat de la voir s'abandonner contre lui.

— Tout de même, j'espère qu'ils vont gagner.

Elle parlait des féniens, bien sûr. Impossible de lui avouer qu'il souhaitait plutôt le contraire, et qu'il travaillait même avec compétence à leur défaite. Si elle l'apprenait, elle le condamnerait comme un traître. Pour chasser ces pensées, il la serra contre lui. Elle se tourna à demi, leva la tête pour lui offrir sa bouche.

Cela ne se refusait pas. Après un premier contact plutôt chaste avec des lèvres fraîches, le jeune homme s'activa un peu, chercha son menton, ses joues, ses sourcils pour les couvrir de petits baisers. Le retour à sa bouche fut marqué de jeux de langue, alors que sa main droite se joignait à l'action — la gauche explorait un dos étroit et musclé —, jusqu'à empaumer un sein menu, ferme et souple à la fois.

Cet échange conduisit à des explorations plus pressantes, une paume parcourut toute une jambe de la cuisse au mollet, sur la robe, pour revenir vers le haut sous celle-ci. Eithne ne se dérobait pas, acceptait toutes les caresses avec de petites plaintes, les rendaient avec maladresse. Troussée, étendue finalement sur cet amas de rouleaux de toile, un homme dans le ciseau grand ouvert de ses jambes, elle finit par demander d'une voix rauque.

— Prends-moi, vite !

David s'arrêta, un peu interdit, reprit suffisamment ses esprits pour demander :

— Tu es certaine ? Je ne veux pas te mettre enceinte…

— Prends-moi, je te dis.

Le cerveau soumit à la turgescence dans son entrejambe, il se releva à demi pour admirer, dans la clarté blafarde de la lune, deux jambes fines dans une corolle de jupons blancs relevés. Eithne agitait ses doigts tremblants à la ceinture de son sous-vêtement, pour détacher le ruban qui le retenait autour de ses hanches. Il l'aida à le faire glisser sur ses cuisses, le lui enleva tout à fait, en fixant des yeux la toison sombre sur la peau très pâle. Elle avait la texture d'une fourrure précieuse. Puis sous ses doigts, il trouva la fente mouillée et tiède. Ce contact provoqua un sursaut et une plainte.

Défaire sa propre ceinture, détacher chacun des six boutons de sa braguette, descendre son pantalon à mi-cuisse, s'étendre sur elle, cela prit quelques secondes. De ses doigts froids, la jeune fille guida son sexe vers le sien. David la sentit agiter les hanches, chercher à forcer la pénétration. Elle le reçut dans une plainte de plaisir et de douleur mêlés, s'accrocha ensuite à lui comme une noyée à une bouée.

Après une jouissance étouffée, la culpabilité envahit le jeune homme. Une tache brillante, noire dans la clarté blafarde, marqua son propre sous-vêtement quand il le remit en place. Sous un éclairage moins fantomatique, elle aurait été rouge. Vierge ! Eithne lui avait donné ce qu'elle possédait de plus précieux, son passeport vers la respecta-bilité, sur des rouleaux de toile grossière qui râpaient la peau. David rajusta ses vêtements et détourna le regard quand elle essuya les traînées de sperme et de sang avec un petit mouchoir qu'elle roula ensuite très serré pour le remettre dans sa poche.

Une tendresse mêlée de honte l'incita à la presser contre lui pour lui souffler à l'oreille :

— Je m'en veux. Si tu te retrouves enceinte...

— Je te l'ai demandé. Ne t'en fais pas.

Réalisait-elle l'abîme de difficultés qui s'ouvrirait sous ses pieds si le pire survenait ? Une grossesse lui vaudrait le mépris, à moins bien sûr qu'il assume ses responsabilités... Jusqu'au lever du jour, il la pressa contre lui pour la réchauffer, joua dans ses lourds cheveux, que leurs ébats avaient libérés de toutes leurs épingles. Quand la lumière du jour commença à blanchir le bout de ciel qu'ils voyaient par la petite fenêtre, il susurra :

— Sortons d'ici. Mieux vaut ne pas être découverts par les premiers travailleurs qui se pointeront. Où habites-tu ?

— Je partage une chambre dans le quartier Sainte-Anne, pas très loin de la *Tipperary Tavern*.

— Je veux rester avec toi… après ce qui vient de se passer.

— Tu dois t'occuper de ta mission…

La fièvre révolutionnaire la tenaillait toujours. Sans doute s'abandonner à lui comptait parmi ses actions patriotiques.

— Je pense qu'elle est terminée. Mais de ton côté, il ne faudrait pas que Máire s'inquiète…

— Elle sait qu'il se passe quelque chose de grave. Je lui donnerai signe de vie. Si tu dois partir, je comprendrai…

Comprendre ne changerait rien à la blessure. Bien sûr, David pouvait s'enfuir. Ses parents adoptifs ne l'avaient pas élevé de cette façon. Dans son milieu, la jeune fille séduite méritait des égards : elle avait mis son honneur entre ses mains, il pouvait le lui rendre, ou l'en priver. Ses valeurs de villageois prirent le dessus.

— Je m'inquiète de ta mission, insista-t-elle. C'est plus important que ma petite personne.

— Je t'assure, un télégramme rendant compte de ce qui s'est passé suffira.

L'autre eut l'air d'un enfant devant ses étrennes, elle s'inquiéta encore un peu pour lui dire :

— Tu es certain, vraiment ?

— Tu accepterais de venir à l'hôtel avec moi… jusqu'à demain ? Mais je ne veux pas rendre Máire malheureuse.

Encore une fois, le visage de la jeune femme s'illumina : elle pouvait sortir une lame de sa manche pour défendre ses fesses contre des mains envahissantes, puis offrir sa virginité au mystérieux conspirateur la quatrième fois qu'elle le rencontrait.

— Je pense que Máire ne m'en voudra pas trop… Si cela s'accompagne d'une jolie robe et de beaucoup de caresses.

— Je peux m'occuper de la robe. Mais toi, ta réputation ? Aller dans un hôtel…

— Chanter dans les tavernes ne donne pas une bonne réputation. La mienne souffrira moins que la tienne, peut-être, si tu ne rentres pas aux États-Unis.

Cela se pouvait bien, songea le jeune homme.

— Je te propose d'aller tout de suite calmer les angoisses de Máire. Je passerai au bureau du télégraphe pendant ce temps. Nous pourrions ensuite chercher un endroit discret, et pas trop mal famé.

— Tu vois, tu penses plus que moi à ta réputation !

Pour la première fois depuis la veille, elle avait retrouvé son sourire ironique, frondeur… tout en se faisant violence pour ne pas trépigner de joie. Beaucoup grâce à la chance, un peu parce que la journée de travail des employés de McNamee ne commençait pas avant sept heures du matin, personne ne les vit quitter la remise. Dans la rue cependant, leurs habits en désordre laissaient peu de doute sur leurs activités de la nuit : les passants tournaient vers eux des yeux réprobateurs.

Chapitre 18

Par prudence, le message destiné à Donovan était rédigé en termes sibyllins. « Nos associés préfèrent ne pas s'engager dans notre entreprise. Les risques d'une faillite leur semblent trop élevés, compte tenu de la compétition. Je rentrerai demain, une affaire personnelle. » Ce texte expédié, David put récupérer son sac de voyage, resté en consigne à la gare depuis la veille.

Ils trouvèrent refuge dans un petit hôtel de l'est de la ville, à Hochelaga. Ce village commençait à peine à attirer l'attention des promoteurs immobiliers. George-Étienne Cartier y possédait une maison de campagne nommée Limoilou. David avait retrouvé Eithne coiffée et vêtue de frais, resplendissante. Le fiacre, qu'ils avaient hélé dans le quartier Sainte-Anne, se trouva immobilisé à la Place-d'Armes. Une bonne centaine de miliciens en uniforme se tenaient au garde-à-vous, alors qu'un homme à dos de cheval s'adressait à eux :

— Nous montrerons à tous ces orangistes que les Irlandais sont des sujets loyaux !

— Le vieux salaud, marmonna Eithne. Il m'a demandé de chanter les chansons les plus patriotiques que je connaissais à toutes les réunions de la société Saint-Patrick.

Le cavalier, Bernard Devlin, dont l'uniforme portait autant de dorures que celui d'un général, avait terminé son discours. À la tête d'un bataillon de miliciens d'origine irlandaise, il se dirigea jusqu'à la gare du Grand Tronc, d'où un train les conduirait dans la région de Missisquoi. Un instant, David pensa qu'il avait formé ce petit corps expéditionnaire pour se retourner contre les Britanniques une fois arrivé sur le champ de bataille. Très improbable, jugea-t-il ensuite.

— Lors de ta prochaine visite à la société Saint-Patrick, double le prix demandé.

Elle le regarda longtemps, hésitant à trouver la remarque amusante.

Personne ne fut dupe quand le jeune homme donna le nom de «monsieur et madame Jones, de Cleveland», en s'enregistrant à l'hôtel. Abriter des amours illicites, en ces temps de désordre, paraissait bien véniel. Avec cette brune passionnée, personne ne soupçonna David Devlin de fomenter un mauvais coup. La direction de l'établissement ne signala pas la présence de cet étranger aux forces de police, contrairement aux directives reçues.

Dans l'intimité d'une chambre, les domestiques s'étaient échinés à remplir une baignoire de cuivre. L'opération de tirer l'eau du puits, de la faire chauffer sur le poêle dans la cuisine pour la monter ensuite à l'étage se révélait suffisamment pénible pour que ce ne soit pas un exercice auquel on se livrait tous les jours. Le jeune homme oublia toutes les conspirations féniennes pour s'abandonner au plaisir d'assister à la toilette de sa compagne. Eithne mélangeait pudeur et audace de la plus exquise façon : il passerait des heures la virilité au garde-à-vous, à caresser tous les pouces de peau qu'il découvrirait. Habituellement gaie, parfois pensive, l'esprit toujours vif, la jeune femme le touchait plus qu'il ne s'y était attendu.

La petite escapade dans la remise prenait une autre tournure. Eithne l'aimait, cela sautait aux yeux. Par contre, leur différence de classe le troublait : autant Édith lui avait semblé inaccessible, autant la jeune chanteuse appartenait à un univers inférieur au sien. L'histoire se répétait à l'inverse de la première, mais il bénéficiait cette fois de l'avantage social.

Eithne tenait à être pénétrée même si son sexe demeurait très sensible. Elle se livrait ensuite à une petite toilette intime pour réduire les risques de grossesse, un spectacle qui ravivait encore son désir.

— Où diable as-tu appris cela ?

— De quoi parlent entre elles les prostituées, crois-tu ? Comme il y en a dans toutes les tavernes où je chante, il s'agit de tendre l'oreille.

— C'est efficace ?

Les familles nombreuses du Bas-Canada lui faisaient douter qu'une simple douche vaginale suffisait, sinon aucune femme n'aurait frôlé la mort à cause de grossesses répétées.

— Il faut sans doute aussi de la chance.

Au moins, elle ne se berçait pas d'illusions. David, sachant que la paternité lui pendait au bout du nez, acceptait de tenter le sort lui aussi. Quand le lendemain il reconduisit Eithne dans le quartier Sainte-Anne, l'obscurité pointait déjà. De bribes de conversation en échanges amoureux, le temps avait passé trop vite. La jeune femme partageait une pièce miteuse avec Bridget Boyle, une amie d'enfance d'origine irlandaise qui travaillait comme couturière. L'immeuble de deux étages de briques rouges ressemblait à une petite boîte d'allumettes. Cette version montréalaise des logis de travailleurs impécunieux s'alignait sur des rues entières dans ce quartier.

— Si tu as besoin de quoi que ce soit, tu me le fais savoir. Je tenterai de revenir très vite à Montréal.

Un baiser scella cette entente.

❦

Le trajet jusqu'au Vermont prenait trois bonnes heures. S'étant attardé à Montréal plus longtemps qu'il ne l'aurait dû, David arriva à Saint Albans à minuit. Quand il posa le pied sur le quai, l'agitation qui régnait s'imposa à lui. D'abord, des dizaines de féniens se pressaient pour monter dans les wagons, désireux de prendre n'importe quel convoi en direction du sud. Surtout, David voyait dans les rues de nombreux soldats de l'union, arme à l'épaule. Le général Meade se trouvait dans la ville depuis deux heures environ, présentant aux féniens une alternative : un billet de train gratuit vers leurs foyers, ou une arrestation. Les plus résolus essayaient de s'égailler dans les campagnes environnantes, les autres acceptaient la générosité du militaire. En mettant la main sur la dernière édition du *Tribune* qui traînait sur un banc, le journaliste comprit la raison de tout ce désordre : le général Ulysses Grant s'était vu confier la responsabilité de ramener la paix à la frontière. Le général Meade agissait sous ses ordres.

En se dirigeant vers l'auberge *Albans' Arms*, David se retrouva face à une petite troupe qui en sortait tout juste. Une douzaine de soldats à la tunique bleue en encadraient six, ceux-là vêtus de tuniques vertes, le brigadier général Sweeny et les officiers de l'état-major. Un bruit venu de la cour de l'édifice attira son attention. David entendit John Donovan ronchonner, dans l'ombre :

— Où étais-tu passé ?

— À Montréal !

Cela ne répondait pas à la question de son vis-à-vis : il aurait dû être de retour depuis plus de vingt-quatre heures. Les circonstances n'étaient pas propices aux explications sur ses galipettes. Il enchaîna :

— Les soldats ont capturé tous les officiers supérieurs ?

— Un seul s'est échappé, le général Spear. Il comptait aller vers Franklin, où se trouve l'un de nos camps. Nous le rejoignons.

Impossible de refuser. Il emboîta le pas à l'avocat qui se dirigeait vers les écuries de l'auberge, pour chercher une bête déjà scellée par un domestique. Deux minutes suffirent pour en préparer une seconde. Ils galopèrent dans la nuit jusqu'à Franklin, pénétrèrent une heure plus tard dans un camp où régnait la plus grande fébrilité. Dans une grange, les deux hommes trouvèrent un état-major très restreint autour du général Spear. Ce fut pour entendre l'officier ordonner :

— Murphy, allez à Ogdensburg. Au lever du soleil, vous traverserez la frontière. Vous devrez attirer les troupes britanniques. Cette diversion me permettra de passer inaperçu quand je pénétrerai du côté canadien un peu plus tard dans la journée. Les hommes nous manquent pour marcher vers Montréal, mais si nous nous retranchons assez solidement dans cette région, le gouvernement américain se décidera sans doute à laisser passer les renforts et les munitions.

Le brigadier général Michael C. Murphy n'avait aucun lien de parenté avec son homonyme, tavernier à Toronto. Il quitta les lieux sur-le-champ, prêt à obéir. John Donovan passa un long moment à murmurer des consignes à l'oreille des quelques officiers qui se trouvaient là. David, quant à lui, chercha un coin à peu près sec de la grange pour se coucher à même le sol, afin de dormir. Peu après le lever du jour, le jeudi 7 juin 1866, le général Spear fit rassembler ses troupes : moins de mille hommes, certains ne portant aucune arme. L'armée de l'Union avait réussi à s'emparer des fournitures de guerre.

À la tête d'un aussi faible contingent, le général donna pourtant l'ordre de se mettre en marche. Il fut possible de passer la frontière sans heurt. Les féniens se rendirent maîtres de Frelishburg sans tirer un coup de feu, puis successivement de Saint-Armand et Stanbridge-Est. La population, avertie de leur progression — une troupe de cette envergure se voyait de loin en rase campagne —, chassait son bétail devant elle jusque dans les sous-bois.

Pas plus que dans la région de Fort Érié quelques jours plus tôt, les envahisseurs ne purent se procurer des montures pour accélérer leur avance. La plupart allaient à pied, seuls les officiers profitaient des chevaux achetés dans le Vermont à un prix prohibitif. Depuis la guerre de Sécession, ces animaux lourdement mis à contribution dans les combats devenaient rares et chers dans tous les États-Unis. Comme une progression rapide devenait impossible, les localités occupées sans combattre furent abandonnées, les cultivateurs retrouvèrent leurs possessions intactes.

Au petit matin du 8 juin vint la nouvelle qu'une colonne britannique, renforcée de centaines de miliciens, se dirigeait vers eux. Dès lors, seuls ou en petits groupes, la plupart des féniens reprirent la route de la frontière. Les autres se retranchèrent à Pigeon Hill, s'embusquant aux fenêtres des maisons du village dont les habitants avaient fui, jetant des troncs d'arbres en travers des rues pour former la base de barricades. Tous ces efforts ne servirent à rien. Un petit détachement de cavaliers, commandé par le colonel Scalan, obtint le dessus lors d'une escarmouche avec les Guides royaux de Montréal, laissant de part et d'autre quelques cadavres sur le terrain. Ce succès suffit au général Spear qui décida de retraiter vers les États-Unis, où le général Meade le mettrait aux arrêts.

Pendant cette retraite, David Devlin allait à pied. Deux blessés profitaient chacun leur tour de sa monture, alors que l'autre s'accrochait d'une main à la courroie attachée à la selle pour avancer un peu plus vite. Dans la troupe en pagaille, le désarroi se faisait d'autant plus grand que les hommes prenaient conscience d'avoir affronté des Irlandais de la milice de Montréal. Non seulement les féniens du Canada avaient refusé d'apporter leur aide, mais la communauté se montrait loyale à son gouvernement.

— Des lâches et des traîtres, pestait Donovan, qui acceptait de ralentir son cheval pour que son ami marche près de lui.

— Les féniens du Canada ne sont ni très nombreux ni très déterminés. Je te l'ai dit dès ma première visite à Toronto.

— Pourtant, tu t'es trompé sur l'un d'eux. Alors que tu ne croyais rien de ce que racontait Murphy, finalement lui seul a tenté de faire quelque chose contre les autorités britanniques.

— La preuve que l'on ne peut se fier à personne, ricana David, amusé des nombreux sens que prenaient ces mots dans sa bouche…

Les Britanniques s'attachaient à suivre les fuyards de près. Des coups de feu retentissaient régulièrement, les plus lents, tout comme les blessés abandonnés à l'arrière, étaient capturés. Le passage de la frontière américaine n'apporta pas la sécurité à la petite troupe en déroute : un colonel de l'armée de l'Union permit aux Britanniques de se saisir de quelques hommes se trouvant aux États-Unis. Parfois, ces arrestations étaient ponctuées de coups de feu. Dans une échauffourée, une balle perdue tua une citoyenne américaine nommée Eccles, sortie sur le pas de sa porte pour connaître la raison de ce vacarme.

＊

Quand ils arrivaient aux États-Unis, les officiers féniens étaient emprisonnés. David Devlin, sans arme ni uniforme, échappa à ce sort en se servant de son statut de journaliste. Donovan, quant à lui, profita de l'occasion pour proposer ses services légaux aux prisonniers, jusqu'à ce qu'il apprenne que William Randall Roberts lui-même se trouvait sous les verrous. L'avocat vola à son secours par le premier train.

Le gouvernement américain menait une politique ambiguë. Tous les officiers arrêtés retrouvaient la liberté sur la simple promesse de ne plus tenter d'envahir un pays ami, les armes saisies seraient rendues. Emprisonné le 8 juin, un William Randall Roberts libéré visitait dès le 18 les membres éminents du Parti républicain à Washington. Ceux-ci affirmaient leur sympathie pour la cause irlandaise sur toutes les tribunes, pour entraver ensuite le cours des choses.

En fait, les autorités américaines jouaient à contrer la menace fénienne pour la libérer tout de suite après. Les plus cyniques, ou les mieux informés, reliaient cette attitude aux négociations avec le Royaume-Uni sur les réclamations relatives à l'Alabama. Toute cette entreprise ne se soldait pourtant pas par un échec retentissant. Le simple fait d'avoir attaqué l'Empire britannique, le plus grand et le plus puissant depuis les débuts de l'humanité, représentait une victoire. James Stephens, de nouveau en exil à New York, prit la parole lors d'un rallye tenu au boisé Jones le dimanche

24 juin 1866. Il mobilisa tout son talent d'orateur pour que les féniens abandonnent le Canada à son sort et reviennent à la planification d'une révolution en Irlande, présentée comme imminente encore une fois. On revenait à la case départ.

David Devlin continua de fréquenter l'appartement de la 32e Rue. À ses activités déjà nombreuses, il en ajoutait une autre, prenant une fois par mois environ le train en direction de Montréal afin de rencontrer Eithne. Cette relation ne faisait pas naître en lui un amour fou, bouleversant le cœur et l'âme. D'un autre côté, ce genre de passion se limitait aux romans. Plutôt, la jeune femme lui offrait une sensualité ardente et une admiration béate : la plupart des maris n'en recevaient pas autant. Elle assemblait de grands cahiers de ses articles — les journaux de New York se trouvaient sans mal à Montréal —, essayait de deviner quel rôle, sans doute important, il jouait dans le mouvement fénien.

La recherche d'une sécurité à la fois émotive et sexuelle, mêlée à un quiproquo quant à son engagement politique, rendait cette relation propice aux orages.

Chicago avait été tiré au cordeau, avec des rues tracées à angle droit. Le parc Union, un bel espace vert de forme triangulaire, rompait avec l'organisation générale des lieux. La cité battue par les vents du lac Michigan se spécialisait dans les abattoirs malodorants. David la contemplait pour la première et la dernière fois dans cet état : bientôt, un incendie la dévasterait presque toute. En ce beau mercredi du 15 août 1866, quinze mille personnes se trouvaient réunies, la plupart formant de petits groupes familiaux rassemblés autour de paniers de victuailles, sur les pelouses du parc. Les féniens figuraient certainement parmi les meilleurs organisateurs de pique-niques du continent. Celui-là prenait des allures très martiales : un bon millier d'hommes avaient revêtu leur uniforme à tunique verte et paradaient l'arme à la main.

— Curieux tout de même, se promener la poitrine gonflée de fierté, alors qu'ils ont été défaits, remarqua David en posant son verre de bière sur la table.

Une nouvelle fois, un grand rassemblement de la Fraternité avait attiré les deux amis. La distance depuis New York n'avait pas rebuté John Donovan. Comme les événements de cette journée risquaient d'avoir une incidence directe sur sa propre carrière révolutionnaire, l'avocat avait préféré déserter les prétoires afin de venir voir par lui-même.

— Nous l'avons emporté à Ridgeway. Et même à Pigeon Hill...

— Si tu veux voir les choses ainsi ! Tu oublies que je me trouvais là, la seconde fois. Nous avons couru vers la frontière avec des Britanniques au cul. Et l'embarquement dans les barges, du côté de Fort Érié, s'est effectué sous le feu de l'ennemi. Les Canadiens sont convaincus de l'avoir emporté sans aucune difficulté.

— N'exprime pas ce point de vue aujourd'hui. Nos amis ne voudront pas l'entendre. Dans cette ville, les différends ne se règlent pas en douceur.

Les deux hommes se trouvaient assis à la terrasse d'un café, à une extrémité du parc. Devant eux, des dames présentaient leurs meilleurs travaux d'aiguille ou leurs desserts les mieux réussis. Le tout était à vendre, les profits iraient à la Fenian Brotherhood. Les Irlandaises les plus jeunes et les plus jolies offraient quant à elles des petites fleurs de papier orange, blanc et vert qui se fixaient à la boutonnière. Le petit insigne valait un cent, mais pour dix les patriotes en jupons l'attachaient sur la poitrine du client et lui donnaient une bise sur la joue.

— Bien sûr, tu as raison, reprit Donovan après un silence. Cela tient cependant à la traîtrise des politiciens américains.

— Je sais. Il est dangereux de se fier à ces gens-là.

David préférait cette réponse prudente, plutôt que d'exprimer son opinion véritable. Donovan lui avait rapporté les paroles du secrétaire d'État Seward à Killian : les féniens n'auraient rien à craindre s'ils respectaient les lois américaines. Dans l'esprit du politicien, cela voulait dire aussi la *Loi sur la neutralité*. Les révolutionnaires s'étaient empressés de comprendre ce qui faisait leur affaire, au mépris de la réalité. Bien sûr, Seward avait misé sur cette surdité sélective de son interlocuteur pour embêter les Britanniques.

Puis les volontaires s'étaient révélés bien moins nombreux que prévu. Par exemple, des dix-sept mille féniens attendus à Saint Albans, moins de quatre mille étaient finalement venus, dont la moitié avait préféré rentrer chez eux dès l'échec dans le Haut-Canada. À ce moment, Meade ne s'était pas encore manifesté. Après son intervention, la troupe avait fondu encore. Malgré cela, tout le monde s'excitait sur les faits d'armes de l'armée républicaine irlandaise, les hommes en uniforme recevaient des œillades de la part de toutes les belles de la verte Érin. Ridgeway prenait l'allure d'une victoire mythique.

Au début de l'après-midi, les deux amis s'approchèrent de la plate-forme dressée à l'une des pointes du triangle formé par le parc. Le chef du cercle le plus important de la ville présenta le vainqueur de Ridgeway à la foule. Un tonnerre d'applaudissements se fit entendre. Le colonel O'Neil vint sur le devant de l'estrade pour s'adresser à l'assemblée :

— Chers amis, commença-t-il, le gouvernement du Royaume-Uni sait maintenant qu'il n'en a pas fini avec nous. Ridgeway fut la première bataille d'une guerre longue et marquée de victoires !

Les applaudissements éclatèrent, de partout venaient des cris rendant hommage au seul *fighting fenian*, l'unique combattant de la Fraternité. Longuement, le militaire harangua ses partisans sur le même ton, insistant sur l'attitude irresponsable du gouvernement américain et celle des dirigeants de la Fraternité, qui n'avaient pas mieux négocié avec lui pour obtenir sa neutralité.

— Ce gars veut devenir chef ! murmura Donovan. Il se prend pour Napoléon à la tête de la Grande Armée.

— Tu crois en ses chances, lors de la prochaine élection ?

— Regarde autour de toi !

La foule buvait ses paroles. Bien sûr, tous ces habitants de Chicago ou des villes environnantes ne voteraient pas au congrès, mais des délégués de partout pourraient se rallier au vainqueur de Ridgeway. L'auréole du héros agirait encore dans une ou deux semaines.

— Pourrait-il représenter une menace pour Roberts ? insista David.

— Je suis chargé de connaître ses ambitions, de négocier avec lui en fait. Mieux vaut ne pas en venir à un affrontement qui diviserait encore la Fraternité, si nous pouvons nous entendre avant le vote. Tu vois le petit homme là-bas, près de la plate-forme ? Il s'agit de son agent. On dit bien *impresario*, en italien ?

Le journaliste acquiesça et emboîta le pas à son compagnon. Ils eurent du mal à fendre la foule qui se pressait vers l'estrade afin de mieux voir l'orateur. Bientôt, celui-ci résolut de descendre vers la gauche de la grande plate-forme pour serrer des mains, signer des autographes et échanger avec ses nombreux admirateurs. Cela permit aux deux amis d'aller vers la droite, jusqu'à atteindre le groupe de notables de la Fraternité qui discutaient de ce qui venait de se passer sous leurs yeux.

— Monsieur Le Caron? demanda Donovan en s'approchant d'un petit homme chauve. Je peux vous parler une minute?

— Bien sûr. Monsieur Donovan, je suppose. Et Monsieur Devlin, dont je dévore les articles depuis des mois!

D'entrée de jeu, leur interlocuteur montrait qu'il était bien informé. De près, David examinait un petit homme nerveux, d'un peu moins de trente ans, les cheveux déjà rares sur le dessus de la tête, une grande moustache au milieu du visage.

— Nous pouvons nous éloigner un peu? s'enquit Donovan, désireux de donner une certaine intimité à leurs échanges.

— Je vous suis.

Le trio retourna vers le café où Devlin et Donovan avaient partagé leur lunch un peu plus tôt. Après avoir commandé de quoi boire, le journaliste afficha une curiosité toute professionnelle en demandant:

— Le Caron, il s'agit bien d'un nom français?

— En effet, répondit l'autre dans la langue de Molière. Je suis venu dans ce pays quand la guerre a été déclenchée.

Son français, quoique correct, trahissait un net accent britannique. Pour Donovan, qui avait dit « pardon », le petit homme reprit en anglais, avec un accent français passable pour des oreilles américaines:

— Je suis venu dans ce pays au début de la guerre de Sécession.

— C'est là que vous avez connu O'Neil?

— Oui. Nous étions dans le même régiment. Une fois la paix revenue, nous sommes allés tous les deux nous établir au Tennessee.

Comme de nombreux Irlandais, ces gens avaient combattu pour le Sud, contre le Nord. Ces immigrants se trouvaient en grand nombre des deux côtés de la ligne de feu.

— Vous habitez toujours là-bas ? s'enquit l'avocat.

— Non, je réside maintenant à Chicago, où j'étudie la médecine depuis quelques mois.

Plus exactement, l'homme collait au pas de l'officier O'Neil. Comme celui-ci ne semblait pas souhaiter retourner chez lui, des études fournissaient un bon prétexte pour ne pas quitter Chicago.

— Connaissez-vous les ambitions de O'Neil ? Lui aussi doit chercher une nouvelle carrière.

— Je pense qu'il l'a déjà trouvée au sein de la Fraternité. Celle-ci ne compte pas sur de nombreux hommes vraiment désireux de combattre. Lui ne demande pas mieux.

— Vous croyez qu'il aimerait devenir secrétaire à la guerre au sein de la Fraternité ?

Voilà le poste que Roberts se montrait désireux de lui abandonner. L'avoir dans ses collaborateurs proches lui permettrait de le tenir à l'œil.

— Je suppose qu'il verrait cela comme un excellent début. Par la suite, tout dépendra du cours que prendront les événements.

—Le président du sénat pourra tenir compte de ses désirs.

— Je lui ferai part de vos propos. Je vois que son bain de foule tire à sa fin. Je vais le rejoindre.

Le Caron avala une dernière gorgée de son verre de vin, puis se dirigea d'un pas rapide vers le colonel O'Neil.

— Curieux tout de même, ce petit Français qui se joint à une organisation irlandaise, remarqua David.

— Sans doute l'esprit d'aventure !

Le journaliste accueillit cette réponse avec le sourire, pensant déjà à la façon de rapporter cette curieuse rencontre au consul Archibald. Un Français qui parlait sa langue maternelle avec un accent du nord de l'Angleterre, cela sentait l'espion britannique.

— Tu reviens avec moi à New York ? enchaîna l'avocat.

— Non, je bifurquerai par Montréal. Le plus court, c'est d'aller jusqu'à Détroit, puis de passer du côté canadien afin de prendre le Grand Tronc.

— Tout cela pour les beaux yeux de ta chanteuse irlandaise ?

La remarque amusée de Donovan ne méritait pas de réponse. Il continua sans y être invité :

— Ramène-la à New York. Elle va te coûter plus cher en billets de chemin de fer que tout ce qu'elle gagne en chantant dans les tavernes.

— Je sais. Et c'est sans compter le prix du petit appartement que je lui paierai. Enfin, nous verrons comment les choses se passent au cours des prochains mois, puis j'aviserai.

Donovan avait tout d'abord déclaré que cette femme, dont le métier s'apparentait trop à celui de prostituée, lui paraissait indigne d'attention. Le regard mauvais de David le convainquit de ne pas récidiver. Aussi ne se formalisa-t-il plus de la situation par la suite, s'en amusant parfois, mais sans émettre aucun commentaire désobligeant.

Chapitre 19

Eithne Ryan avait accepté d'occuper un petit logement au troisième étage d'un élégant immeuble de pierres grises dans la rue Saint-Denis, un peu au sud de la rue Sainte-Catherine. Dans cet environnement, elle devait utiliser le peu de français qu'elle avait appris dans les rues pour effectuer ses courses quotidiennes. David ne risquait pas de rencontrer des Irlandais à tous les dix pas quand il venait en ville. Ils passaient pour un couple marié dont l'époux devait travailler dans une autre localité : ce n'était pas si rare, personne ne nourrirait de soupçons.

Pour la visite d'aujourd'hui, la jeune femme avait revêtu une robe d'indienne fleurie, s'était coiffée d'un chapeau de paille qui tenait grâce à de longues épingles à cheveux. Sa crinoline aux proportions très modestes lui permettait de prendre place confortablement sur l'une des petites chaises droites du bureau de la directrice du couvent des sœurs de Sainte-Anne, situé dans le village d'Hochelaga. Près d'elle, sur un autre siège, Máire présentait un visage de condamnée à mort.

— Je tiens à ce qu'elle étudie le piano et le chant, insistait Eithne une nouvelle fois.

— Ces cours coûtent plus cher, expliqua la religieuse à l'air sévère, postée derrière un lourd bureau.

— Je sais. Cependant, je crois que des amis de ce couvent vous ont présenté ma situation.

L'autre poussa un soupir. L'établissement du village d'Hochelaga jouissait de la protection de quelques bienfaiteurs d'origine irlandaise. Ceux-ci avaient insisté sur l'importance d'accueillir et de bien traiter une orpheline, Máire Ryan. La supérieure avait cru à une histoire scabreuse impliquant la grande sœur. Pourtant, celle-ci s'était présentée avec un époux visiblement respectable, parlant anglais avec un accent américain. Parce qu'il ne se trouvait que deux chaises dans la pièce, outre celle de la directrice, le jeune homme se tenait contre le mur, attentif à ce qui se passait. La religieuse ne s'y retrouvait plus, mais préférait jouer de prudence.

— Piano et chant à demi-prix. Je ne peux pas faire mieux.

— Et les congés ? Quand ma sœur pourra-t-elle venir me visiter ?

— Le règlement n'autorise pas les sorties, sauf à Noël, et bien sûr dans le cas de décès de membres très proches de la famille. Le vôtre, par exemple, puisqu'elle n'a plus ses parents.

« La prison, purement et simplement », réfléchit David. L'entêtement de Eithne à mettre sa sœur en pension l'étonnait. Elle aurait tout aussi bien pu fréquenter cet établissement en tant qu'élève externe. Mais sa compagne tenait à ce que la fillette reçoive la meilleure éducation possible, se frotte aux usages de la bonne société, se fasse des amies de son âge.

— Et moi, je pourrai lui rendre visite ?

— Tous les dimanches après-midi si vous le désirez. Au parloir.

— Je viendrai toutes les semaines !

La précision cherchait surtout à rassurer l'adolescente.

Quelques minutes suffirent à régler les dernières questions financières. Puis ils retrouvèrent la lourde malle dans le corridor. Eithne serra sa petite sœur contre elle, lui murmura longuement à l'oreille des mots en gaélique. La gamine réussissait à peu près à retenir ses larmes. Sans se retourner, elle suivit finalement la religieuse qui voulait la conduire au dortoir pour lui montrer son lit et son armoire.

— J'ai bien peur qu'elle me déteste pour toujours, après cela, déclara David alors qu'ils cherchaient la sortie.

— Pourquoi ? Je lui en parle depuis la mort de nos parents. Tu n'as rien à voir là-dedans.

— Le projet se concrétise quand j'arrive dans ta vie. Comment as-tu pu la convaincre d'accepter ? Je pensais qu'elle se mettrait à hurler.

— Le piano et le chant. Elle sait bien que sauf chez les religieuses, personne ne peut lui apprendre cela. Je lui ai promis qu'elle m'accompagnerait au piano, lors de mes tours de chant. Si je fais un jour ce qui ressemble à un tour de chant...

La pointe de cynisme dans la voix indiquait qu'elle n'y croyait guère.

— Je souhaite pour elle que les religieuses soient à la hauteur de ses attentes, dit son compagnon.

En s'engageant dans l'escalier monumental sur la façade du couvent, le jeune homme précisa :

— Je dois voir quelqu'un. Je vais te rejoindre plus tard à la maison.

Elle acquiesça, se laissa conduire jusqu'à un fiacre et y monta : elle retenait ses larmes depuis longtemps, l'idée d'être seule ne lui déplaisait pas. Quand la voiture s'engagea vers l'ouest, David chercha sa montre dans son gousset. À peine treize heures : le tramway tiré par des chevaux qui suivait la rue Sainte-Catherine l'amènerait jusqu'à la hauteur du collège McGill, il effectuerait le reste du chemin vers le mont Royal à pied.

～

Encore une fois, David se tenait près d'une allée discrète, dans l'attente d'un fiacre aux portières peintes d'un rouge un peu passé. Quand le cocher arrêta la voiture, il monta après s'être assuré que personne ne le voyait. À sa grande surprise, Ermatinger ne fut pas seul à le saluer. George-Étienne Cartier se trouvait avec lui. Ce dernier déclara tout de suite :

— Bien que je ne sache pas le sujet du message, Archibald m'a prié de vous dire que votre hypothèse était la bonne.

Dans le train qui le conduisait à Montréal, l'espion avait concocté une longue lettre chiffrée sur le rôle que John O'Neil jouerait vraisemblablement au sein de la Fraternité après le prochain congrès. Il avait enchaîné en demandant si Le Caron était un agent britannique. « Dans l'affirmative, dites-lui de ne pas se risquer à prononcer des phrases en français pour confirmer sa couverture. Tôt ou tard, il tombera sur un Irlandais qui a de l'oreille. »

Le jeune homme esquissa un sourire, décrivit les développements à venir au sein de la Fraternité. Il conclut :

— Je suppose que les personnes capturées lors des invasions des deux Canadas subiront bientôt leur procès. Elles seront accusées de haute trahison ?

— Parmi d'autres chefs, oui, répondit Cartier.

— Un crime punissable de la pendaison. À New York, le grand espoir, ce sont des gibets sans nombre. Avec des martyrs, il serait plus facile de recruter des membres et de les convaincre encore une fois d'attaquer le Canada.

Le politicien hocha la tête pour indiquer qu'il comprenait bien ce genre de logique.

— De mon côté, les gibets m'effraient, exactement pour la même raison. Nous retardons les procès autant que possible, pour que l'excitation tombe un peu. Les gens ont eu peur, ils s'imaginent que quelques exécutions feront l'effet d'une catharsis.

Bien sûr, Cartier ne voulait ni envenimer les relations avec les États-Unis, ni provoquer de remous au sein de la population canadienne d'origine irlandaise. Son interlocuteur mit le doigt sur sa motivation :

— Cette peur sert très bien vos intérêts politiques. Le projet de fédération se trouve de nouveau sur les rails.

— Comme je l'avais prédit. Maintenant tout le monde souhaite qu'on procède au plus vite.

— Sauf les libéraux du Québec ! précisa David.

L'autre lui adressa un sourire narquois avant de dire :

— Toujours aussi grand lecteur de journaux. Vous avez lu Antoine-Aimé Dorion sur le sujet ? Il voudrait une fédération des seuls Canadas, sans les Maritimes.

— Comme il l'affirme, avec la section voisine, les Canadiens français vivent déjà avec un Anglais en face d'eux. Une union de toutes les colonies signifierait un Anglais devant, derrière, au-dessus et au-dessous de chaque Canadien français.

— Ces Anglais se trouvent déjà tout autour de nous, avec ou sans fédération. Cela me paraît préférable à une annexion aux États-Unis. Nous irons à Londres cet automne, pour régler les derniers détails de l'entente. L'union sera chose faite d'ici un an. Mais si je suis dans cette voiture, mon motif n'est pas de discuter avec vous de la situation politique… bien que j'y prenne un réel plaisir. Je crains les martyrs.

David exprima la plus grande perplexité.

— Vous pouvez retarder encore les procès.

Le politicien secoua la tête avec dépit.

— Ce n'est pas cela. La santé de Michael Murphy se dégrade. Bien que le gouverneur de la prison s'occupe très bien de lui, nous craignons qu'il meure bientôt. Le gibet deviendrait inutile, tout le monde évoquerait des mauvais traitements. Il deviendrait l'étendard dont rêvent les Irlandais de ce pays. Déjà que le premier ministre m'en veut de l'avoir fait arrêter…

Encore une fois, le jeune agent secret indiqua son incompréhension d'un geste de la tête.

— Il aurait voulu qu'on le surveille de près pour l'inciter à rentrer chez lui. Ou que nous obtenions des autorités américaines qu'elles l'interceptent de l'autre côté de la frontière. J'ai préféré le faire incarcérer avec ses compagnons. Mais si jamais il mourait avant les élections de l'an prochain, Macdonald craint que nous perdions les voix des Irlandais. Nous tenons à eux pour notre grand projet de fédération.

David acquiesça d'un signe de tête, même s'il se demandait pourquoi l'autre lui racontait tout cela. Le policier éclaira finalement sa lanterne :

— Nous aimerions que vous nous aidiez à le faire s'évader.

Quoique le jeune homme eût pour habitude de ne s'étonner de rien, cette fois il ne put cacher sa surprise.

— Croyez-vous que cela puisse se réaliser avec l'aide de féniens de Montréal ? précisa Ermatinger, ouvrant la bouche pour la première fois depuis le début du conciliabule.

— Ce ne sont pas des personnages audacieux. Nous l'avons constaté au mois de juin. Nous nous précipiterions vers Cornwall pour attaquer le pénitencier ?

— Non. Pour une fois, notre ami McMicken a bien travaillé. Deux de ses agents secrets ayant infiltré le mouvement fénien de Hamilton ont été embauchés comme geôliers. Ils conduiront Murphy et ses compagnons d'infortune au sommet de la muraille de la prison. Vous les attendrez au pied de celle-ci avec une demi-douzaine de chevaux, pour les faire passer du côté américain.

— C'est faisable, rétorqua David. Vous avez déjà choisi la date de cette évasion rocambolesque?

Le policier voulait rejouer la pièce inventée par Stephens lors de son évasion à Dublin : des féniens embauchés comme geôliers devaient faire évader le «centre» de Toronto. Sauf que, cette fois-ci, ce seraient de faux militants et de vrais agents du gouvernement.

— Le dimanche 2 septembre, aux premières heures du jour. Oui, vous comptez bien, dans précisément deux semaines.

— Mais je dois me trouver à New York le 4, pour le congrès!

— Dans l'État de New York, intervint George-Étienne Cartier, à Troy, près d'Albany. Cela n'est pas très loin de Cornwall. Vous respecterez l'échéance et en plus, pensez à votre entrée remarquée! Un héros, fêté des deux côtés de la frontière.

Le politicien avait dit les derniers mots en retenant un éclat de rire. Bien sûr, tout le monde sortirait gagnant de cette petite opération nocturne, surtout les membres du Parti conservateur canadien. Finalement, David acquiesça.

— Maintenant que vous êtes presque établi à demeure à Montréal, pourrai-je compter sur vos services? demanda Ermatinger. À plein temps, je veux dire.

Évidemment, l'agent avait mis le policier au courant de ses projets, tout en soulignant que sa compagne ne connaissait rien de ses activités réelles.

— Le jour où le consul Archibald me signifiera mon congé, je me précipiterai aussitôt à votre porte pour quêter un emploi. D'ici là, je préfère rester fidèle à la personne qui a eu recours à mes services.

— Cela vous honore, une raison de plus pour vouloir vous recruter.

Quelques secondes plus tard, un coup discret sur le toit de la voiture signifiait à l'agent secret qu'il était temps de s'esquiver en vitesse, après un « À la prochaine » jeté à la ronde.

Le télégramme se lisait ainsi : « John, peux-tu mettre à ma disposition une embarcation dotée d'une bonne machine à vapeur, pendant la nuit du 1er au 2 septembre ? Elle devrait pouvoir m'attendre à Cornwall Haut-Canada à minuit, et conduire une demi-douzaine d'hommes à Stockholm Depot NY. Le tout très discrètement, bien sûr. » Restait à souhaiter que cette communication n'attire pas trop l'attention.

Le plus difficile, dans toute cette opération, serait de transporter les évadés en lieu sûr. Du côté américain du haut Saint-Laurent, il ne se trouvait pas de localités d'une taille significative. Aussi, impossible de se contenter d'une simple barque pour atterrir dans une ville où prendre le train. Cependant, la petite rivière Saint-Régis avait son embouchure juste en face de Cornwall. En la remontant sur quelques milles, les fugitifs pourraient prendre le train à Stockholm Depot vers Watertown, puis changer de voiture et aller ensuite à Albany. De la capitale de l'État, le trajet vers Troy ne devrait pas durer plus d'une demi-heure.

Malheureusement, l'agent ne pouvait agir seul. En quittant Ermatinger et Cartier, après un passage par le bureau du télégraphe, il prit un fiacre jusqu'au quartier Saint-Antoine, demanda au cocher de s'arrêter devant la maison de Francis McNamee pour porter un mot au commerçant. David ne tenait pas à être vu frappant à sa porte. Si l'autre accepta de se livrer à cet exercice en échange d'un pourboire généreux, son visage n'en exprimait pas moins toute sa désapprobation. Qu'un bourgeois bien mis, jeune et visiblement bien portant ne fasse pas lui-même ses commissions lui paraissait le comble de la paresse !

Ensuite, David regagna l'appartement de la rue Saint-Denis. La plus grande pièce, où se trouvait un poêle à charbon trapu, servait à la fois de cuisine, de salle à manger et de séjour. Un paravent aux motifs vaguement chinois procurait un peu d'intimité à l'espace faisant office de boudoir, où deux fauteuils et un canapé permettaient de passer des soirées dans un confort très acceptable.

Les deux autres pièces de l'appartement servaient de chambres à coucher. La plus grande, donnant sur la rue Saint-Denis, accueillait un confortable lit à deux places. Une seule commode suffisait à entasser les possessions du couple. La plupart de celles de David se trouvaient à New York. Sur la cour arrière, une petite pièce contenait un lit étroit, spartiate. Officiellement, il s'agissait de la chambre de Máire. Une commode renfermait toutes les richesses de la gamine : quelques vêtements, des bouts de rubans, des images découpées dans des journaux ou des périodiques illustrés. Comme elle venait de commencer un séjour de plusieurs mois en pension, l'endroit servirait aux travaux d'écriture de David et à ceux d'aiguille de Eithne. Ce logis convenait très bien à un jeune professionnel et à son épouse. Eithne, seule la plupart du temps, pourrait y prendre ses aises.

À peu près remise de ses émotions du début de l'après-midi, elle reçut David dans des effluves de pièce de viande rôtie avec quelques légumes. Jamais elle ne séduirait un homme avec ses habiletés culinaires, mais le tout restait comestible.

— Je devrai m'absenter ce soir, vers vingt-deux heures, annonça-t-il après le repas.

— De grands événements ?

Elle voulait dire des événements politiques, comme les invasions du mois de juin. Elle enchaîna tout de suite :

— Je m'excuse, ce ne sont pas mes affaires…

Le sujet demeurait tabou entre eux, ce qui ajoutait encore à son auréole. David savait que sa curiosité serait devenue insatiable si elle avait soupçonné un rendez-vous galant. Eithne n'était pas du genre à partager. Si elle le laissait repartir à New York sans trop faire grise mine, ce sacrifice était sa contribution héroïque à l'indépendance de l'Irlande.

— Merci de comprendre, fit-il avec un sourire.

La soirée, douce pour cette fin d'août, s'égrenait lentement au gré d'une tasse de thé accompagnée de jeux de mains torrides. Un peu dépeigné en sortant, David lui confia d'un ton un peu trop sérieux à son goût :

— Tu sais, j'ai mis une somme intéressante de côté. J'ai pris mes dispositions. Si jamais il m'arrivait quelque chose, elle te reviendra.

— Je peux me débrouiller seule, répondit-elle gravement.

— Je comprends, mais cela me rassure tout de même. Surtout, ne t'inquiète pas : je ne risque rien ce soir !

Les derniers mots, lancés sur un ton rieur, devaient lever le désarroi qui s'était dessiné sur le visage de la jeune femme. En termes voilés, David venait d'engager son avenir.

Au cours des trois années précédentes, il avait constitué une réserve de fonds, à même son traitement assez lucratif. Sa survie tenait à sa capacité de disparaître tout à fait aux yeux de ses ennemis. Pour aller loin et vivre discrètement, l'argent procurait le meilleur sauf-conduit. Jusqu'à maintenant, il avait prévu que dans l'éventualité d'un décès inopiné, ses économies iraient à ses parents. Eithne Ryan devenait la bénéficiaire de tous ses biens. Après cela, il ne manquait plus qu'une cérémonie religieuse pour rendre les choses plus officielles encore. Quand l'idée venait à son esprit, comme ce soir en marchant vers l'entrepôt de la rue Longueuil, le jeune homme secouait vigoureusement la tête pour la chasser.

Pour convoquer une réunion secrète, David avait pensé à la remise de Francis McNamee qui avait servi au conciliabule de conspirateurs un peu tièdes, puis à celui des amoureux, en juin. Lorsqu'il poussa la porte de la bâtisse branlante, l'odeur de goudron ramena à son souvenir les jambes fines de Eithne, troussée sur un amas de toiles.

— Encore une invasion ? demanda McNamee, visiblement inquiet.

— Qui sont ces hommes, avec vous ?

David éludait la question, au grand déplaisir de son interlocuteur. Il l'avait prié de se faire accompagner de deux personnes sûres et déterminées.

— John Carroll. Après l'avoir consulté, nous nous sommes entendus ensuite sur James Patrick Whelan, un ami en qui nous avons confiance.

Vinrent les bonsoirs des deux autres, les poignées de main.

— Je suppose que vous savez tous les deux monter à cheval ?

— Je peux me tirer d'affaire sans trop de mal, répondit Carroll. James est un bon cavalier et un excellent tireur.

Whelan était un grand rouquin efflanqué à la nervosité évidente, malgré les bonnes paroles de son compagnon.

— Savoir tirer ne servira à rien. Je vous recommande d'ailleurs de ne pas vous encombrer d'un revolver. Si nous sommes arrêtés, porter une arme peut signifier un passeport pour vingt ans de cachot, ou même la corde. Vous auriez dû jouer au soldat en juin dernier. Alors, nous cherchions des combattants.

David craignit d'avoir poussé un peu loin son personnage de révolutionnaire impatient. Il demanda après une pause :

— Monsieur Whelan, que faites-vous dans la vie, à part monter et tirer ?

— Je suis tailleur.

— À Montréal ?

— Oui, mais il est question que j'occupe un emploi à Ottawa. Avec tous les politiciens de cette ville qui veulent se faire élégants, les occasions d'affaires se multiplient.

À ces mots, la mémoire revint à David. Ce Whelan était le prétendant de Bridget Boyle, la jeune femme qui avait partagé son logement avec Eithne et Máire jusqu'à tout récemment. Quant à John Carroll, mouleur dans les ateliers du Grand Tronc, il le connaissait déjà.

— Qu'attendez-vous de nous exactement ? s'enquit Francis McNamee.

— De vous, plus rien. Vous avez apporté votre contribution en convoquant nos deux amis et en fournissant ce lieu de réunion. Mieux vaut que vous n'en sachiez pas plus. Je vous remercie et vous souhaite le bonsoir.

Si la lumière de la lune avait mieux éclairé la scène, David aurait pu apercevoir la surprise, puis l'agacement sur le visage du commerçant. Le dernier sentiment pointa nettement dans sa voix quand il prononça un «Bonne nuit» abrupt, puis serra les mains en partant.

Avant de reprendre la parole, David ouvrit la porte, regarda la silhouette de McNamee qui regagnait la rue, puis la referma soigneusement.

— Mieux vaut ne pas avoir de témoin pour ce que je vais vous dire. Si mes plans sont éventés, je saurai que l'un de vous deux a parlé. Nous aiderons Michael Murphy à s'évader de prison.

L'agent reconnut une certaine stupeur dans la voix de Carroll, quand celui-ci prit la parole :

— Pour attaquer les lieux, il nous faudrait des armes et aussi de très nombreux camarades.

— Nous serons assez de trois. Des féniens se trouvent déjà dans la prison, à titre de geôliers. Ils feront sortir Murphy et ses compagnons. Nous devons nous trouver près du mur sud avec des chevaux. Nous les escorterons jusqu'au fleuve. Je me chargerai seul ensuite de les conduire aux États-Unis. Êtes-vous avec moi ?

— … Bien sûr, répondit Whelan après une hésitation. Que devons-nous faire ?

— Vous présenter dans la ville de Cornwall en après-midi, le samedi 1er septembre, avec des sacs contenant des vêtements pour six personnes, rien de trop chic. Vous choisirez des habits de tailles différentes, pour que chacun y trouve son compte. Après six mois de prison, personne parmi eux ne sera très gras. Il faudra aussi louer des montures, huit au total. Essayez de vous adresser à des écuries diverses, chez des Irlandais. Le secret de la réussite, dans tout cela, sera de ne pas attirer l'attention.

Les deux autres écoutaient soigneusement, partagés entre la crainte et une excitation fébrile. David attendit de les voir hocher la tête avant de poursuivre :

— Vous réserverez des chambres à l'hôtel de la gare, vous pourrez mettre tous les chevaux dans l'écurie de celui-ci. Je vous retrouverai là à minuit. Assurez-vous d'avoir toutes vos affaires personnelles avec vous, car vous ne retournerez pas à cet endroit. Vous avez bien compris ?

Le silence fut rompu par Carroll :

— Pour les frais ? Les billets de train, les vêtements, les chevaux, les chambres…

— Demandez des fonds à McNamee, sans lui donner d'explications. Écoutez-moi bien : faire évader des féniens, c'est sérieux. Si vous êtes arrêtés, vous serez logés aux frais de Sa Majesté pendant des années. Alors surtout, pas de confidences aux fiancées !

— Et après l'évasion ? demanda Whelan à son tour.

— Vous continuerez à cheval jusqu'à la ville de Summerstown, vers l'est. Vous abandonnerez vos montures dans un champ, à l'entrée de celle-ci, puis prendez le train pour revenir à Montréal. Il y en a un au début de l'après-midi, le dimanche 2 septembre, j'ai vérifié. Vous serez de retour à la maison pour le souper.

David leur laissa de longues secondes pour assimiler tout cela, puis demanda :

— Vous êtes partants ?

Les deux hommes donnèrent leur assentiment d'une même voix.

— Alors pas un mot. Je compte sur vous. Et bien sûr, tout au long de cette expédition, vous ne révélerez jamais votre nom véritable. Quant à moi, j'enverrai un message à McNamee le dernier jour d'août. Je vais lui demander de vous le transmettre de vive voix, mais il ne connaîtra pas sa signification : « Notre petite réunion va avoir lieu. » À compter de ce moment, vous serez en mission pour la Fraternité. Et si vous ne recevez pas de message, oubliez tout ce que vous avez entendu. Cela signifiera qu'il y a eu contretemps et que toute l'opération est annulée.

L'abondance de détails, les directives précises, tout cela devait rassurer ses deux complices. Quelques instants plus tard, ils quittaient les lieux l'un après l'autre, à quelques minutes d'intervalle. David fut le dernier à abandonner la remise, heureux de retrouver Eithne dans un lit, après avoir tâté les rouleaux de toile une dernière fois.

Chapitre 20

Dans les pays dotés d'un réseau ferroviaire, un *Hôtel de la Gare* accueillait les voyageurs dans toutes les villes. Celui de Cornwall ne comptait pas plus de dix chambres, une petite salle à manger, des écuries assez vastes à l'arrière. David arriva dans la ville largement après onze heures, sur un cheval de location. Une quinzaine de minutes avant minuit, il sortit de l'ombre quand les silhouettes de Carroll et Whelan se révélèrent à sa vue, à la lueur d'un réverbère. Les deux hommes sursautèrent en entendant le cheval derrière eux.

— Comme convenu, vous n'avez pas d'arme ? questionna-t-il d'entrée de jeu.

— Non, bien sûr, répondit Carroll. Juste des vêtements.

Le simple fait d'avoir loué huit montures, puis d'avoir demandé au valet d'écurie de l'hôtel de les préparer pour une balade de minuit, avait certainement attiré l'attention. Heureusement, David avait obtenu l'assurance que les policiers seraient particulièrement endormis ce soir-là. Mais il fallait toujours compter sur la présence possible d'un loyal sujet de Sa Majesté soucieux de surveiller les va-et-vient des féniens.

Quelques minutes plus tard, les huit chevaux renâclaient dans la nuit fraîche, leurs naseaux projetant une vapeur blanche devant eux. Quatre sacs de voyage avaient été attachés aux pommeaux des selles. À la périphérie de l'agglomération, les trois hommes aperçurent la masse sombre d'une grande bâtisse de brique, protégée par un mur haut de trois verges.

— Nous y voilà, marmotta David. Attachons les chevaux dans le bosquet, là-bas. Je vais m'approcher seul du pénitencier. Si je ne suis pas de retour dans une heure, vous disparaissez sans insister… mais laissez les montures sur place, à tout hasard.

Même dans le cadre d'une évasion préparée par les plus hautes autorités politiques, inutile de pousser sa chance jusqu'à amener les chevaux sous les murs d'une prison. Le bosquet se trouvait tout au plus à mille verges de celle-ci. Arrivé près du mur, du côté sud, David aperçut les jambes d'un homme qui pendait dans le vide. Le reste du corps suivit tout de suite, glissant sans bruit jusqu'à terre grâce à une corde. La scène se répéta à six reprises. Le dernier prisonnier soufflait si fort que ses compagnons l'entendaient du sol. Sa poigne céda sous son poids, il dégringola. Heureusement, les autres le reçurent dans leurs bras, lui évitant ainsi de se casser un membre. Michael Murphy se trouvait en piètre condition.

De retour sous le couvert des arbres, David chuchota :

— Enlevez ces uniformes de prisonniers. Nous avons des vêtements plus discrets.

— Je veux bien être pendu : Devlin ! maugréa Murphy d'une voix rendue sifflante. Comment se fait-il qu'un fénien de New York participe à l'évasion des hiberniens du Canada ?

— Ne parlez pas de corde. Je suis ici pour vous permettre de quitter le pays. Je vous accompagnerai jusque dans l'État de New York.

Pendant cet échange, les six hommes enlevaient leur uniforme gris, ne gardant que le long sous-vêtement qui les couvrait du cou aux chevilles. Whelan sortait des pantalons et des vestes des sacs de voyage, essayant de donner à chacun des habits à peu près à sa taille.

— Qui a fomenté cela ? demandait encore le tavernier.

— Toute une série de personnes, dont il convient de taire les noms pour leur propre sécurité. L'initiative vient du cercle de Hamilton.

Vêtus en civils, les six hommes ressemblaient à des ouvriers. Seuls les godillots de la prison de Cornwall juraient un peu avec le reste. Whelan avait même ajouté des casquettes. Tandis que le petit groupe, à dos de cheval, revenait sur la voie publique, David prit Carroll et Whelan à part pour leur répéter ses directives :

— Avec un peu de chance, l'alerte ne sera pas donnée avant demain. Comme les policiers retrouveront nos montures près de la rive du fleuve, ils croiront que nous sommes tous passés aux États-Unis. Allez vers l'est sur cette route, rentrez à pied à Summerstown vers midi et prenez le train.

David tourna la bride de son cheval pour rejoindre les évadés restés un peu à l'écart, leur signifiant de le suivre d'un geste de la main. Le fleuve se trouvait tout au plus à trois milles, sans doute moins. Pour plus de discrétion, l'agent avait déterminé que l'embarquement aurait lieu un peu à l'ouest du quai de Cornwall, en un endroit désert. Arrivé à proximité d'un grand orme, il prononça à haute voix, en gaélique : « Nous voilà ! »

D'une chaloupe plutôt basse, d'un faible tirant d'eau, longue de presque neuf verges, une voix se fit entendre :

— Je commençais à m'inquiéter.

— J'avais dit entre deux et trois heures.

— D'habitude, à cette heure, je suis dans mon lit, avec ma femme ! rétorqua l'homme avec impatience.

— Elle ne vous donne pas cent dollars pour vos services !

L'autre laissa échapper un rire bref. Le rappel de son salaire pour une nuit de travail ramena tout de suite sa bonne humeur. Pendant l'échange, un gamin d'une quinzaine d'années aidait les six hommes à descendre dans l'embarcation. Le propriétaire détachait les câbles d'amarrage. Quand tout le monde fut à bord, il utilisa une longue perche pour s'éloigner du quai, s'arc-boutant pour pousser de toutes ses forces.

— Vous allez prendre des rames et vous bouger un peu. On nous repérerait trop facilement de la rive avec la machine à vapeur.

Chacun s'échina afin d'avancer vers l'ouest, sauf Murphy, dont la respiration sifflante s'entendait d'un bout à l'autre de la chaloupe. Sur leur gauche, ils voyaient le profil bas de l'île Cornwall. Quand ils doublèrent son extrémité, le capitaine et son fils s'agitèrent autour de la machine à vapeur. Le feu de charbon amena rapidement l'eau de la chaudière à ébullition. Tout de même, pendant une demi-heure encore ils s'esquintèrent sur les rames afin de s'approcher de la rive sud du fleuve, allant entre les îles. Sans une personne habituée à ces parages, ils n'auraient pas pu trouver leur chemin : d'un autre côté, cela rendait toute poursuite impossible. Un peu après trois heures du matin, la machine à vapeur imprima une force maximale aux deux hélices de bronze.

Les membres brisés par l'effort, les hommes rangèrent les rames à l'intérieur de la coque et s'affalèrent dans l'embarcation, le dos appuyé au bastingage. Bientôt, le propriétaire de la chaloupe reconnaîtrait l'embouchure de la rivière

Saint-Régis et mettrait le cap vers elle. Pendant presque toute la journée du dimanche 2 septembre, ils allaient en suivre le cours vers le sud-ouest. La progression demeurait lente, car il fallait remonter le courant.

À la lumière du jour, David put détailler ses compagnons. Les cheveux sales et emmêlés, coupés trop court, les joues couvertes de barbe, avec sur le dos des vêtements achetés d'occasion, mal ajustés à leur taille, et des chaussures indescriptibles, ils ressemblaient à des évadés de prison ! Michael Murphy, quant à lui, en plus de sa piètre allure, affichait un teint pâle et des lèvres un peu bleutées.

— Quand vous verrez un village sur la rive, je descendrai chercher de quoi manger et boire, précisa l'agent au propriétaire de l'embarcation.

Ce fut possible un peu après midi. Du jambon, du pain et de la bière redonnèrent un peu de couleur au tavernier, mais sa respiration demeurait sifflante. David ne put se retenir de lui conseiller de consulter un médecin.

— L'idée m'en était venue sans vous ! déclara l'homme avec un sourire forcé.

～

À la fin de l'après-midi, après quatorze heures de navigation à une cadence médiocre, l'embarcation accosta à un quai branlant, au milieu de la toute petite ville de Stockholm Depot. David paya le prix de l'expédition, demanda au marin la direction de la gare et conduisit les six évadés vers celle-ci.

Le Central Vermont leur permit d'atteindre Watertown en une heure à peine. Là, un hôtelier pas trop respectable les accueillit sans poser de question. Ils purent se laver, se raser et passer une nuit, la première depuis des mois, dans des lits à peu près propres. Tôt le lendemain, un marchand procura à tous des vêtements convenables. Au milieu de la journée, ces hommes se dirigeaient vers Troy.

David Devlin fit son petit effet en entrant dans l'hôtel *Union* avec les six évadés de la prison de Cornwall.

— Comment diable as-tu fait? demanda un Donovan ahuri, qui était venu de la salle à manger en entendant des «hourras».

— Des circonstances favorables et une longue promenade en bateau.

Le jeune homme présenta la chose comme une initiative du cercle fénien de Hamilton, réduisant son rôle à celui de passeur. Avec un peu de chance, personne ne vérifierait d'un peu trop près. Il enchaîna en demandant:

— Où as-tu trouvé le pirate qui m'a conduit à Stockholm Depot?

— Il devait nous aider à faire passer les volontaires du côté canadien, en juin dernier.

— Mais il coûte plutôt cher. J'ai accumulé les dépenses pour amener ces gens jusqu'ici. J'espère que la Fraternité va me rembourser mes frais. Je prive ma femme de mes épargnes.

— Ta femme? Tu veux dire que…

Le ton de Donovan contenait juste une pointe d'ironie, celle du célibataire pas encore trop endurci.

— Pas encore. Mais cela arrivera. Tôt ou tard, j'aurai une famille en route.

— Tu es vraiment le type le plus bizarre que je connaisse!

— Tu te souviens? J'ai été formé dans un séminaire. Pas de bordel, enfin, pas souvent, et des fréquentations pour le bon motif.

L'autre secoua la tête, l'air un peu découragé.

— Viens manger, la faim te fait délirer. Tes protégés monteront seuls à leur chambre.

Dans la salle à dîner, Donovan fit un effort surhumain pour ne pas dire tout le mal qu'il pensait des projets matrimoniaux de son ami. À la place, l'avocat résuma l'article du *Globe* parcouru à bord du train en venant à Troy :

— Ces scribouillards veulent abattre le gouvernement pour son incurie. Des membres de la Fraternité recrutés comme geôliers !

— Ces journalistes sont des libéraux. Quoi qu'il se passe, ils veulent toujours renverser le Cabinet. C'est le jeu habituel des pays dont la Constitution est d'inspiration britannique. Ils représentent la loyale opposition de Sa Majesté. Mais qu'est-il arrivé des gardiens ?

— Ils ont terminé leur nuit de travail, puis ils ont pris le premier train. Curieusement, ils ont pu descendre dans une gare sans se faire remarquer. Pourtant, avec le télégraphe, les forces de police devaient être sur un pied d'alerte tout au long de la voie ferrée.

— Peut-être ont-ils simplement sauté du wagon en pleine campagne, à un endroit où des complices ont pu les aider. Tu sais, au Canada, il n'y a qu'une voie d'est en ouest. Souvent, on se retrouve sur un tronçon d'évitement, le temps de laisser passer un train qui va dans l'autre sens. Mais ici, qu'arrive-t-il ? Prévois-tu de grands changements ?

David préférait changer de sujet, avant que l'autre ne lui demande trop de détails sur son aventure. L'avocat prit une mine morose pour expliquer :

— Il faudra larguer Sweeny pour faire une place à O'Neil. Dommage pour le vieux bougre, mais d'un autre côté l'armée de l'Union va le réintégrer dans le service actif. Peut-être se réjouit-il de ce qui lui arrive.

— Je le lui souhaite. Il ne mérite pas de se voir chassé comme cela.

— Je sais. Il ne pouvait pas deviner que le gouvernement américain ferait volte-face, convint Donovan.

Tout de même, ce gouvernement faisait une place dans son armée à un officier ayant transgressé la *Loi de neutralité*. Le geste ferait rager les diplomates en poste à Washington.

— Et dans le cas de Roberts ? questionna encore le journaliste. Il va demeurer président du sénat ?

— Non. La présidence de la Fraternité est disponible.

— Une fonction décorative à un homme d'action ?

— Pas s'il peut compter sur un collaborateur fidèle à la tête du sénat.

L'avenir de l'association ne se trouverait pas abandonné au hasard des urnes. Des personnes très habiles se démenaient en coulisse pour que les choses se déroulent comme prévu. L'avocat n'avait-il pas déjà promis le secrétariat à la guerre à O'Neil ?

❦

En quittant l'hôtel *Union*, David Devlin se retrouva devant un Michael Murphy essoufflé, les yeux cernés.

— Je voudrais vous remercier, lui dit-il d'une voix bourrue. Au moins, je ne crèverai pas dans un trou.

— Oubliez cela. Que ferez-vous maintenant ?

— Ma femme a liquidé la taverne de Toronto au début de mon incarcération, elle me rejoindra. Un gars de Buffalo vient de me dire qu'il y avait une auberge à vendre là-bas, le *Irish' Arms*. Je prendrai le train demain pour aller voir.

Cet endroit était sans nul doute un repaire de féniens. Murphy serait en territoire connu.

— Que pensez-vous de cette idée d'envahir à nouveau le Canada ? questionna encore David.

— Stupide. Notre but, c'est l'indépendance de l'Irlande. Vous pouvez répéter mes paroles, je ne me mêlerai plus des affaires de la Fraternité.

— Dans ce cas, pourquoi avoir voulu aider à la prise de Campobello ?

— Un îlot vide, ni américain ni britannique. Mais attaquer le Canada ! Des morts inutiles, parmi mes compatriotes, de mes deux pays…

L'homme s'en alla en secouant la tête. Pourtant, en promettant l'appui de cent vingt-cinq mille hiberniens, il avait été pour beaucoup dans la décision de la Fraternité de conquérir le Canada.

Michael Murphy acheta l'auberge de Buffalo, fit de mauvaises affaires jusqu'à son décès dû à la tuberculose, en février 1868, à l'âge de quarante-deux ans. Jamais plus il ne se mêlerait de révolution.

Chapitre 21

Contrairement à l'usage établi entre eux, le diplomate demanda à David de le rencontrer dans sa grande maison de la 4ᵉ Rue Ouest. Malgré l'imprudence de la suggestion, l'agent se retrouva dans l'élégante bibliothèque, devant un verre de porto qu'il ne toucherait pas. Le récit du dernier congrès occupa une demi-heure entière.

— Maintenant, vous bénéficiez d'un espion très bien placé, conclut-il. Le Caron agira comme inspecteur de l'armée républicaine irlandaise. Je me demande encore où il a pris la curieuse idée de se faire passer pour un Français.

— Quand il s'est enrôlé dans l'armée de l'Union, l'antipathie pour tout ce qui venait du Royaume-Uni avait monté d'un cran. Comme il avait séjourné quelque temps en France, dans une maison de commerce, cela lui a semblé plus simple d'utiliser l'identité d'un Français. Impossible d'en changer ensuite.

— Comme votre effectif au sein de la Fraternité augmente, je suppose que vous en êtes à remettre en cause mon utilité. Un homme auprès du secrétaire à la guerre, un autre auprès du secrétaire aux finances...

David avait préféré aborder le sujet d'entrée de jeu, plutôt que d'apprendre de façon inopinée que ses services n'étaient plus requis. Avec deux personnes à charge, mieux valait éviter ce genre de mauvaise surprise.

Le consul, depuis leur première rencontre près de dix-huit mois plus tôt, avait quelque peu perdu de sa superbe. Sa barbe demeurait aussi fournie, sa bedaine aussi rebondie, mais toute jovialité s'était envolée. Il admit, après avoir fait tourner un peu de porto dans sa bouche :

— Cartier m'avait averti qu'il vous ferait une offre d'emploi. Il m'a dit aussi que vous aviez refusé parce que vous vous considériez comme en mission auprès de moi. Je vous remercie de cette fidélité. Le ministre pense que la fédération canadienne doit voir le jour avec certains attributs d'un État, y compris un service de sécurité compétent. Mais si nous convenons de nous séparer, comment pourriez-vous conserver d'aussi bons rapports avec la Fraternité ? Les services que vous rendez aux féniens, sur le plan des relations publiques, prendraient fin sous d'autres cieux. Pourtant, c'est justement ce rôle qui fait de vous un informateur précieux.

— Je pourrais avoir des motifs personnels de quitter New York, qui ne remettraient pas en cause mes rapports avec l'association. Je ne vois pas pourquoi on m'en tiendrait rigueur.

— Tout de même, à des centaines de milles de distance, seriez-vous encore au courant de tout ? Vos liens avec Donovan favorisent les confidences.

Ces paroles surprenaient un peu David. Depuis qu'il lui avait dit de se tenir loin de sa fille, l'agent s'attendait à la fin de ses rapports avec le consul.

— Donc, vous ne comptez pas vous passer de mes services dans un futur proche, remarqua-t-il.

— Non, d'autant plus que les hommes que j'ai chez les féniens ne sont pas tous aussi utiles que vous. Le Caron n'a pas encore eu le temps de faire ses preuves. Quant à Rudolph Fitzwilliam, l'assistant du secrétaire aux finances auquel vous venez de faire allusion, il n'a pas fait que vendre des informations au gouvernement britannique. Il a aussi tripoté dans les comptes de la Fraternité. Nous devons l'aider à disparaître, car il craint que ses malversations ne soient découvertes.

Cet homme s'était placé dans une situation dangereuse, dont il demandait maintenant qu'on le sorte. Le diplomate continuait :

— Vous devez m'aider. Fitzwilliam menace de confesser ses activités d'espionnage à son employeur, dans l'espoir de se faire pardonner ses indélicatesses !

— Pour ses deux crimes, il pourrait bien finir au fond du fleuve, avec une lourde pierre autour du cou, remarqua l'agent un peu amusé de tant de sottise.

— S'il avoue, cela va déclencher une enquête au sein de la Fraternité, car ils voudront savoir s'il y a d'autres membres à mon emploi. Vous-même pourriez être en danger.

Devlin hocha la tête. Dans sa situation, l'imprudence des autres pouvait lui coûter cher.

— Quelle jolie perspective vous me présentez là. Bien sûr, Donovan, en tant que secrétaire aux affaires intérieures, mettrait ses sbires aux trousses de tous les officiers supérieurs de l'association, et les personnes qui gravitent autour d'eux... moi y compris !

Il y eut une pause assez longue avant que le consul Archibald ne revienne à la charge :

— Vous allez m'aider à sortir ce Fitzwilliam du merdier où il s'est placé ?

— Je n'ai pas vraiment le choix, puisque ma propre sécurité est liée à la sienne. Vous possédez les moyens de le faire disparaître ? Définitivement, je veux dire.

— ... Voyons, ces choses ne se font pas !

Le diplomate avait eu une hésitation. Il faisait métier d'espion en gentleman. David l'avait pratiqué en territoire ennemi, en temps de guerre. Ses scrupules s'avéraient moins grands.

— Je suppose que je dois m'en réjouir, pour ma propre sécurité quand vous n'aurez plus besoin de moi. Il ne reste qu'une solution : le faire passer pour mort et l'expédier le plus loin possible. Choisissez un endroit où il n'y a pas d'Irlandais. Où personne ne pourra le reconnaître.

— Je vous laisse réfléchir à la façon de procéder, je vais penser à la destination où nous pourrions l'expédier.

Depuis le début de la conversation, le consul avait vidé trois verres de porto et s'en était versé un quatrième. Tout témoignait de l'homme désireux d'en venir à un sujet délicat. David lui avait déjà tendu une perche pour lui donner une occasion de mettre fin à leurs relations. Plutôt que de la saisir, Archibald lui proposait de chercher un moyen de se défaire d'un autre collaborateur. Après avoir avalé la meilleure part de son verre, le diplomate se résolut à dire :

— Je voulais vous annoncer le retour à New York de ma fille Édith…

Une surprise totale se peignit sur le visage de David. Pourquoi le consul jugeait-il bon de lui en parler ? Pour le prier de garder ses distances, sans doute.

— Je m'en réjouis pour vous, finit-il par articuler d'une voix neutre. Si ce retour vous fait plaisir…

— Il me procure le plus grand plaisir !

Archibald s'était animé. Comme seul le premier pas coûtait, il enchaîna :

— Je me demandais si vous accepteriez qu'elle reprenne son rôle d'agent de liaison.

— … Je ne vois pas pourquoi je m'y opposerais.

Le jeune homme respira profondément, afin de s'assurer de maîtriser ses émotions.

— Cependant, le scénario devrait être profondément modifié, expliqua-t-il. Nos rencontres à Central Park avaient attiré l'attention de membres de la Fraternité. Le grand nombre d'Irlandais dans cette ville m'amène à croiser tous les jours une connaissance.

Très visiblement, Archibald semblait soulagé de cette réponse. David s'imagina que son vis-à-vis se trouvait heureux qu'un motif de sécurité rende impossible tout tête-à-tête entre les deux jeunes gens. Aussi la suite le laissa un instant bouche bée :

— Si jamais votre inclination pour ma fille demeurait la même qu'autrefois, je ne m'y opposerais pas.

— …

— Elle m'a assuré, de son côté, que rien n'avait changé, ajouta le vieil homme à la hâte.

L'agent ne dit rien d'abord, tant la surprise lui coupait les moyens. Ensuite, il préféra attendre que le flot d'émotions qui l'assaillaient se retire un peu. Dans son esprit, les visages d'Édith et de Eithne se succédaient, se superposaient même. La dernière s'était donnée à lui sans réserve, sans arrière-pensée, elle espérait son retour dans un petit appartement de la rue Saint-Denis.

L'homme qui avait affirmé sans nuance qu'il ne consentirait jamais à une mésalliance pour sa fille paraissait aujourd'hui prêt à subir cette indignité. Comme s'il s'adressait à un domestique, lui disant tantôt de se mettre ici, tantôt de se mettre là.

— À cet égard, je vais vous rassurer tout de suite, dit-il. La dernière fois que vous avez abordé cette question avec moi, vous avez été limpide : vous ne permettiez pas à votre héritière de déchoir en s'acoquinant avec moi. Cela se passait il y a un peu plus d'un an. Depuis, j'ai rencontré une femme et me suis lié à elle. Si j'ai bien compris ce que vous me disiez alors, cette jeune personne s'avère le meilleur parti pour moi. Voyez-vous, elle est catholique, irlandaise et pauvre. Aucun risque de mésalliance !

Sur sa droite, derrière un paravent de soie, David crut entendre une voix étouffée. Quelqu'un écoutait. Les confidences d'Édith lui revinrent en mémoire : elle se tenait parfois dans une pièce attenante afin de suivre les conversations de son père avec des informateurs. Le jeune homme regretta un instant son ton acerbe, se réjouit ensuite que ses mots aient clarifié sans appel une situation délicate.

Le diplomate jeta lui aussi un regard préoccupé du côté du paravent, puis se versa un autre verre. Il ne quitterait pas son siège avant d'avoir bu la dernière goutte de la bouteille, finissant même par vider le verre que son visiteur n'avait pas touché.

— Je vois. Je suis désolé de vous avoir blessé, l'an passé. Même si elle a eu de la difficulté à le croire, j'ai fait cela pour le bien de ma fille. Comme aujourd'hui, je suis revenu sur le sujet pour lui faire plaisir. Je n'ai jamais pensé à mal.

Ces mots s'adressaient à la personne placée près d'un passe-plat, dans la pièce voisine. S'ils pouvaient procurer un soulagement à la jeune femme, David y entendait une nouvelle rebuffade. Archibald avait consenti à cette ouverture pour faire plaisir à sa fille, pas parce qu'il voyait en lui un prétendant respectable. L'agent déclara, après quelques instants d'un silence oppressant :

— Si vous n'avez plus rien à me dire, je vais vous quitter tout de suite. Ces derniers temps, j'ai négligé mon travail de journaliste. Je réfléchirai à votre problème avec Fitzwilliam. Je suppose qu'une disparition pourrait être concoctée sans trop de mal.

— Oui, oui, bien sûr, répondit Archibald en faisant mine de se lever.

— Ce n'est pas nécessaire de me reconduire, je connais le chemin.

Sans demander son reste, il sortit.

◁━

« Tante Ambruster rencontrera Quentin dans Battery Park à dix heures, vendredi prochain. » L'entrefilet dans le *Tribune* était une invitation. Assise sur un banc face à la mer, Édith ressentait de nouveau le besoin de tirer les choses au clair avec lui.

Cette fois, aucune chance que la rencontre se solde par un baiser brûlant. En lui serrant la main, David constata avec soulagement qu'elle présentait un visage à la fois triste et serein : une crise de larmes dans un endroit public ne lui disait rien.

— Je suis désolé, pour l'autre jour. Si j'avais su que vous entendiez, je me serais retenu d'utiliser ce ton, commença-t-il.

— Cela m'apprendra à ne plus écouter les conversations, répondit-elle. Mon père devait aborder ce sujet à ma demande. Il pense le plus grand bien de vous.

Assis près de la jeune femme, au point d'écraser un peu sa crinoline qui occupait presque tout le banc, il risqua après une hésitation :

— Mais je n'en ai jamais douté, à condition que je reste à ma place. Il doit d'ailleurs traiter plutôt bien ses domestiques.

Après une pause plus longue encore, il reprit :

— Quittons ce sujet. Vous êtes revenue à New York depuis longtemps ?

— Un mois.

Elle avait eu envie de protester, mais son compagnon avait raison. Rien ne changerait le regard que le consul portait sur la société, les inégalités entre les êtres.

— J'ai des difficultés de jeune fille riche, condamnée à vivre avec mes parents jusqu'au mariage. Je peux choisir l'un ou l'autre, mais je déteste les deux. Comme le jour de mon hyménée risque de ne pas se produire, j'ai le choix entre une mère qui cherchera pendant des décennies à me faire voir tous les célibataires de Londres et d'Édimbourg, et un père qui, sans doute pour me garder près de lui toute sa vie, s'est arrangé pour que l'homme que j'aime ne veuille plus de moi!

David changea de place sur le banc, mal à l'aise, jusqu'à ce que la jeune femme lui adresse un demi-sourire. Elle poursuivit :

— Aujourd'hui, il peut profiter de ma présence, car je ne supporte pas ma mère. Pour son confort et pour le mien, le mieux serait de posséder mon propre appartement.

— Si vous rencontrez quelqu'un…

— Surtout, ne me dites pas cela. J'ai déjà une marieuse sur le dos. Puis, pardonnez ma franchise, mais cela ne vous regarde pas. Je n'ai pas envie de me consoler avec quelqu'un et vous êtes le dernier sur terre à être autorisé à aborder ce sujet!

À ces mots, David cligna des yeux, se passionna soudain pour la manœuvre d'amarrage d'un vapeur à une centaine de verges de là. Eithne lui servait-elle de prix de consolation, après qu'il eut été rejeté par le père de la petite fille riche? Cela se pouvait bien. En tout cas, assis près d'elle, le jeune homme constatait que la magie opérait toujours, son infatuation demeurait intacte.

Eithne ne souffrirait toutefois pas de la situation. Engagé auprès d'elle, il s'en tiendrait à ses promesses. À cet instant précis, David résolut de régulariser au plus vite sa relation par une petite cérémonie discrète.

— Mais pour vous, reprit sa compagne, le hasard a bien fait les choses : une personne s'est trouvée sur votre chemin.

— Oui. Cela a pris une tournure plus sérieuse au début de l'été dernier.

— Elle habite avec vous à New York ?

C'était évoquer une situation plutôt scabreuse. David ne portait aucune alliance.

— Elle habite Montréal. Et le concubinage n'est pas son genre. Je devrais l'épouser d'ici quelques semaines.

Voilà, c'était dit. Le jour même il enverrait une lettre à Montréal. Édith retint son souffle avant de laisser échapper un long soupir. La chirurgie, faite à froid, se terminait, la cicatrisation commençait.

— Vous avez évoqué la fin de vos relations avec mon père. Vous voulez rentrer dans votre pays ?

— Je ne suis pas décidé. J'aime le journalisme, je suis en mesure de bien en vivre à New York. Ou je déménagerai, ou ma femme viendra ici…

L'affirmation servait à creuser la distance entre eux, à rendre impossible tout changement d'attitude.

— Je présumais que votre père préférerait compter sur un espion britannique, plutôt que sur quelqu'un qui se définit volontiers comme Irlandais, Canadien français, même Américain, mais jamais comme Anglais ou Écossais. Vous avez entendu Le Caron parler français ?

La jeune femme eut un sourire amusé, le premier vraiment sincère depuis le début de leur conversation.

— Son accent nous semble tout à fait acceptable.

— Cela prouve simplement que vous ne devez pas entendre très souvent des Français.

— Je vous fais confiance à cet égard. Espérons qu'il sera prudent et que personne chez les féniens n'a une meilleure oreille que nous. Vous vous êtes cependant trompé en ce qui concerne l'origine de son accent. Vous indiquiez le nord de l'Angleterre. Il est né à Colchester, près de Londres. Son véritable nom est Thomas Miller Beach.

Le sujet faisait une heureuse diversion, après l'échange précédent.

— Vous m'en dites beaucoup. Cela n'est pas très prudent. Si jamais j'étais pris et torturé…

— Oh !

Elle avait porté sa main gantée jusqu'à sa bouche.

— Je suis désolée. Je ne commets jamais ce genre d'imprudence.

Devant sa mine contrite, David préféra la croire et ne pas insister. Il espérait que sa propre identité n'avait jamais été évoquée face à un tiers. Rudolph Fitzwilliam voulait justement se mettre à table ! Mieux valait trouver au plus vite une solution à ce problème.

— Désirez-vous vraiment servir encore d'agent de liaison ?

— Quand mon père vous a proposé la chose, il imaginait que nos relations reprendraient là où elles s'étaient arrêtées. Je lui avais pourtant dit que ce ne serait pas aussi simple.

La jeune femme s'arrêta, songeuse.

— Cependant, vous avez évoqué un problème de sécurité.

— Nous avons été remarqués par des féniens à Central Park.

— Je croyais que dans la foule…

Elle regarda autour d'eux, chercha dans les promeneurs des personnes susceptibles de les surveiller.

— Les Irlandais comptent pour le quart de la population de la ville, remarqua son compagnon. La moitié sont des domestiques, des garçons de café, des cochers… Tous ceux d'entre eux qui fréquentent la Fraternité me connaissent.

— Alors dans ce cas…

— Nous pouvons nous voir dans des endroits différents, d'une fois à l'autre, là où les Irlandais sont moins susceptibles de se trouver. Pensez aux restaurants français, en particulier le *Delmonico's*, aux salons de thé des dames de la bonne société. Comme ce sera à vos frais, nous irons où il vous plaira.

L'allusion au coût de ces sorties amena la jeune femme à se mordre la lèvre inférieure. Bien sûr, un an plus tôt elle ne s'était jamais préoccupée du prix de certaines de leurs escapades.

— J'aimerais vous revoir, murmura-t-elle après une hésitation, comme agent de liaison, évidemment. Que suggérez-vous ?

— Le *Delmonico's*, pour le lunch, vendredi prochain. Je ferai les réservations. J'y suis allé suffisamment souvent avec votre père pour être connu des serveurs. J'arrangerai le tout avec un garçon français qui ne s'imagine même pas qu'il existe quelque chose comme une Fraternité fénienne. D'ici là, je réfléchirai à la disparition de l'informateur indiscret. Il m'inquiète un peu, celui-là.

Quelques minutes plus tard, ils se quittaient sur une poignée de main, tous les deux le regard un peu humide.

~

— Tu peux m'en dire un peu plus sur Rudolph Fitzwilliam ?

David avait pris Donovan à part, dans un coin de l'appartement de la 32ᵉ Rue. L'avocat sortait tout juste d'une réunion du sénat.

— L'assistant de Campbell ? Pourquoi ?

— Un doute. Probablement rien de grave. Si j'en apprends un peu plus, je suppose que je me rendrai compte tout de suite que je m'en suis fait pour rien.

— Que veux-tu savoir ?

L'avocat ne dissimulait pas son inquiétude devant la tournure de la conversation.

— Où habite-t-il ?

— Plus haut, vers le nord. À l'extrémité de Central Park, il y a de nouveaux quartiers résidentiels.

— Il vit seul ?

— Il est marié, avec deux ou trois enfants. Mais pourquoi veux-tu savoir tout cela ?

David secoua la tête, résolu à ne rien dire encore.

— Je t'expliquerai, promis. Il est riche ?

— Je ne crois pas. Il a perdu à la Bourse. Il s'imagine devenir un jour un magnat de la finance, aussi place-t-il de l'argent dans toutes les aventures les plus folles. Il s'est même enthousiasmé pour une idée ridicule, récemment : un train souterrain pour transporter du courrier d'un quartier à l'autre de la ville. Il a voulu me convaincre d'investir mille dollars là-dedans, affirmant y consacrer la même somme.

L'idée paraissait si absurde, comme si on pouvait établir des communications souterraines.

— Mais maintenant, tu me dis ce qui se passe ?

Le ton devenait abrasif, Donovan n'accepterait pas une réponse vague. David mima l'homme hésitant, un peu honteux d'espionner ses semblables.

— Je l'ai rencontré à Brooklyn hier, avec à son bras une demoiselle assez jeune pour être sa fille, très bien mise. Curieux, je les ai suivis. La donzelle habite un bel appartement, porte des vêtements plus chers que ceux que je peux offrir à Eithne.

— Une parente riche ? Une cousine ?

— Un homme n'embrasse pas une cousine de cette façon !

L'avocat eut un sourire amusé tout d'un coup.

— Le vieux s'est trouvé une poulette à entretenir, dit-il. Cela peut arriver aux meilleurs d'entre nous, tu sais. Vertueux comme toi, cela ne se voit pas souvent.

— À combien se chiffre son revenu ? Dix-huit cents par an ?

— Je dirais plutôt quinze cents.

Puis le professionnel s'absorba dans ses pensées avant de bredouiller :

— Où veux-tu en venir ?

— Dans le cadre de son travail, il reçoit les cotisations des différents cercles. Juste en empochant celles d'un seul d'entre eux, celui de Cleveland, ou même de Malone, il aurait de quoi payer le nid d'amour de sa dulcinée. Avec les deux, il pourrait mettre de l'argent dans des projets farfelus.

— Ah ! Le salaud ! Je vais en avoir le cœur net.

Son compagnon semblait sur le point de descendre immédiatement au bureau du comptable pour l'étrangler. David protesta tout de suite :

— Non, non ! Je n'ai aucune preuve. Je ne veux pas lui nuire. Essaie simplement de vérifier, sans qu'il ne soupçonne rien, si toutes ses additions et ses soustractions se balancent.

Donovan hocha la tête. Dans sa position, ordonner une petite enquête discrète ne faisait pas problème.

—Quant à moi, je garderai un œil sur lui. Si tu constates que tout est en ordre, et de mon côté je m'aperçois qu'il tire son revenu d'une source légitime, nous nous réjouirons de ne pas avoir fait de vague. Il peut avoir trouvé un investissement rentable. Cela arrive parfois, dans cette ville.

❦

Finalement, Donovan s'était laissé convaincre de demander à Campbell d'effectuer cette vérification discrète. Avec un peu de chance, le comptable ne se douterait de rien. David, de son côté, avait vraiment aperçu Fitzwilliam avec une jolie jeune femme à son bras. Mais cela ne devait rien au hasard.

À trois reprises, discrètement il s'était attaché aux pas de l'homme d'âge mûr. Si les deux premiers jours sa cible était allée directement au domicile conjugal, lors du troisième après-midi, à une heure étonnamment précoce, le comptable s'était dirigé vers les quais pour prendre le traversier jusqu'à Brooklyn. À peine débarqué, il avait placé un baiser goulu sur la bouche de son impérieux besoin d'argent : une blonde toute rose de vingt ans, avec des parents allemands sans doute. Son prénom, Ingrid, donnait un indice à cet égard. À en juger par ses rondeurs appétissantes, elle devait être gourmande. Peut-être entretenait-elle un gigolo elle aussi, puisque Fitzwilliam devait à la fois piger dans les fonds de la Fraternité et manger au râtelier du consul Archibald.

❧

Le garçon, un jeune Nantais immigré aux États-Unis depuis moins d'un an, lui avait réservé un minuscule salon aux murs tendus de soie au *Delmonico's*. En voyant Édith dans des vêtements qui suaient l'argent, il se découvrit une admiration jalouse pour David. En se rendant compte que la femme paierait le repas, le serveur voudrait lui élever un autel et lui rendre un culte.

Devant un large plat de fruits de mer, après un échange de civilités qui rappelait les jours meilleurs où ils se languissaient l'un de l'autre, David baissa la voix pour demander :

— Votre père a-t-il des relations dans la police, ou mieux encore, auprès des services de santé de la ville ?

— Je suppose que oui. Dans le cadre de son travail, il entre en relation avec une multitude de New-Yorkais. Parmi eux, il se trouve certainement des fonctionnaires municipaux et des médecins. Pourquoi ?

— Je m'excuse d'aborder ce sujet devant un si bon repas. J'aurais besoin d'un cadavre.

La jeune femme posa sa fourchette, porta sa serviette à sa bouche avant de demander, soudainement un peu plus pâle :

— Un cadavre ?

— Oui. Pour jouer le rôle de Fitzwilliam. Même grandeur, même âge, même couleur de cheveux. Juste assez ressemblant pour passer pour lui, en n'y regardant pas de trop près.

— Je ne vous suis pas du tout.

En réalité, le visage de la jeune femme exprimait une perplexité plutôt inquiète.

— Ce Fitzwilliam veut disparaître. S'il se sauve, les féniens le chercheront jusqu'au bout du monde. Surtout, ils multiplieront les mesures pour se parer contre les confidences qu'il aurait faites, ou pourrait encore faire. Cela pourrait rendre caduques les informations que moi ou Le Caron avons amassées. Bien plus, sa fuite les inciterait à fouiller le passé de tous ceux qui tournent autour des officiers de l'organisation. Pour constater que ni moi ni Le Caron, par exemple, ne sommes nés là où nous le prétendons. Mais s'il meurt, ces précautions deviendront inutiles. Surtout, son assassin n'éveillerait aucun soupçon.

— Vous voulez dire que…

— Que je jouerai le rôle de l'exécuteur.

Cette fois, elle n'avalerait plus une bouchée. Troublée au plus haut point, elle demanda après une pause :

— Devant mon père, vous avez fait référence à une élimination pure et simple.

— … Dont je ne me serais pas chargé, croyez-moi. Mais il existe un état de guerre entre le Royaume-Uni et la Fraternité. Fitzwilliam peut me faire tuer. Je prends cela au sérieux. Dans la sécurité de sa bibliothèque, avec son passeport diplomatique en plus, votre père ne veut pas de la justice expéditive des champs de bataille. Dans ces circonstances, je désire mettre en scène l'exécution d'un traître.

— … Je vais voir avec mon père. Que vous soyez le seul professionnel parmi une bande d'amateurs fait peser une grande menace sur votre tête.

À cela, David ne pouvait répondre que par un sourire. Ils essayèrent de ramener la conversation sur des sujets anodins, sans succès. Une heure plus tard, ils allaient chacun leur chemin, après être sortis du restaurant à quelques minutes d'intervalle. Le repas à demi consommé conforta le serveur dans sa conviction qu'ils avaient eu bien mieux à faire que manger, pendant ce tête-à-tête.

Chapitre 22

Le fiacre se trouvait du côté pair de la 4e Rue Ouest. David désigna à son compagnon le numéro 161, à peu de distance en diagonale.

— Tu sais ce qu'il y a là ?

— Bien sûr, le consulat de Grande-Bretagne ! Tu m'as arraché de mon bureau pour cela ? Je recevais un client, cet après-midi.

Donovan n'essayait pas de dissimuler sa mauvaise humeur, bien au contraire.

— Je veux te montrer quelque chose. Tu as demandé à Campbell de vérifier si notre ami Fitzwilliam effectuait des additions justes ?

L'autre esquissa une grimace avant de répondre, le visage défait :

— J'attendais une occasion de t'en parler, justement. Le secrétaire aux Finances se méfiait déjà de lui. Un petit examen des registres a suffi. J'ai eu un mal de chien à le convaincre de ne pas le chasser sur-le-champ.

— Je suppose que Campbell tenait d'autant plus à sévir qu'il a sans doute recruté lui-même Fitzwilliam ?

— Bien sûr. Il a défendu son embauche au conseil !

David s'efforçait de ne pas sourire. En fait, trois des quatre secrétaires de la Fraternité traînaient un espion accroché à leurs basques. Cela devait être unique dans l'histoire de la guerre secrète.

— J'espère que tu n'as pas ébruité cela ! Notre oiseau se sauverait dans la nature. Le voilà !

De l'autre côté de la rue, un fiacre venait de s'arrêter devant le consulat. Sans ménagement, David prit Donovan par le cou, approcha sa tête de l'ouverture fermée d'une vitre dans la portière, afin qu'il ne rate rien de la scène. Un petit bonhomme affublé d'une veste à carreaux voyante était descendu de la voiture pour aller agiter le heurtoir sur la porte du 161 : Fitzwilliam !

— Jésus-Christ ! maugréa Donovan entre ses dents. Un traître ! Je lui règle son compte.

L'avocat faisait mine d'ouvrir la portière du fiacre. David le saisit par les épaules, le força à s'asseoir au fond de la banquette. Il frappa sur le toit de la voiture pour signaler au cocher de se mettre en route. Une nouvelle fois, son compagnon se rebella, réclama de descendre.

— Veux-tu bien te tenir tranquille, à la fin ! Que vas-tu tenter ? Entrer dans le consulat pour lui casser la gueule ? Ou encore mieux, l'étrangler ? Penses-tu vraiment que cela améliorera la situation de la Fraternité ?

L'autre prit quelques grandes inspirations, se calma un peu. La moitié du trajet vers la 32ᵉ Rue était franchi quand il retrouva suffisamment ses esprits pour demander :

— Comment l'as-tu appris ?

— Comme je te l'ai expliqué, je le suivais après le travail, parce que j'avais assisté par hasard à ses retrouvailles avec sa maîtresse. Je pensais trouver une explication à son niveau de vie un peu trop confortable, compte tenu de ses revenus. Tu affirmes qu'il se sert dans la caisse. De mon côté, je l'ai aperçu ici il y a quinze jours. Pour trahir, il devait venir régulièrement. La semaine suivante, je l'ai revu.

Les choses ne s'étaient pas passées de cette façon. David avait demandé au consul Archibald de convoquer son informateur, juste pour que Donovan puisse assister à son arrivée. Cela devait constituer le premier acte de la petite mise en scène entourant cette disparition. Avant de le jouer, il avait fallu attendre que la présence d'un cadavre convenable soit signalée dans un hôpital.

Depuis la veille, il s'en trouvait un sur la glace, à la morgue de l'asile Bellevue.

— Tu viens avec moi chez Roberts, décréta l'avocat. Il doit encore hanter nos bureaux.

Une heure plus tard, les deux amis se trouvaient en présence de leur chef. Celui-ci occupait une grande pièce meublée avec goût. Patiemment, il écouta les explications un peu désordonnées de l'avocat, tellement que David devait rectifier certains faits, pour leur redonner une cohérence. À la fin, le grand patron se tourna pour lui dire :

— Bravo, monsieur Devlin ! Votre sens de l'observation nous permettra de faire taire ce traître. Maintenant, si vous voulez bien sortir, nous allons discuter de ce qu'il convient de faire.

L'invitation, un peu cavalière, indiquait qu'on ne lui faisait pas absolument confiance.

— Auparavant, j'aimerais vous donner mon point de vue sur le sujet.

— Cette histoire relève du sénat…

Visiblement agacé, Roberts finit tout de même par céder :

— Qu'avez-vous à dire ?

— Trois individus partagent un secret. Avec le sénat, vous en ajouterez quinze de plus. Dans une semaine, aucun soldat, aucun caporal dans le plus reculé des cercles n'ignorera que le Royaume-Uni plaçait un espion auprès du secrétaire aux finances. S'il y en avait un, peut-être en reste-t-il dix! Quel effet cela aura-t-il sur le moral des troupes?

— Personne ne répétera rien. Nos délibérations demeurent secrètes.

— Jusqu'à aujourd'hui, vous m'auriez dit avec la même assurance que les militants qui travaillent dans vos bureaux sont fiables. Quand dix-huit personnes connaissent une information, elle est publique, ne vous en déplaise.

Le président et Donovan échangèrent un long regard. À la fin, l'avocat demanda:

— Qu'est-ce que tu as en tête?

— Nous sommes trois à savoir qu'un espion se trouvait dans les quartiers généraux de la Fraternité. Restons-en là. Si la nouvelle se répand, cela indiquera que l'un de nous se révèle trop bavard. Je vais m'occuper de Fitzwilliam.

La proposition étonna les deux autres. Il revint à l'avocat de demander encore:

— Qu'est-ce que cela signifie?

— Faire en sorte de vous protéger de ses indiscrétions. Ne me posez aucune question, comme cela vous n'en saurez pas trop. Tout ce que vous avez à me dire, c'est oui. Je vais vous quitter, j'attendrai votre réponse dans la bibliothèque.

Sans un mot de plus, David se retira, laissant les autres ahuris. Pendant de longues minutes, il dut faire semblant de s'absorber dans la lecture du *Tribune*. Quand Donovan vint le rejoindre, il acquiesça de la tête. Puis il dit tout bas:

— Si je peux faire quelque chose…

— Chut! siffla David. Tu ne sauras rien. Si je suis pris, ne viens pas m'offrir tes services comme avocat.

Sur ces derniers mots, le journaliste lui adressa un clin d'œil, accompagné d'un demi-sourire, puis quitta les lieux.

À vingt et une heures, la 111e Rue déserte était plongée dans l'obscurité de ce début d'octobre. Puis un gamin apparut du côté sud, un domestique de retour d'une expédition illicite. Un gaillard, une casquette sur la tête, le visage noirci de charbon, s'approcha de lui.

— Garçon, murmura-t-il avec un lourd accent écossais, tu veux gagner dix cents rapidement ?

— Cela dépend de la façon, répondit le gamin avec méfiance, tenant ses distances.

— Rien de difficile. Tu vas porter un message à la maison là-bas. Je te donne cinq cents tout de suite, le reste après la livraison.

L'autre hésita, puis demanda :

— Montrez les cinq cents d'abord.

L'ouvrier fit voler une pièce à la lueur du réverbère, que le jeune garçon attrapa, puis tendit un morceau de papier. Quand le garçon en prit un bout, il le retint, le temps de dire :

— Tu le remets à Rudolph Fitzwilliam, personne d'autre.

Trois ou quatre minutes plus tard, l'autre revenait chercher son dû.

— Tu l'as donné à ce type ?

— Un petit vieux, les cheveux gris, pas de barbe ni de moustache.

— File ! grommela l'ouvrier en lançant une autre pièce de cinq cents.

Le garçon détala comme un lapin, alors que l'homme s'éloignait de son côté en évitant de se trouver dans la lumière des réverbères.

Vers minuit, un petit homme se pressait en direction de l'extrémité nord de Central Park, regardant autour de lui nerveusement. À cette heure, il était facile d'oublier la ville environnante pour s'imaginer perdu en pleine forêt. Pourtant, l'allée qui longeait le lac Harlem ne se trouvait pas à plus de cinq cents verges de la 110ᵉ Rue. L'individu la suivit vers le sud, jusqu'à un petit pont long de quelques verges, qui enjambait le plan d'eau. Il sursauta à un bruit sur sa gauche, fit mine de sortir un revolver de poche, suspendit ce geste en entendant :

— Fitzwilliam, venez ici. Nous n'avons pas de temps à perdre.

Dans un buisson épais, deux hommes le reçurent en lui ordonnant de se dévêtir très vite. Quand le petit comptable ne porta plus qu'un long sous-vêtement, ils lui jetèrent de quoi se couvrir, puis s'escrimèrent à mettre ses habits sur un corps inerte, raide.

— Vous pouvez continuer seul ? s'enquit Le Caron.

— Oui, c'est ce qui a été convenu.

— J'ai été surpris de vous trouver de mon côté du champ de bataille.

— Je ne peux en dire autant… attention à votre accent. Vous savez que notre discrétion réciproque demeure notre meilleure garantie de sécurité.

L'autre opina, un peu vexé tout de même de voir sa maîtrise du français mise en doute.

— Je comprends très bien, ne craignez rien.

Malgré cette assurance, David restait un peu inquiet. Trop de personnes partageaient le secret de cette mise en scène macabre. Le Caron expédierait Fitzwilliam sous des cieux lointains, en Afrique du Sud. Là-bas, l'informateur risquait peu de rencontrer des Irlandais.

Une fois les deux autres partis, David récupéra un fusil de calibre douze à deux canons juxtaposés, sciés à la longueur de quinze pouces à peine. La suite ne serait pas une mince affaire.

— Désolé, camarade, merci pour le coup de pouce. Cela ne te fera pas de mal !

Le cadavre avait été abandonné à l'asile Bellevue, un établissement charitable le long de la East River. C'était celui d'un immigrant mort deux jours après son passage à Castle Garden. Son histoire chemina d'une oreille à l'autre jusqu'à un fonctionnaire du service sanitaire. Le macchabée devait servir aux cours d'anatomie, le directeur de l'institution se vit prié de le mettre au frais. Au cours de l'après-midi, la dépouille avait été réclamée par une obscure entreprise de pompes funèbres.

À une heure du matin, David essayait de redresser un peu le corps en l'appuyant contre une branche, sur la rive du petit étang, large de dix pieds à peine à cet endroit. Il fallait donner l'impression que l'homme avait été atteint en plein visage, que le choc l'avait projeté dans l'eau. Pour cela, il fallait se mettre à un peu moins de six pieds et tirer les deux coups simultanément. À cette distance, la double volée de chevrotines couvrait un diamètre de douze pouces tout au plus.

Une longue flamme sortit des canons alors que le recul de la crosse frappait l'épaule de David brutalement. L'arme fut jetée dans l'étang, juste sous le petit pont. Le résultat du coup de feu correspondait à ses attentes. Le visage n'était plus qu'une pulpe rougeâtre. Personne ne pourrait reconnaître ni Fitzwilliam ni l'immigrant. Le coroner expliquerait l'absence de sang en disant que le cadavre, immergé, s'était vidé sans laisser de traces. L'agent secret s'arc-bouta en essayant de se salir le moins possible — tout de même, son paletot serait abandonné dans une poubelle puante —, projeta le corps dans l'eau, de façon à ce que le mort regarde vers le fond.

Puis il quitta les lieux au pas de course, frissonnant de froid. Dans cette partie de la ville, en pleine nuit, la chance lui sourit : personne n'avait entendu la détonation. À la hauteur de la 80ᵉ Rue, il se risqua à héler un fiacre, descendit sur Broadway et franchit le reste de la distance à pied. Avec un peu de veine, le cocher ne se souviendrait pas de son visage.

~

— Vous êtes certain qu'il s'agit de votre père ?

Un jeune homme de dix-huit ou dix-neuf ans se tenait près de l'étang Harlem. Des policiers avaient tiré le corps sur la berge.

— Ce sont ses vêtements. Vous m'avez montré son portefeuille. Pour le reste…

Sur les derniers mots, il se précipita à l'écart pour vomir dans des buissons. Quand il se retourna, une traînée brunâtre allait de sa bouche à son menton. Le lieutenant de police chercha dans sa poche un mouchoir, le lui tendit.

— Je comprends, mais la grandeur, le poids ?

— C'est bien lui.

— Vous disiez qu'il était sorti hier vers vingt-trois heures trente ? Était-ce son habitude, aussi tard ?

— Non. Des fois, il ne rentrait pas du tout à cause de son travail. Mais rendu à la maison, il ne bougeait plus.

Le fils mentait un peu, pour protéger la mémoire de son père. Les absences de celui-ci se multipliaient, ces derniers temps.

— Nous avons trouvé cela dans sa poche. Vous savez comment c'est arrivé ?

Un morceau de papier aboutit sous les yeux du jeune homme. Le message, écrit en lettres carrées tracées d'une main hésitante, demeurait lisible : « Ce soir à 12 :00, près du pont sur l'étang Harlem. »

— Un garçon a apporté un mot au milieu de la soirée.

— Vous avez vu votre père sortir ?

— Bien sûr que non. Tout le monde dormait déjà.

— Rien d'autre que je devrais savoir ?

— Je ne vois pas… Je ne comprends pas pourquoi…

Bientôt, des larmes couleraient. L'agent préférait s'éviter ce spectacle.

— Je vous remercie. Je passerai chez vous plus tard pour compléter mon rapport.

Le jeune homme rentra à la maison : désormais chef de famille, il devait planifier des funérailles. Des policiers s'affairaient à placer la dépouille sur une brouette, afin de l'amener jusqu'au fourgon stationné à l'orée du parc. Une personne bien mise, son melon sur le crâne, le nez un peu rouge d'avoir été trop mouché, s'approcha du lieutenant. Ce dernier l'interpella :

— Monsieur Devlin, il est rare que vous vous déplaciez pour un cadavre !

— Je n'ai pas publié grand-chose dernièrement. Alors quand l'un des collaborateurs du *Herald* est venu annoncer la découverte d'un corps défiguré dans Central Park, je suis accouru.

Le collaborateur auquel il faisait allusion était un garnement de dix ans qui gaspillait ses journées au poste de police. Pour quelques sous, il signalait à des journalistes les histoires méritant l'attention de la presse. David demanda :

— Vous pouvez me dire ce qui s'est passé ?

— Trouvé ce matin vers huit heures par des domestiques

venues promener la progéniture de leur patron. Une exécution, un coup de fusil en plein visage.

— Il avait l'air bien vêtu. Pas une vendetta entre truands.

— Il se nommait Rudolph Fitzwilliam. Je parie sur un
règlement de comptes entre révolutionnaires irlandais.
Tenez, si cela se trouve, vous en savez peut-être plus que
moi.

L'autre lui adressa un petit sourire entendu. Il n'ignorait
pas que son interlocuteur publiait souvent dans des journaux
sympathiques à la cause irlandaise.

— Que voulez-vous dire ? interrogea David en levant les
sourcils, perplexe.

— Il travaillait comme comptable de la Fenian
Brotherhood. Sa carte de membre était dans son portefeuille. Cela nous a permis d'aller chercher son fils, pour
l'identification. Comme il habitait à deux pas, j'ai cru plus
simple de lui demander de venir ici, plutôt que de l'obliger
à faire tout le trajet jusqu'à la morgue.

— Mais que voulez-vous dire : j'en saurais peut-être plus
que vous ?

Le journaliste tenait son carnet de la main gauche, le
crayon dans la droite :

— À la lecture de vos articles, on voit que vous connaissez
très bien cette Fraternité. Vous devez en être membre…

— Comme deux cent mille Américains.

— Vous pouvez sans doute m'apprendre si la petite
guerre de factions entre O'Mahony et Roberts peut tourner
assez mal pour laisser des cadavres dans les parcs.

Les soupçons du policier portaient déjà dans cette
direction. Son interlocuteur ne l'encouragerait pas dans
cette voie.

— Ce sera la conclusion de votre enquête ? Attribuer
cela à l'affrontement entre les deux factions ?

David affichait un visage incrédule, comme si cette interprétation des événements demeurait incongrue.

— Je suppose, répondit le policier, qu'avec un peu de chance, on retrouvera le garçon qui a livré le message à la victime, ce qui donnera une description du meurtrier. Ensuite, au mieux, des personnes déclareront avoir entendu un coup de fusil, avoir vu une ombre entrer ou sortir du parc. Cela ne mènera à rien. Je ne sais pas si le capitaine voudra pousser les choses plus loin. Il me dira peut-être de laisser les Irlandais s'entre-tuer pour consacrer mon attention sur les gens qui menacent la quiétude des nantis de notre grande métropole.

— Dans ce cas, si j'apprends quelque chose, je vous le di...

Un éternuement coupa le dernier mot de David. Il sortit du fond de sa poche un mouchoir déjà morveux.

— Dieu vous bénisse. Un mauvais rhume, commenta le lieutenant en lui tournant le dos. Couvrez-vous un peu mieux, en cette saison.

— Je suivrai votre conseil, lança David avant de se moucher.

Quelques minutes plus tard, il sautait dans un fiacre pour aller acheter un nouveau paletot sur Broadway.

❦

John Donovan avait quitté la cour un moment pour venir aux nouvelles. David le rencontrait dans un parc, celui de l'Hôtel-de-Ville.

— Tu peux me dire comment tu as procédé ?

— Moins il y aura de gens au courant, mieux je me sentirai.

— Des secrets bien juteux, j'en entends toute la journée de mes clients. Que s'est-il passé ?

L'avocat ne pouvait réprimer sa curiosité.

— Exactement ce que j'ai écrit dans le journal : un mot porté par un gamin pour lui fixer un rendez-vous dans le parc, une décharge de fusil qu'il n'a pas vu venir.

— Mais pourquoi a-t-il accepté ce rendez-vous en pleine nuit ?

— Qui sait, peut-être a-t-il pensé à un message de sa maîtresse, ou de quelqu'un du consulat. Quand on joue à conspirer, on doit s'attendre à tout.

Son interlocuteur hochait la tête, n'ayant de cesse de poser des questions :

— Et pour les soupçons à notre sujet ? Pourquoi en as-tu parlé dans le journal ?

— Parce que le lieutenant responsable de l'enquête a abordé la question devant moi.

— C'est imprudent. Roberts a angoissé pendant deux jours, craignant de voir des policiers se pointer à nos bureaux.

— Celui-là, peut-être devrait-il se contenter de vendre des dentelles aux femmes riches. Si un détective fait état de ses soupçons devant un journaliste, tu ne penses pas que ce serait bien curieux si ce dernier n'en parlait pas ensuite ?

Donovan ne reçut pas avec la meilleure grâce la remarque sur son mentor au sein de la Fraternité. Après un long silence, il continua :

— Ce n'est pas plus mal. Cette mort fait jaser. Si les membres savent que l'on peut faire justice de cette façon, ils garderont le secret et marcheront droit.

— Pour cela, il faudrait que le lien s'établisse entre son sort et ses petites magouilles.

— Des soupçons circulaient déjà. Ils vont devenir des certitudes. Enfin, merci pour le service que tu nous as rendu.

— Je me demandais si cela viendrait! Je me suis tout de même placé dans une position délicate, avec cette histoire.

Le journaliste avait mis juste ce qu'il fallait de frustration dans sa voix pour que la suite de la conversation paraisse couler de source :

— Penses-tu que la Fraternité aimerait compter sur un émissaire permanent au Canada, à Montréal ?

Donovan le regarda longtemps, intrigué, puis il demanda :

— Tu es sérieux ? Tu crois nécessaire de fuir aussi loin ?

— Je me retourne souvent quand je marche dans la rue, pour voir si quelqu'un me suit. Mais il n'y a pas que cela.

— Eithne ?

— Bien sûr. Ce ne serait pas si simple de l'amener ici, surtout maintenant.

Au fond, la jeune femme lui fournissait le meilleur des motifs pour la suite de son plan.

— Mais que feras-tu dans ce trou perdu, où on se gèle le cul la moitié de l'année ? Il ne se passe rien là-haut. La Fraternité ne te paiera pas un salaire…

— Je n'en demande pas tant. Je suppose que je pourrai devenir journaliste du côté canadien aussi. Me rembourser mes voyages jusqu'ici sera bien suffisant.

— Tu crois gagner autant d'argent du côté du Canada ?

— Je ne sais pas. J'essaierai. Puis j'aimerais continuer d'envoyer des textes au *Herald*…

Autant Donovan que Roberts n'avaient pas été surpris que David offre de se transformer en exécuteur. Tous les deux convenaient que cela cadrait plutôt bien avec l'extrême désinvolture avec laquelle il prenait les choses, une attitude fréquente chez les vétérans de la guerre de Sécession. L'avocat devinait que son chef apprendrait avec un certain soulagement que l'homme souhaitait maintenant mettre une certaine distance entre lui et le lieu de son crime.

— Cela me fera tout drôle, que tu ne sois plus là, remarqua-t-il. Je te voyais tous les deux jours…

— Nous essaierons de nous entendre pour une fois par mois. Ne t'inquiète pas, tu sauras bien te passer de moi.

L'autre lui envoya un coup de poing amical dans l'épaule, le regarda en secouant la tête, incrédule, avant de regagner le tribunal.

David resta seul sur le banc. Déjà, il avait échangé quelques télégrammes chiffrés avec Cartier, lui demandant de confirmer l'offre d'emploi dont ils avaient discuté lors de leur dernière rencontre, puis dans l'affirmative, de voir s'il serait possible de dénicher un poste de journaliste à Montréal. Afin de donner l'ordre de grandeur de ses attentes, il lui avait déjà décrit sa situation confortable à New York. La réponse du politicien l'avait satisfait : la *Gazette* et le *Canadian Illustrated News*, deux journaux modérément conservateurs, se partageraient le privilège de le publier. Quant aux émoluments venus de l'État canadien, le complément se montrait généreux !

Bien sûr, la crainte ne jouait pas un grand rôle dans sa décision : juste après le coup de feu, le danger avait été réel. Un calibre douze en pleine nuit, cela fait tout un boucan. Mais personne n'avait signalé la découverte d'un paletot dans une poubelle. Se présenter dans le parc avec une simple veste sur le dos avait été imprudent. Mais maintenant, à moins d'une dénonciation, très improbable, de la part de Roberts ou Donovan, il risquait bien peu.

Eithne aurait pu effectuer le chemin jusqu'à la métropole américaine. À sa grande surprise, David se découvrait un désir impérieux de rentrer chez lui après cinq ans d'exil, presque jour pour jour.

— Cette fois, vous quittez New York définitivement?

Édith marqua une pause, désireuse de bien peser ce qu'elle dirait ensuite. Ils s'étaient donné rendez-vous dans le salon de thé d'un grand magasin.

— J'espère que ce n'est pas à cause de moi, laissa-t-elle tomber. Je prenais goût à nos rencontres, même après les derniers événements.

— Non, cela n'a rien à voir avec vous. Enfin, oui, mais le sort en a été jeté il y a plus d'un an. Je dois me rapprocher de… ma compagne. Puis je ne peux croire que je connaîtrai une bien grande carrière avec votre père. Il me semble plus prudent de me lier au nouveau gouvernement canadien.

— Pourtant, votre façon de mener les derniers événements a eu un énorme effet sur lui. Votre imagination, votre résolution… Quelle histoire affreuse: j'en frissonne rien que d'y penser.

Pour retrouver sa contenance, elle avala une gorgée de thé, fit mine de prendre un biscuit, le reposa sur le plateau avec une moue déçue.

— Mon père croit que nous aurons des ennuis avec les féniens pendant plusieurs décennies encore. Vous auriez pu en faire une carrière.

— Dans ce cas, cela réjouira Le Caron. Les féniens, quant à eux, pensent que ce ne sera pas si long. S'ils ont raison, je me serais retrouvé chômeur en restant ici. Avec un peu de chance, le Canada naîtra dans des difficultés suffisantes pour me tenir occupé.

Les paroles de Donovan avaient semé un doute. Les journaux canadiens connaissaient souvent une existence éphémère. Pourrait-il bien vivre de sa plume?

— Mais pour notre ami Fitzwilliam, comment les choses se sont-elles déroulées ? demanda-t-il pour tromper le cours de ses inquiétudes.

— Le Caron l'a mis sur un navire en partance pour Liverpool. Il pourra s'embarquer vers Le Cap dans deux semaines, où un travail de comptable l'attend. Il a été solennellement averti de ne pas attirer l'attention, car la prochaine fois la chevrotine atterrirait dans sa tête. Quel petit homme méprisable !

David adressa un petit sourire à son interlocutrice avant de demander :

— A-t-il demandé que sa famille puisse le rejoindre un jour ?

— Pas du tout. Au contraire, il paraissait heureux de couper tous les ponts avec eux et de passer pour mort. D'après lui, en leur permettant de profiter de son assurance-vie et de la maison, il s'acquittait tout à fait bien de ses devoirs de père et d'époux. Mais ce n'est pas le pire…

Comme elle se taisait, rougissante, son interlocuteur lui tendit une perche :

— Sa maîtresse ?

— Il voulait absolument l'emmener avec lui. Il a fallu le menacer de l'abandonner à son sort s'il ne renonçait pas à cette folie. Il a mis une heure avant d'entendre raison et quelques secondes pour se convaincre d'abandonner conjointe et enfants.

— Les turpitudes des hommes sont sans limite…, commenta un David amusé de la réaction de la jeune femme.

Après une hésitation, elle éclata de rire et ne reprit son sérieux que pour demander :

— Allons-nous nous revoir ?

— Je me suis entendu avec la Fraternité pour venir faire un rapport mensuel des activités canadiennes une fois par mois. Aussi longtemps que le projet d'invasion demeurera à l'ordre du jour, j'effectuerai ce pèlerinage. George-Étienne Cartier estime tout à fait naturel que je continue à tenir le consul informé de ce qui se trame de l'autre côté de la frontière.

— Au rythme d'une fois par mois… Il sera possible de trouver des endroits plus intéressants que celui-ci, pour nos rencontres.

Le salon de thé transpirait la féminité, avec son papier peint orné de fleurs roses, les chaises au dossier de satin de même couleur. David constituait le seul client de sexe masculin âgé de moins de soixante ans. Pendant quelques minutes encore, la conversation porta sur leurs lectures les plus récentes, puis ils se quittèrent sur une poignée de main. Le journaliste gagna immédiatement la sortie, la jeune femme examinerait des dentelles encore quelques minutes.

Chapitre 23

David descendit du train à la gare du Grand Tronc, rue Bonaventure, pour voir Eithne se précipiter vers lui. Cinquante kilos de muscles fermes lui coupèrent le souffle. Contre un généreux pourboire, un porteur se chargea d'amener ses deux malles jusqu'à un fiacre et l'aida à les placer sur le toit du véhicule. Toutes ses possessions pouvaient y tenir sans mal. Son existence d'agent secret l'obligeait à vivre léger, afin de pouvoir s'évanouir dans l'atmosphère à la première alerte. Dorénavant, ce ne serait plus possible.

— Tu ne t'ennuieras pas trop de New York ?

— De la ville, je ne crois pas. De toute façon, j'irai assez souvent. Le travail me préoccupe un peu plus.

— Mais tu te retrouves dans des journaux bien établis. Juste dommage qu'il ne s'agisse pas de périodiques irlandais.

— Dans ce cas, je devrais trop me serrer la ceinture ! Mais ne t'inquiète pas, je saurai me tirer d'affaire, indiqua-t-il à sa femme dans un sourire.

Petit mais confortable, l'appartement de la rue Saint-Denis suffirait à leurs besoins au moins jusqu'à l'été suivant. Les retrouvailles furent marquées par un passage fébrile au lit, à la lueur d'une lampe à kérosène. Après des ablutions, ils cherchèrent un restaurant où manger un peu. Devant les yeux écarquillés de Eithne, David commanda dans un français sans accent mais un peu hésitant : toutes ces années à parler anglais rendaient la transition difficile.

— Tu parles français ? Tu ne me l'avais jamais dit !

— Tu sais que mes parents sont morts ? J'ai été adopté par des Canadiens français.

— Ici ? Dans le Bas-Canada ?

— Dans l'État de New York. Plein de Canadiens habitent là-bas.

Mieux valait s'en tenir à l'histoire racontée à Donovan lors de leur première rencontre.

— Pourquoi ne pas me l'avoir dit plus tôt ?

— L'occasion ne s'est pas présentée…

Elle en savait si peu sur lui, y compris sur son engagement politique. Peu de ses contemporains discutaient de ces choses-là avec une conjointe. Si certains y condescendaient, ce n'était certes pas pour aligner leurs convictions sur les leurs. David le sentait, un jour, la vérité serait connue : impossible de passer toute une vie dans la plus grande intimité avec quelqu'un sans se trahir. Mieux valait ne pas penser à la tempête qui se lèverait alors.

◆

Les procès des féniens capturés lors des invasions de juin avaient commencé le 8 octobre 1866. Certaines comparutions se déroulaient dans le Haut-Canada, d'autres dans le Bas-Canada. Malgré les rappels réitérés des juges sur l'obligation de faire justice, plutôt que de donner libre cours à la vengeance, les journaux conservaient un ton haineux. Leurs auteurs souhaitaient que les condamnations à mort soient bel et bien suivies par des exécutions. La frayeur avait été grande, la revanche devait se poursuivre sans pitié.

David concoctait des articles appelant à la commisération, au risque de se faire mal voir de ses nouveaux collègues. Pendant la session parlementaire, il passait plusieurs jours par semaine à Ottawa, logeant dans une minuscule chambre du quartier de la Côte-de-Sable, où se retrouvaient des députés francophones originaires du Bas-Canada. Venu de Montréal pour le rencontrer, John Carroll cherchait des moyens d'élever encore d'un cran la colère des Canadiens, pour astreindre le bourreau à une longue journée de travail. Une brochette de victimes vaudrait mieux que tous les discours pour mobiliser les Irlandais. L'expédition nocturne à Cornwall avait donné une réputation de foudre de guerre au mouleur de Montréal. Il tenait à la cultiver.

— Ce ne serait pas si compliqué de mener une charrette chargée de poudre le long de ce mur et d'y mettre le feu.

L'ouvrier montrait un pan de mur à l'arrière du bel édifice gothique du parlement. Des tailleurs de pierres s'affairaient encore dans les environs, puisqu'il fallait construire les diverses bâtisses destinées à recevoir les services gouvernementaux de la fédération canadienne. Les charrettes se trouvaient nombreuses sur le terrain du bâtiment. Un véhicule de plus n'aurait pas attiré l'attention.

— Une opération comme vous les aimez, insistait l'homme. Pas de victimes innocentes, mais un raffut épouvantable, les fenêtres en miettes, les portes sorties de leurs gonds.

À tout le moins, David avait pu le convaincre d'éviter de soulever la colère des Irlandais modérés avec un attentat meurtrier.

— J'aime mieux cela que votre projet de faire sauter un bout de la voie du chemin de fer entre Prescott et Ottawa !

— Pourtant, à la fin de la session, il aurait été possible de tuer des dizaines de politiciens en route vers leur circonscription.

Si jamais la fièvre fénienne s'élevait d'un cran à Montréal, Ermatinger mettrait cet homme à l'ombre : il avait des idées de meurtre. Comme la protection de l'*habeas corpus* n'avait pas été rétablie, ce serait facile. L'agent prévoyait toutefois que la résolution de son compagnon se dégonflerait au moment de l'action. Déjà, sa détermination paraissait moins ferme que lorsqu'il l'avait accueilli à la gare, un peu plus tôt dans la journée.

— Vous dirigerez l'opération, si nous en venons là ? questionna le mouleur d'une voix incertaine.

— Non. En me promenant avec vous, je risque de me faire remarquer. Je ne me vois pas m'agiter à côté d'une charrette.

Pour la Fraternité, le rôle de David se limitait à transmettre les directives et à informer New York du niveau de collaboration auquel on pouvait s'attendre des Canadiens. « Très bas », projetait-il de dire à Donovan lors de sa prochaine visite dans la métropole américaine. Ainsi, l'ordre de passer à l'action ne viendrait peut-être jamais.

Alors que les deux conspirateurs revenaient devant l'édifice du parlement, ils aperçurent au loin Thomas D'Arcy McGee.

— Monsieur Carroll, nous nous quittons ici : ce ministre me connaît, il pourrait se surprendre de nous voir ensemble.

— Ce chien galeux ! Je lui souhaite de brûler en enfer.

— Pourquoi cette haine ?

— Il a empêché que je devienne membre de la Saint-Patrick. Il mène une véritable campagne contre la Fraternité.

Le petit politicien n'abandonnait pas sa croisade pour convaincre les Irlandais du Canada de ne pas tremper dans de sombres complots. Cela lui valait de solides inimitiés.

— Raison de plus pour qu'il ne nous voie pas ensemble. Au revoir.

John Carroll rebroussa chemin, fit mine de se passionner pour le travail des tailleurs de pierres, à quelques pas. Quant au journaliste, il mit résolument le cap sur D'Arcy McGee.

— Monsieur Devlin, s'exclama celui-ci en arrivant à sa hauteur. Du *Herald* à la *Gazette*. Votre carrière suit une trajectoire météorique ! Mais je suppose que vous savez déjà que les météores vont du ciel vers le sol. Pas le contraire.

— D'abord, le journal n'est pas si mauvais. Puis n'êtes-vous pas passé de Boston à Montréal ?

— Vous étiez mieux informé lors de notre première rencontre. Je suis passé de Buffalo, où je crevais de faim, à Montréal, où Bernard Devlin m'offrait une pitance. Des motifs politiques ont rendu la trajectoire acceptable. Les États-Unis me décevaient, le Canada m'attirait.

David hocha la tête pour signifier qu'il comprenait très bien.

— Dans une certaine mesure, mes motivations ressemblent aux vôtres. En plus, des raisons personnelles m'ont amené ici.

David ne pouvait être franc sur ses motivations qu'avec quelques personnes, celles qui connaissaient son véritable statut.

— La belle Eithne Ryan, commenta le politicien. Une voix et une passion remarquables. Vous ne vous ennuyez certainement pas, avec elle.

— Y a-t-il des choses que vous ignoriez ?

— Parfois. Dans ces cas-là, j'essaie de dissimuler, pour sembler omniscient. Vous vous promeniez avec John Carroll, un fénien que je classerais avec les plus radicaux. Je ne sais pas ce que vous fomentiez ensemble, ce ne devait pas être tout à fait innocent. Les procès créent beaucoup d'excitation dans notre petite communauté. Parmi les accusés figure un prêtre catholique.

Une fois encore, le journaliste apprécia combien son interlocuteur se révélait bien informé.

— Le statut de cet homme ne me paraît pas très clair, dit-il.

— Je demeure mauvais juge en la matière, mais je ne parierais pas sur son savoir théologique. S'il avait béni notre mariage, ma femme se demanderait très sérieusement si elle n'a pas vécu les vingt dernières années dans le péché.

Ces mots avaient été prononcés avec un clin d'œil...

— Irez-vous à Londres pour les négociations ultimes ? questionna David.

— Je ne suis pas invité. Comme je ne fais pas l'unanimité auprès de mes compatriotes irlandais, Cartier s'inquiète de savoir si, en misant sur moi, il gagne des appuis ou des adversaires...

Même si, lors des invasions, les Irlandais s'étaient abstenus de prendre parti pour les révolutionnaires, la cause ralliait des suffrages. Les attaques véhémentes de D'Arcy McGee contre la Fraternité avaient blessé des susceptibilités, plus encore que le choix de Bernard Devlin de lever un régiment de miliciens de cette origine pour les mener à la défense de la frontière.

— De toute façon, ajouta le politicien hilare, ma femme préfère que je n'y aille pas. Macdonald et Cartier iront chacun avec leur maîtresse, elle a peur que je finisse par suivre leur exemple.

Là-dessus, l'homme pirouetta et, après un « au revoir » sonore, se dirigea vers l'entrée principale du parlement. Cette attitude aussi devait participer à sa perte d'influence. David Devlin n'était pas nécessairement celui des deux dont la carrière connaissait la trajectoire la plus « météorique ».

— Vous croyez que ces attaques vont se concrétiser ? demanda Cartier.

Encore une fois, David avait été reçu par Luce Cuvillier, rayonnante à l'idée d'un long séjour à Londres avec son amant. Les sourires des membres de la famille légitime du politicien, dans la demeure de la rue Notre-Dame, à Montréal, devaient être plus contraints.

— Impossible de le dire. Une chose demeure certaine : l'absence totale de sécurité autour du parlement est une incitation à tenter quelque chose. À tout le moins, faites dégager les environs immédiats. Je me suis promené là avec un type qui désire se transformer en Attila. Personne ne nous a posé de questions.

— La maison de la nation ne peut pas se muer en place forte. Quand la fédération sera chose faite, je me propose de créer une police vouée à la protection des édifices et des équipements publics…

— D'ici là, espérons qu'on ne tente rien.

Pareille légèreté face à la menace troublait toujours l'agent secret. Son interlocuteur prouva très vite que lui aussi s'inquiétait de la situation.

— Si une attaque devient imminente, vous le saurez ?

— Sans doute, admit le journaliste. J'aurai probablement à transmettre l'ordre de passer aux actes. Mais si vous procédez à des arrestations quand je serai mis au courant, aussi bien me promener avec au cou un écriteau où on aura écrit « Informateur ». Les gens établiront le lien.

— Je vais demander à Ermatinger de devenir très visible dans l'environnement des quelques personnes dont vous m'avez donné les noms.

Restait à espérer que cela calmerait les esprits des plus turbulents. David changea de sujet :

— Dans un autre ordre d'idées, qu'arrivera-t-il aux prisonniers ?

— Plusieurs écoperont de la peine de mort. Le contraire inviterait tous nos compatriotes insatisfaits à prendre les armes contre l'État.

Dans la bouche d'un homme qui avait participé à la bataille de Saint-Denis, en 1837, ces mots firent sourire le journaliste. L'autre comprit, sourit aussi.

— Les exécutions galvaniseront les féniens, affirma l'agent.

— Je sais. Le secrétaire d'État américain, Seward, a convoqué l'ambassadeur du Royaume-Uni à Washington pour le prier de faire pression sur nous afin qu'aucun citoyen américain ne soit exécuté.

— S'inquiète-t-il du bien-être de ces gens, ou craint-il tout simplement les désordres que des échafauds causeraient dans son propre pays ?

— Sans doute un peu des deux. Mais je crois qu'il lui plaît surtout de dicter ses volontés aux autres nations des Amériques, pour assurer son hégémonie sur le continent.

— Ah ! La fédération changera le rapport de force.

David passait ses journées à écrire dans la *Gazette* sur les projets grandioses d'expansion vers l'ouest des pères fondateurs du Canada. Cependant, le fait de réunir des colonies sous un même gouvernement n'amènerait pas nécessairement une avalanche d'immigrants…

— Vous avez pensé à mon offre de venir à Londres ? demanda le ministre.

— Ma présence témoignerait d'un extraordinaire favoritisme. Je suis à la *Gazette* depuis un peu plus de deux semaines. Vous ne craignez pas que cela fasse jaser ?

— Vos articles favorables à l'Irlande vous rendent suspects. Cette marque de confiance rétablira les choses.

Le visiteur eut un sourire chargé d'ironie.

— Ai-je raison de penser que vous m'offrez le billet de D'Arcy McGee ? demanda-t-il.

— Tout à fait. J'adresse un signe à la communauté irlandaise.

— D'accord. J'essaierai de bien présenter cela à mon épouse.

⸺

— Tu seras absent pendant deux mois ? répétait la jeune femme.

— Environ. Il s'agit d'une extraordinaire marque de confiance.

Elle ne paraissait même pas surprise que le journal lui ait proposé d'accompagner à Londres les politiciens désignés pour régler les derniers détails de la fédération canadienne. N'avait-il pas été aussi à Dublin ? Le mensonge entre eux prenait des proportions effrayantes. Elle portait depuis quelques jours une petite alliance au doigt, après une cérémonie si discrète qu'il avait fallu payer une demi-douzaine de dispenses. Ils avaient convenu qu'elle ne chanterait plus dans les tavernes pour tendre la main ensuite : la respectabilité comportait des exigences. Elle se produirait — le mot lui-même la faisait sourire — dans des conditions et des endroits choisis. Entre ces représentations rarissimes, elle entretenait l'appartement et prenait des cours de chant.

— J'ai l'habitude de t'attendre, continua-t-elle après un moment. J'espère juste que cela ne se produira pas trop souvent.

— Je ne pense pas que quelque chose d'aussi important que la fédération arrive deux fois dans le cours d'une vie.

— Oh ! L'indépendance de l'Irlande, certainement.

Le 12 novembre 1866, David Devlin embarquait sur un transatlantique de la compagnie Cunard, à Québec. La présence de Thomas D'Arcy McGee sur le quai, venu saluer des collègues sur le point de partir, le mit un peu mal à l'aise, accentuant son impression, curieuse, d'être un imposteur. Les deux mois à Londres passèrent très vite à parcourir la ville en tous sens. Des conversations dans les bars des hôtels où logeaient les politiciens fournissaient assez de matière pour rendre compte des progrès des négociations constitutionnelles. Une ou deux heures d'écriture dans sa chambre chaque soir suffisait pour mettre le tout en forme. Tous les matins, David passait dans les bureaux du télégraphe pour transmettre les informations vitales. Depuis quelques mois, un câble sous-marin permettait d'envoyer des messages jusqu'en Amérique. Le coût de la communication était si élevé que mieux valait faire preuve de discernement et confier à un navire les renseignements qui ne souffriraient pas d'arriver dix jours plus tard. Parmi les nouvelles transmises sans tarder, il y eut celle de l'incendie dans la chambre du premier ministre Macdonald, où le politicien avait bien failli brûler vif. Cependant, David ne parla pas du mariage de celui-ci avec sa maîtresse, Susan Agnes Bernard, survenu le 16 février 1867 : il se trouvait alors de retour à Montréal depuis des semaines.

En effet, à Noël, l'essentiel des discussions était terminé. La plupart des politiciens rentraient à la maison, quelques-uns seulement travailleraient encore de concert avec les législateurs britanniques pour donner sa forme définitive au projet de loi. Le journaliste fit comme la majorité d'entre eux et revint au pays avec, dans sa valise, diverses histoires dont il comptait alimenter le *Harper's Magazine* ou le *Herald*, pour ne pas sombrer dans l'oubli. Si aucun sujet canadien ne retenait vraiment l'attention des lecteurs de New York — à peine avait-il pu placer de courts textes décrivant les changements constitutionnels en cours —, l'Empire britannique apportait une dose suffisante d'exotisme pour les distraire.

Il revenait parce que Eithne lui manquait, que son journal ne paierait pas plus longtemps son petit hôtel de Leicester Square, mais aussi parce que les événements se bousculaient dans les affaires féniennes. Juste avant la relâche des fêtes, un tribunal de Toronto condamnait sept personnes à la pendaison, dont le prêtre ; à Sweetsburd, trois sentences identiques. Les exécutions devaient avoir lieu le 13 mars 1867. La clameur de protestation venue des États-Unis se faisait entendre jusqu'à Londres.

En posant les pieds sur le quai à New York — le fleuve Saint-Laurent ne permettait pas la navigation à cette époque de l'année —, David apprenait que la peine avait été commuée le 31 décembre : ce serait vingt ans de prison. Quatorze nouvelles condamnations à mort tombèrent en janvier 1867, mais John Alexander Macdonald fit encore preuve de mansuétude. Finalement, des vingt-sept condamnés à mort, le plus malheureux décéderait de la tuberculose, un autre purgerait six ans. Le plus chanceux sortirait après quelques mois.

Sur le quai, averti par télégramme de son arrivée imminente depuis l'escale de Halifax, John Donovan battait la semelle pour se réchauffer les pieds.

— Ah, mon salaud ! Tu vas vivre à Montréal et tu te fais payer un voyage dans la perfide Albion. Tu n'as pas perdu de temps. Mais à ta place, je ne partirais pas comme ça : bien vêtue, un peu plus grasse, Eithne devient magnifique. Tu vois, maintenant, je te comprends mieux. Moi aussi, pour une femme comme elle, je ferais peut-être la même folie que toi.

Donovan parlait d'abondance, visiblement heureux de le revoir. Après une poignée de main si énergique qu'il eut mal au bras, David ramassa son sac de voyage et suivit son vieil ami jusque dans un fiacre en demandant :

— Tu as rencontré Eithne ? Comment cela ?

— Plus d'une fois. Alors que tu visitais les grandes capitales, qui a dû aller remonter le moral des féniens canadiens ? J'en ai profité pour vérifier si elle n'avait besoin de rien. En ami fidèle, ne t'inquiète pas.

— Comme tu ne portes aucune estafilade au visage, j'en conclus que tu as gardé tes mains pour toi.

À la mine intriguée de son compagnon, il relata les événements survenus lors de leur première rencontre, la présence d'une lame aiguë dans sa manche gauche. Puis les préoccupations de l'avocat revinrent à la surface :

— Nos camarades canadiens ne furent d'aucune utilité. Les services de la police les gardent à l'œil.

— C'est vrai, cette histoire de surveillance policière ? demanda David.

— J'ai rencontré Carroll à deux reprises. Les deux fois, un policier est entré pour se diriger tout droit vers notre table et le saluer.

— Facile : il passe sa vie à la *Tipperary Tavern*.

Le fiacre s'arrêta à l'hôtel *American*, où Donovan lui avait réservé une chambre. Tandis qu'il descendait, David demanda :

— Tu viens manger avec moi ?

L'autre acquiesça. Un peu plus tard, devant un steak, le journaliste demanda :

— Que se passe-t-il maintenant ? Vous prévoyez toujours attaquer le Canada ?

— Les choses ne bougeront pas tout de suite sur ce front. Nous avons un homme de l'autre côté de l'Atlantique, à préparer le terrain pour un nouveau soulèvement. Dans deux semaines, trois tout au plus, James Stephens doit rentrer en Irlande.

— Comment avez-vous réussi à le convaincre ? Ce gars semblait tout près de demander la citoyenneté américaine, depuis le temps qu'il est ici.

— Présentement, notre représentant en Irlande serait en mesure de se faire désigner *Head Center* de la Irish Republican Brotherhood. Ou notre ami reprenait sa place, ou il la cédait définitivement à un autre.

À nouveau, la fraternité berçait d'illusions les habitants de Dublin quant à une révolution prochaine. Le plus étonnant était que certains y croyaient encore.

— Vous connaissez la date de l'événement ?

— Très précisément, le 5 mars !

Donovan avait baissé la voix, afin de ne pas être entendu.

— Tu me permettras d'être sceptique, commenta son compagnon. L'Irlande demeure le pays des farfadets et de la révolution perpétuellement imminente.

— Cette fois, c'est sérieux. Notre homme a effectué une tournée des cercles dans les villes industrielles du Royaume-Uni. Il a le personnel pour réussir. Le plan prévoit la saisie d'armes dans un arsenal britannique, la paralysie des transports, un coup de force contre Dublin Castle.

— Tu places beaucoup de confiance dans ce militaire.

— Il connaît bien son métier.

David ne demandait jamais le nom de cet homme. Archibald lui avait appris qu'il s'agissait de Thomas J. Kelly. Les autorités policières britanniques lui avaient déjà collé un informateur aux talons, John Joseph Corydon. Une malédiction affligeait le mouvement fénien : tous ses chefs se trouvaient victimes de l'infiltration des services secrets.

— Tu demeureras à New York longtemps ? questionna l'avocat après une pause.

— Avec une femme comme Eithne dans ma vie, certainement pas. À la première heure demain matin, je prends le train pour Montréal.

Cependant, montant à sa chambre deux heures plus tard, David prépara un message chiffré pour le consul Archibald. Depuis son passage au service de George-Étienne Cartier, ce dernier choisissait la clef de lecture des communications. Malgré les turpitudes de sa vie conjugale, le politicien avait d'abord proposé d'utiliser *L'Imitation de Jésus-Christ*, dont il gardait sans cesse une copie sur lui. Pas assez de chapitres et de lignes par page. Le choix porta finalement sur la dernière édition du catéchisme du diocèse d'Ottawa. David souriait à la pensée du diplomate protestant penché sur ce document catholique pour déchiffrer son message !

Chapitre 24

David Devlin passa l'hiver à écrire avec entrain des articles sur Londres sous son propre nom, et publia en feuilleton ses aventures d'espion en territoire confédéré sous le pseudonyme d'Étienne De Lahaye pour le *Harper's Magazine*. Ces succès journalistiques l'autorisèrent à se porter acquéreur d'une jolie petite maison à la devanture de pierres grises, au milieu d'une rangée de constructions identiques, dans la rue Saint-Denis, un peu au nord de l'intersection de la rue Sainte-Catherine.

Malgré le gain d'espace, Máire, devenue une couventine studieuse, avait demandé très timidement de poursuivre ses études en tant que pensionnaire. Elle s'exprimait maintenant très bien en français et parlait de devenir institutrice. Le couvent lui avait apporté la sécurité, une vie réglée, des amies de son âge : elle ne voulait plus en sortir. Eithne s'inquiétait de la voir se faire religieuse un jour.

Sur le front irlandais, après l'avortement de l'insurrection de mars, John O'Mahony et James Stephens se virent presque simultanément chassés respectivement de la Fenian Brotherhood et de la Irish Republican Brotherhood en 1867. Les vétérans de la révolution de 1848 devaient céder le pas à des hommes nouveaux, John Savage à New York et Thomas J. Kelly en Irlande.

Le dominion du Canada naquit le 1er juillet avec quatre provinces : l'Ontario, le Québec, le Nouveau-Brunswick et la Nouvelle-Écosse. John Alexander Macdonald assumerait le rôle de premier ministre, George-Étienne Cartier celui de ministre de la Milice et de la Défense. Thomas D'Arcy McGee ne fut pas appelé à rejoindre le Cabinet. Pendant les semaines suivantes, David put couvrir sa première campagne électorale en tant que journaliste.

Dans n'importe quelle circonstance, les mœurs politiques transformaient un événement de ce genre en une aventure épique. Cette année-là, le suffrage revêtait la plus grande solennité ! Pour la première fois, les hommes blancs et propriétaires devaient envoyer leurs représentants à la Chambre fédérale, à Ottawa, et à la Chambre provinciale à Québec. George-Étienne Cartier se présentait à la fois aux deux ordres de gouvernement dans Montréal-Est. Une rude campagne électorale allait l'opposer à Médéric Lanctôt. Dans Montréal-Ouest, dont les quartiers irlandais de Sainte-Anne et Saint-Antoine faisaient partie, Thomas D'Arcy McGee et Bernard Devlin batailleraient ferme. Ces deux circonscriptions occuperaient le journaliste dix-huit heures par jour !

❦

Le Champ-de-Mars pouvait accueillir une grande foule. C'était l'endroit rêvé pour une assemblée publique un dimanche d'août, une fois la messe terminée. Thomas D'Arcy McGee devait prendre la parole. Cinq mille personnes, c'est-à-dire le quart de la population irlandaise de la ville, se déplacèrent pour l'entendre. Comme une activité de ce genre ralliait surtout les hommes, près de la moitié d'entre eux se trouvait sur les lieux.

Sur le devant de l'estrade de poutres et de planches, dans sa meilleure redingote, le haut-de-forme tenu sous le bras droit, ramassé sur lui-même, la tête et tout le haut du corps un peu penché vers l'avant, le petit politicien ressemblait à un boxeur. Si sa réputation avait décliné au sein du Parti conservateur, au point que le premier ministre Macdonald n'entendait pas lui apporter son appui pendant la campagne électorale, il n'allait pas se coucher sans combattre.

— Notre communauté est atteinte d'un cancer : la Fraternité fénienne. Une poignée d'assassins et de traîtres s'immisce partout dans nos institutions. Ces hypocrites essaient d'infiltrer la société Saint-Patrick, avec succès à en juger par l'attitude de son président actuel. Ils veulent faire travailler ses membres, souvent à leur insu, pour le compte des envahisseurs américains. L'an dernier, alors que l'ennemi passait les frontières du Canada, des émissaires venus de New York se promenaient dans la ville, discutaient de détruire des baraquements militaires, des ponts, des canaux.

Une rumeur, qui n'était pas nécessairement signe d'approbation, se répandit dans la foule. Si David Devlin prenait des notes sans s'interrompre, l'allusion à sa présence sur les lieux près de quinze mois plus tôt lui fit sauter une ligne dans son carnet.

— Ces bandits se sont réunis la nuit dans la cour d'un commerce de l'est de la ville. Ce n'est pas la loyauté qui les a retenus de perpétrer des actes criminels, mais la lâcheté. Ces renégats rêvent de tuer des gens sans défense, mais craignent d'affronter l'ennemi au grand jour.

— Des noms, donne des noms, salaud, ou tais-toi ! interjeta une voix dans la foule.

— Combien te paient les orangistes pour salir la réputation des Irlandais, sale traître ? renchérit un autre.

— Comment se fait-il que Macdonald, ou même Cartier, ne se tiennent pas à tes côtés aujourd'hui ? demanda un troisième.

Les interventions se succédaient trop bien pour ne pas avoir été préparées. Surtout, David reconnaissait ces voix pour les avoir entendues lors des assemblées du cercle fénien de Montréal.

— Et vous, que recevez-vous des États-Unis pour trahir le Canada ? Quel plaisir tirez-vous à aider des envahisseurs qui brûleront les maisons de vos voisins, violeront leurs femmes ? Nous savons comment ces gens-là mènent leurs guerres, ils ont détruit tout le sud des États-Unis.

— Traître à l'Irlande ! Tu trahis ton pays pour obtenir une place !

C'était la voix de John Carroll. Son interlocuteur le chercha dans la foule, le pointa pour déclarer :

— Allez-vous toujours, la nuit, effectuer de petites excursions sous les murs de la prison de Cornwall ? Où préférez-vous tourner autour du parlement, à Ottawa ?

Un nouveau murmure parcourut l'assistance. De la sympathie, celle-ci pouvait basculer vers l'hostilité. David ne se demandait même pas comment le politicien savait pour l'évasion de Murphy : soûl un soir sur deux, bavard dans l'ivresse, Carroll faisait le plus mauvais conspirateur.

Avant de se voir désignés nommément, les féniens changèrent de tactique : une première pierre vola dans les airs, atterrit sur l'estrade avec un bruit mat. Les quelques personnes qui accompagnaient D'Arcy McGee s'avancèrent auprès de celui-ci, lui dirent quelques mots à l'oreille. Il répondit par de grands signes négatifs, recommença à parler des tentatives d'infiltration de la société Saint-Patrick.

Des cailloux continuèrent de voler dans sa direction, certains touchèrent des spectateurs dans les premiers rangs, qui se retournèrent pour invectiver leurs agresseurs. Deux ou trois petits groupes en venaient aux mains, entre partisans et adversaires de l'orateur, ou peut-être entre gens qui ne partageaient pas la même opinion quant à l'usage du jet de pierres dans les assemblées politiques.

— Vous voyez ce que font les féniens ? Ils tournent les Irlandais contre les Irlandais, en plus de faire naître la méfiance et la haine de tous les autres Canadiens à notre égard, vociférait D'Arcy McGee.

Depuis trente ans, les Irlandais avaient assumé plus que leur part dans les désordres électoraux ! L'arrivée d'une vingtaine de policiers calma les ardeurs. Sans doute étaient-ils à l'affût dans une rue voisine. Si quelques personnes se plurent à se mesurer aux hommes en uniforme, la plupart vidèrent les lieux.

— Ce soir à dix heures, à l'endroit habituel !

La voix venait de la droite de David, alors qu'il regagnait la rue Notre-Dame. Patrick Doody, un capitaine du cercle de Montréal, marchait près de lui.

— Vous voulez dire dans la cour d'un commerce de l'est de la ville de Montréal ?

— Chez McNamee, oui ! grommela l'autre, impatient.

— Un discours intéressant… et surtout très bien informé. Quelqu'un de la Fraternité renseigne ce politicien.

L'autre se sentit personnellement accusé, il plaida tout de suite :

— Cela peut venir d'un curé ! Nos membres doivent raconter toutes leurs activités à leur confesseur.

— Je parierais plutôt sur le bavardage des gens qui traînent à la *Tipperary Tavern*.

Patrick Doody accusa le coup : il comptait parmi ceux-là.

—De toute façon, nous le ferons taire.

David raconterait tout ce qu'il venait de voir et d'entendre dans un article de la *Gazette*. Cette tâche attendrait toutefois, la belle journée se clôturerait par une longue promenade en vapeur du côté des îles de Boucherville, avec Eithne et Máire.

⬧

La remise baignait dans la demi-obscurité du soir d'août. Une quinzaine de personnes, des capitaines surtout, commentaient la performance de D'Arcy McGee.

— Il faut faire taire ce salaud! Une balle dans la tête et on sera débarrassé, répétait John Carroll pour la dixième fois.

— Il me paraît extrêmement bien informé, remarqua David. Le plus urgent serait de savoir qui lui donne des renseignements.

L'intervention fut accueillie dans un silence craintif. La rumeur d'un informateur de New York, exécuté dans un parc, s'était répandue dans tous les cercles. Francis McNamee eut une petite toux nerveuse.

— Pour l'instant, intervint Patrick Doody, il faut s'assurer que ce chien ne soit pas élu. Nous ferons en sorte qu'il ne puisse plus s'exprimer en public. Et si, dans l'aventure électorale, il attrape un mauvais coup qui le laisse raide mort, ce sera bien fait.

— Si je comprends, vous travaillerez à l'élection de Bernard Devlin? questionna David. Vous appuierez un type qui a levé un contingent d'Irlandais pour aller se battre contre ses propres frères à la frontière américaine?

Le malaise, dans la petite remise, devenait palpable. Ces gens préféraient un arriviste à un homme qui leur proposait de rester loyaux à la nouvelle entité canadienne.

— Devlin ne représente pas un danger, expliqua Doody. Il va suivre le vent. Si la cause fénienne progresse au point d'avoir une chance de l'emporter, il viendra à son secours. Sinon, il jouera au bon Canadien pour avoir un poste de ministre.

— Il restera dans l'opposition, objecta David pour la forme. D'Arcy McGee se présente pour les conservateurs. Ceux-ci seront élus.

— Les conservateurs tournent le dos à D'Arcy McGee. Devlin demeure le président de la société Saint-Patrick. Je parie un mois de salaire que s'il gagne, il deviendra le ministre irlandais au sein du Cabinet, répondit Doody.

Cela se pouvait bien. Les féniens de Montréal se souciaient moins de la Fraternité, ou du sort de l'Irlande, que de la politique locale. Macdonald désirait l'appui des Irlandais, sans se préoccuper de la personne qui le lui amènerait. Quant aux motivations des électeurs, elles pouvaient se révéler tout à fait triviales. Ce petit monde de commerçants, de professionnels en mal de clientèle, de chercheurs d'emploi voulait «son ministre» pour profiter de ses faveurs.

— Nous en convenons, conclut Doody : nous ferons en sorte que personne n'ose voter pour ce salaud.

❧

Un télégramme hermétique avait permis de planifier une rencontre dans un fiacre, sur le mont Royal, avec Ermatinger. Celui-ci tenait sur ses genoux une copie toute fraîche de la *Gazette*.

— Une jolie description de l'allocution de D'Arcy McGee, commenta-t-il. Conforme au rapport des agents.

— Il faudrait le protéger. Ce type va finir par se faire tuer.

— Vous connaissez nos mœurs politiques. Rien de bien exceptionnel dans ces éclats de voix.

David eut l'impression que la sécurité du petit agitateur ne préoccupait guère son interlocuteur.

— C'est sérieux. Les féniens veulent l'empêcher de s'exprimer en public, ils évoquent ouvertement son assassinat.

— Je vais faire en sorte que des policiers se trouvent présents quand il prendra la parole en public, concéda Ermatinger.

Le journaliste choisit de se montrer satisfait, il passa à un autre sujet :

— J'ai obtenu l'honneur d'une rencontre avec Médéric Lanctôt demain. Pour le bonheur des lecteurs de la *Gazette*, je dois résumer son programme politique… Vous le connaissez ?

— Vous vous rappelez les événements des mois derniers ?

— Bien sûr !

En mars 1867, Médéric Lanctôt avait convoqué les travailleurs à un rassemblement sur le Champ-de-Mars. Pendant des heures, il avait discouru devant cinq mille personnes. Au terme de l'exercice, un comité avait été formé pour voir à la création de la Grande Association de protection des ouvriers du Canada. Le 6 avril, dans la salle du marché Bonsecours, trois mille ouvriers adoptaient les « statut et règlements » d'une centrale syndicale. Lanctôt présiderait la Grande Association où siégeraient environ deux cents représentants de divers corps de métier de Montréal. Elle devait assumer une triple fonction : promouvoir l'harmonie dans les relations entre le capital et le travail, améliorer les conditions de vie des membres et juguler l'émigration des Canadiens français vers les États-Unis, qui prenait des proportions inquiétantes.

— J'ai assisté à la grande manifestation du 10 juin, confia David.

— Alors vous en savez presque autant que moi, déclara le policier.

Ce jour-là, huit mille personnes s'étaient réunies au Champ-de-Mars pour soutenir les employés des boulangeries qui exigeaient un meilleur salaire et une réduction de leurs heures de labeur. Ils avaient défilé sous le drapeau vert, blanc et rouge des rebelles de 1837-1838. Des boulangeries coopératives avaient été créées pour fournir aux grévistes une solution de rechange, et du pain bon marché aux ouvriers de la ville. Depuis, elles avaient toutes fait faillite.

— Ce Lanctôt est le fils d'un notaire qui a participé à la révolte de 1837-1838. Déporté en Australie, il est revenu en 1845. Il a fait son droit, mais sa petite clientèle ne lui permet pas de bien vivre. Très actif au sein de l'Institut canadien, il a été excommunié. En colère, il est allé casser les vitres de l'Œuvre des bons livres de monseigneur Bourget. Cela lui a valu une amende. L'automne dernier, il a été élu échevin, battant un homme soutenu par George-Étienne Cartier. Son adversaire a entrepris une poursuite pour faire annuler l'élection, sous prétexte que Lanctôt ne possédait pas les propriétés pour se qualifier comme candidat. En conséquence, le pauvre homme a perdu son poste de conseiller municipal. Depuis, il déteste Cartier. Il a juré de le battre lors du scrutin.

Médéric Lanctôt se trouvait pris dans l'affrontement entre les libéraux du Bas-Canada, proches d'une institution culturelle, l'Institut canadien, s'exprimant dans le journal *Le Pays*, et les conservateurs, dirigés par le ministre de la Défense et de la Milice, proches du clergé catholique. David Devlin connaissait l'épisode de l'excommunication : monseigneur Bourget avait exigé de pouvoir examiner les livres et les périodiques conservés dans la bibliothèque de l'Institut canadien, afin d'en retrancher tout ce qui figurait à l'Index, une liste des lectures que le Vatican prohibait. Comme les jeunes libéraux n'avaient pas obtempéré à cette demande, il les avait exclus de la communauté catholique, l'accès aux sacrements leur était interdit.

— Lanctôt essaie d'incarner à la fois les idées d'indépendance nationale de 1837 et les revendications des travailleurs, résuma David.

— Absolument. Il promet à ses électeurs que la république du Bas-Canada deviendra le paradis des ouvriers.

Tous deux avaient lu le *Manifeste du Parti communiste* de Karl Marx, un ouvrage à l'Index évidemment, ils partageaient le même scepticisme.

— C'est un candidat du Parti libéral ? demanda David.

— Plutôt celui de la Grande Association. Mais les partis demeurent des ensembles flous. D'Arcy McGee et Devlin prétendent tous les deux compter parmi l'équipe de Macdonald.

— Le seul élément du programme des libéraux commun à toutes les provinces semble l'opposition à la fédération. N'importe qui peut se présenter avec cette étiquette. Les élus chercheront ensuite ce sur quoi ils sont d'accord, ce qui risque de se révéler une bien petite plate-forme.

Pendant quelques minutes encore, les deux hommes supputèrent des chances — nulles — des libéraux d'obtenir de nombreux sièges, puis se séparèrent discrètement.

❧

La salle à manger de l'hôtel *Rascoe* fournissait un cadre neutre à la rencontre. David avait préféré ne pas aller au quartier général du candidat Lanctôt — son bureau d'avocat —, quitte à payer les verres de ses vis-à-vis. Le politicien ne s'était pas déplacé seul : deux jeunes hommes, Laurent-Olivier David, un conservateur dont l'allégeance changerait bientôt, et Wilfrid Laurier, un libéral, l'accompagnaient.

— Monsieur Lanctôt, commença David, merci d'avoir accepté de me rencontrer. Mon invitation vous a sans doute un peu surpris.

— Que la *Gazette*, un journal vendu aux conservateurs, veuille parler de moi m'a beaucoup étonné. Je le suis encore plus de me trouver devant quelqu'un qui parle français, répondit son vis-à-vis d'un ton sarcastique.

— Comme mon nom l'indique, ma langue maternelle est le gaélique. Les autres idiomes s'apprennent sans trop de mal.

Le journaliste s'était montré un peu cassant. Il demanda, à peine plus amène :

— Pouvez-vous m'expliquer votre programme ? Je me suis plongé dans votre publication, *L'Union nationale*.

— Alors vous savez déjà que le salut des Canadiens français se trouve dans l'union, mais pas celle des diverses colonies britanniques sur ce continent. La Grande Association au niveau social, dans la sphère politique, amalgamera des libéraux et des conservateurs de langue française.

— En conséquence, je vous vois aujourd'hui avec les membres les plus prometteurs de ces deux partis, messieurs David et Laurier. Doit-on s'attendre à ce que ce mouvement de convergence atteigne leurs aînés ?

— Seulement quand nous nous serons débarrassés des valets des grandes compagnies ferroviaires, prêts à trahir leur nation pour s'enrichir. Un jour, tous les Canadiens français pourront se retrouver dans un parti unique.

En entendant cette envolée, Laurent-Olivier David s'agita nerveusement sur sa chaise, s'empressant de prendre une gorgée de whisky. De son côté, Wilfrid Laurier se perdit dans la contemplation du papier peint.

— Voilà un programme ambitieux. Un parti unique, je pourrais dire un parti racial. Pour un peuple homogène, je suppose. Je me demande quelle place restera pour quelqu'un comme moi, quand ce jour sera arrivé.

— Vous vous fondrez à nous. Vous parlez déjà français.

— Et les autres, qui ont moins de talent que moi pour les langues ?

— Ils retourneront d'où ils viennent…

Cette fois, le journaliste choisit de rire de bon cœur.

— Je vois. Vous savez que les Sauvages pourraient vous dire exactement la même chose ?

David prenait des notes à toute vitesse. Sa dernière répartie avait laissé Lanctôt pantois. Avant de permettre au candidat de s'aventurer sur ce terrain glissant, il enchaîna tout de suite :

— Puis il y a aussi la question des opinions. S'il existe des partis libéral et conservateur, la population se divise sans doute entre… libéraux et conservateurs. Par exemple, pour les membres de votre organisation où tout le monde parlera français, les écoles devront-elles avoir un statut confessionnel, une réalité que la nouvelle Constitution protège au Québec et en Ontario, ou deviendront-elles neutres, comme aux États-Unis ?

Médéric Lanctôt le regarda, incertain, puis plongea :

— Neutres. Les grenouilles de bénitier ont enfoncé la fédération dans la gorge des Canadiens français, menaçant de l'enfer les opposants. Nous les remettrons à leur place.

— Beaucoup de Canadiens français attachés à leur religion se sentiront à l'étroit dans votre parti unique, objecta le journaliste. Et je constate que vous n'êtes pas sur le point de demander la levée de la mesure d'excommunication pesant contre vous.

Lanctôt roulait des yeux furieux, conscient de s'exprimer devant un sceptique. Ses deux compagnons commençaient à trouver qu'il valait peut-être mieux rester dans leurs anciens partis. Heureusement, le lectorat habituel de la *Gazette* ne votait pas dans Montréal-Est.

— Encore une chose qui me préoccupe, insista David. Je comprends que vous voulez renouer avec le rêve d'indépendance du Bas-Canada. Ne pensez-vous pas que les États-Unis ne feraient qu'une bouchée de ce territoire ? Combien de temps la république du Texas a-t-elle existé ? Sans parler de l'invasion du Mexique.

— L'annexion, ce serait tant mieux. Si le Bas-Canada ne peut vivre indépendant, qu'il devienne un État américain et soit libéré de la domination anglaise.

— Je vais résumer vos paroles, dites-moi si je comprends bien. Vous vous présentez comme porte-parole de la Grande Association, pour débarrasser le Bas-Canada de George-Étienne Cartier. Vous rêvez d'une république où les Églises ne pourraient intervenir dans les affaires publiques, y compris l'éducation. Par ailleurs, si l'indépendance nationale se révélait impossible, vous favorisez l'annexion aux États-Unis. Mais si je reviens au point de départ, la Grande Association a trois objectifs, dont le dernier est de mettre fin à l'émigration canadienne française aux États-Unis. Vous n'acceptez pas l'annexion individuelle, seulement l'annexion collective ?

Son interlocuteur en resta bouche bée. Réprimant son envie de rire, David demanda encore :

— Croyez-vous que beaucoup d'électeurs vont vous suivre sur ce chemin un peu tortueux ?

Derrière Lanctôt, toujours muet, Laurent-Olivier David et Wilfrid Laurier échangèrent un regard inquiet. Finalement, ce dernier prit la parole en se levant :

— Monsieur Devlin, ce fut un échange très agréable. Cependant, nous avons un autre rendez-vous. Vous nous excuserez de partir aussi brusquement. Nous aurons sans doute l'occasion de nous revoir.

— Mais je n'en doute pas, monsieur Laurier, répondit David en serrant les mains.

L'article sur le programme électoral de Médéric Lanctôt ne fit pas grand bruit dans la *Gazette*. Juste au-dessus s'étalait un épilogue agressif sur le discours de Thomas D'Arcy McGee prononcé le dimanche précédent. Dès les premières lignes, il soulignait que le politicien irlandais venait d'être chassé de la société Saint-Patrick, dont il avait été un pilier jusque-là. Pour les orangistes, cela prouvait que les accusations du bouillant orateur étaient fondées : cette association se trouvait infiltrée par des féniens. Aussi réclamaient-ils son interdiction et l'arrestation pure et simple de ses officiers les plus importants.

D'un autre côté, des lecteurs outrés des propos de D'Arcy McGee publiaient des lettres pour affirmer leur loyauté à la couronne, évoquant parfois la relation trop intime du politicien avec la dive bouteille pour expliquer ses écarts de langage. La lutte par périodiques interposés ne concernait pas que les candidats irlandais. Les Canadiens français pouvaient donner aussi dans l'invective la plus acerbe. *La Minerve*, un journal conservateur voué à la défense du projet de fédération, qualifia Médéric Lanctôt de « briseur de carreaux, fénien, mangeur de curés, annexionniste, excommunié, révolutionnaire, plaie d'Égypte, etc. » La litanie fit sourire David : de celle-ci, seule l'accusation d'être un fénien ne lui paraissait pas du tout fondée.

Pareille tirade, à laquelle *L'Union nationale* répondrait en des termes tout aussi bien choisis, fournissait à Médéric Lanctôt un autre motif de fourbir sa langue. Une assemblée publique se tiendrait le dimanche 25 août 1867 en début d'après-midi, dans la grande salle du marché Bonsecours. Le petit orateur, accompagné de jeunes libéraux membres de l'Institut canadien et de quelques conservateurs assez naïfs pour s'imaginer qu'un parti d'union nationale rallierait les Canadiens français, prit la parole devant environ trois mille personnes.

La petite foule autour de lui, des hommes surtout, mais aussi quelques femmes et des gamins qui couraient en tous sens, rappelèrent à David qu'une campagne électorale fournissait un loisir gratuit aux travailleurs, alors que le jardin Guilbeault coûtait quelques sous. Parmi eux, combien s'intéressaient vraiment à la chose publique ? Car sans personne pour lui poser des questions difficiles, Médéric Lanctôt pouvait donner un excellent spectacle.

— La fédération sert les intérêts des constructeurs de chemins de fer, qui vont s'enrichir à même vos taxes. Comment Cartier paie-t-il toutes ses belles maisons ? C'est l'avocat du Grand Tronc ! Pourquoi les curés font-ils la promotion de ce projet ? Cartier travaille aussi pour les sulpiciens. Ces prêtres possédaient toute l'île de Montréal il y a seulement une dizaine d'années ! Le goupillon s'unit aux riches anglais pour vous dépouiller ; les deux utilisent le même valet pour vous endormir, Cartier !

Dans la salle, un murmure se fit entendre, émaillé de « Bravos ! » dans lesquels David discernait une bonne dose d'ironie gouailleuse. La colère du candidat exprimait un peu celle des Montréalais. Ses mots contre les patrons satisfaisaient les ouvriers harassés ; ceux destinés aux curés réjouissaient les personnes excédées par la morale rigide des porteurs de soutane onctueux et gras qui se cachaient des vicissitudes de la vie dans de grands presbytères. Peut-être le candidat ferait-il le plein de votes parmi eux, mais la difficulté tenait au fait que les plus pauvres, donc les plus en colère, ne possédaient souvent pas les propriétés requises pour se qualifier comme électeurs. Le populisme deviendrait vraiment rentable quand l'ensemble du peuple pourrait voter.

— Cartier, complice des curés, se révèle le fossoyeur de notre nationalité. Déjà, les Anglais étaient plus nombreux que nous au Canada-Uni. Dorénavant, il y aura ceux du Nouveau-Brunswick et de la Nouvelle-Écosse. Plus tard, d'autres viendront peupler les territoires de l'ouest. Majoritaires, ils auront le champ libre pour nous faire disparaître.

— Nous avons le gouvernement à Québec…, cria une voix dans l'assistance.

— Pas plus puissant qu'un conseil municipal, surveillé par les politiciens d'Ottawa, qui pourront refuser de reconnaître ses lois. Au fond, Ottawa vient de se donner une colonie à Québec !

David referma son carnet. Tout cela se trouvait dans les pages de *L'Union nationale*. Les lecteurs de la *Gazette* en apprendraient plus qu'ils n'avaient jamais voulu savoir sur les projets de cet illuminé.

⟜

Le suffrage devait se tenir les jeudi et vendredi 5 et 6 septembre 1867. Avec un seul bureau de scrutin par circonscription, les électeurs se succédaient pour exprimer leur choix à haute voix. Quand une heure s'écoulait sans que quelqu'un se présente, la votation prenait fin. Aussi, au cours des dernières décennies, l'enjeu avait été de s'assurer que les personnes appuyant le candidat d'un parti se prononcent très vite, pour ensuite empêcher ceux de l'adversaire d'atteindre le *poll* pendant soixante minutes.

En arrivant au bureau de scrutin de Montréal-Ouest pour les besoins de son article, David reconnut de nombreux féniens, allant à deux ou trois ensemble, cherchant les partisans de D'Arcy McGee pour les convaincre de ne pas se rendre voter. Parfois, le travail de conviction s'accompagnait de quelques coups bien appliqués. David se trouva face à une scène de ce genre en s'engageant dans la rue Saint-Claude. Patrick Doody et John Carroll bousculaient un petit homme malingre.

Un policier accourut à la rescousse, repoussa Doody contre le mur. Carroll sortit de sa poche une matraque plombée pour lui en asséner un violent coup à l'arrière de la tête. Comme l'agent s'écroulait, il fit mine de frapper encore. La poigne solide du journaliste retint son bras, sa main droite lui saisit les couilles pour serrer de toutes ses forces.

— Idiot. Si je te revois, j'arrache tes petites noix. Informe-toi, je respecte toujours ma parole. Si ce policier meurt, je vais te retrouver et te conduire au poste, pour que ses camarades prennent soin de toi.

— Lâche-moi, réussit à articuler l'autre en grimaçant.

— Tu as bien entendu? Dis-moi ce que tu as compris.

Sa main serra encore un peu, en tirant vers le haut. Le malheureux électeur avait déjà pris ses jambes à son cou, alors que Doody restait sans voix.

— Oui, j'ai compris.

— Alors, disparais de ma vue.

Carroll partit à petits pas dès que le journaliste eut lâché sa poigne, se déplaçant un peu penché vers l'avant, jambes écartées.

— Éloigne-toi de cet imbécile, dit David à Doody. La Fraternité ne gagnera rien avec des voyous de son espèce.

— Je n'ai pas d'ordres à recevoir de vous. Je recrute qui je veux dans le cercle.

David s'était penché sur le policier. La matraque de plomb lui avait ouvert une longue coupure à l'arrière du crâne, le sang poissait ses cheveux et le col de son uniforme. Son sifflet traînait sur le sol. Souffler dedans pour émettre un son strident prit une seconde. Sachant que les collègues du blessé accourraient sous peu, Doody s'esquiva en vitesse.

~

Le 6 septembre, les bureaux de scrutin de Montréal fermèrent en début d'après-midi. Quelques heures plus tard, les journaux affichaient les résultats sur de grands panneaux. Thomas D'Arcy McGee l'emportait avec deux cent soixante-deux voix de majorité. Les quartiers les plus densément peuplés d'Irlandais s'étaient prononcés en faveur de Bernard Devlin, mais de justesse. À la fin, les Anglais, les Écossais et les Canadiens français de la circonscription avaient fait la différence.

L'histoire connut un épilogue. Le dimanche 22 septembre, alors que tous les notables irlandais s'attardaient sur le parvis de l'église Saint-Patrick, Bernard Devlin s'approcha de Thomas D'Arcy McGee, qui se trouvait là avec toute sa famille. Quelque peu surpris, le nouvel élu tendit la main en disant :

— La lutte fut rude. Vous m'avez donné du fil à retordre.

L'autre lui cracha au visage, tourna les talons et disparut. Sortant de l'église, David Devlin avait assisté à la scène. Dans une ville aussi petite que Montréal, impossible de s'afficher comme agnostique, Eithne se prenait d'ailleurs d'une religiosité toute bourgeoise. Il s'approcha du politicien, lui tendit un mouchoir après s'être assuré de sa propreté.

— Les fils de grands propriétaires terriens ne sont pas tous des gentlemen, commenta-t-il.

L'homme s'essuya le visage devant le regard horrifié de son épouse et de sa fille Euphrasia. Après avoir retrouvé une certaine contenance, il laissa tomber :

— Celui-là conserve des manières de cul-terreux. Mais je constate que vous êtes accompagné de madame votre femme.

David fit les présentations, Eithne tendit la main machi-nalement, salua tout le monde sans y mettre la moindre expression. Afin de sauver la situation, le jeune homme passa à un sujet plus neutre :

— Le premier ministre compte-t-il vous donner un poste au Cabinet ?

— Je ne le pense pas. Je ne peux pas dire qu'il se réjouit de ma victoire. Peut-être aurait-il préféré l'élection de ce malotru. Si je savais gagner ma vie de façon utile, je laisse-rais tomber la politique. Je ne supporte plus ce genre d'affrontement.

— Le Canada y perdrait beaucoup.

Après quelques mots encore, David salua toute la famille en soulevant son melon, Eithne se contenta d'un signe de tête, puis ils quittèrent les lieux.

— Je ne comprends pas que tu adresses la parole à cet ignoble personnage.

— Comment cela ? C'est un homme charmant.

— Il fait beaucoup de tort à la cause de l'Irlande.

— Tu sais, il y a des gens bien chez ceux qui ne partagent pas tes idées, et de vrais salauds chez ceux qui les appuient.

Qu'il ait utilisé le « tes », plutôt que le « nos », aurait dû attirer l'attention de la jeune femme. Sa ferveur pour la cause de l'Irlande, que David considérait comme un travers féminin, lui tombait sur les nerfs. Impossible de lui faire comprendre que le monde ne se déclinait pas en noir et blanc.

— J'ai entendu parler de ton altercation avec Carroll, continua-t-elle. Je ne t'imaginais pas comme cela. Toujours une plume à la main, la voix posée… John ne peut pas encore marcher autrement que les jambes écartées. Je suppose que tu le classes parmi les salauds.

— Certainement. Comment se fait-il que tu aies appris cela ?

— J'ai passé deux ans, presque trois, à chanter pour les Irlandais de Montréal. Je les connais tous, sans exception.

David hocha la tête. Aucun des amateurs de bière ou de whisky, fénien ou non, n'était un inconnu pour sa femme.

— Et dans ce cas précis, qui t'a raconté ?

— Bridget Boyle.

Elle avait partagé le logement de cette femme, maintenant mariée à James Patrick Whelan.

— Pourtant, tu es allé en mission avec cet homme, poursuivit-elle, du côté de Cornwall. D'Arcy McGee aurait pu t'envoyer en prison, avec ses discours. Maintenant, tu détestes Carroll. Tu ne m'as jamais parlé de cette histoire. J'apprends des choses sur toi par les autres !

— Comme je t'ai expliqué déjà, moins les gens en savent, plus on arrive à contenir les risques. Tu ne répéteras pas, même involontairement, ce que tu ignores.

— Mais je ne dirai jamais rien, protesta-t-elle avec une certaine véhémence.

— Si jamais quelqu'un voulait obtenir des renseignements, il te ferait parler, crois-moi.

Elle frissonna, malgré la belle journée de septembre.

— Je préférerais que tu ne fréquentes pas ces personnes, lui demanda son mari. Cela pourrait te mettre en danger.

— Ce sont mes seuls amis. Toi, tu t'absentes toujours. Bientôt, tu retourneras à Ottawa pour le début de la session.

Malgré tous ses efforts, très agréables, et de la part de la jeune femme l'arrêt de toutes les stratégies pour l'éviter, elle ne tombait pas enceinte. David le regrettait, un enfant serait pourtant le meilleur moyen de meubler ses journées.

❦

George-Étienne Cartier avait remporté la victoire avec une majorité de trois cent quarante-huit voix.

Au cours des décennies suivantes, Médéric Lanctôt essaierait à peu près tous les registres idéologiques. Se présentant d'abord comme annexionniste, il passerait aux États-Unis pour se convertir au protestantisme et s'abandonner à un anticatholicisme virulent. À son retour au Québec, il se réconcilierait avec l'Église, s'établirait dans la région de l'Outaouais où il connaîtrait un renouveau de carrière. Chacun de ses mouvements d'idées s'accompagnerait de la création d'un journal condamné à une faillite rapide.

Chapitre 25

Eithne s'accrochait à son bras de toutes ses forces, un peu parce qu'elle se sentait toute petite dans la métropole américaine, beaucoup parce qu'elle se trouvait la femme la plus chanceuse du monde.

— C'est tellement plus grand que Montréal.

— Dix fois plus, en fait.

— Máire, qu'en penses-tu?

Sortir la couventine de son couvent n'avait pas été une mince affaire, malgré le congé des fêtes. David ne comptait pas la ramener aux sœurs de Sainte-Anne avant le 3 janvier. Les religieuses s'imaginaient sans doute que dix jours loin d'elles vaudraient à la fillette la perdition de son âme.

— C'est immense…

Les édifices commerciaux de la rue Broadway la laissaient sans voix.

— Où habitons-nous, déjà? demanda Eithne pour la centième fois.

— Dans l'appartement d'un ami, absent de la ville pour longtemps.

David avait évoqué devant Donovan son désir de venir à New York en famille, en soulignant que le prix de deux billets de train supplémentaires pèserait sur ses ressources. L'avocat avait tout de suite proposé d'utiliser le logis d'un fénien en mission en Irlande. La solution convenait tout à fait.

Dès leur arrivée dans la ville, le 23 décembre, l'avocat les avait accueillis à la gare pour les conduire à Greenwich Village, dans un appartement spartiate mais très convenable de la rue Wooster. David faisait visiter à ses compagnes les environs immédiats, les promenant devant la maison de chambres où il avait vécu des mois, à la bibliothèque publique qui lui avait fourni une source infinie de livres et de périodiques, et même dans les journaux qui publiaient ses articles.

Ils passèrent à l'appartement pour se rafraîchir un peu et, dans le cas des deux sœurs, revêtir leur meilleure robe. Eithne portait la crinoline la plus large de sa vie, Máire un vêtement plus modeste, mais qui allait jusqu'aux chevilles plutôt qu'à mi-jambes, comme il convenait à une personne de tout juste treize ans. Ce soir-là, plus rien de la couventine chez elle, tout de la jeune fille rougissant de l'attention de Donovan, qui l'appelait « mademoiselle » et s'enquérait de ses sentiments sur tous les sujets.

L'avocat les avait invités à réveillonner à l'hôtel *American* le soir du 24 décembre. La salle à manger avait été décorée de rouge et de vert, un sapin orné de bougies allumées occupait tout un coin de la pièce.

— Monsieur Donovan, que pensez-vous des plus récents événements survenus à Londres ? demanda Eithne.

— Je trouve bien regrettables les pertes de vies civiles, mais ces choses arrivent dans une guerre. Nous ne l'avons pas déclarée, puis il y a des victimes des deux côtés.

Ces quelques mots résumaient sa vision d'une succession d'événements survenus au Royaume-Uni. Le 11 septembre 1867, en se rendant à la réunion du cercle de Manchester, Thomas J. Kelly, le *Head Center* de la Irish Republican Brotherhood, avait été arrêté en compagnie d'un capitaine,

Jim Deasy. Une semaine plus tard, les deux prisonniers étaient conduits de la cour à leur prison dans une voiture de la police, qu'un petit parti de féniens, dirigé par un Américain, Edward O'Meaher Condon, avait prise d'assaut. Pour ouvrir le fourgon, l'un des hommes tira un coup de revolver sur le cadenas. La balle ricocha dans l'œil d'un policier, le sergent Brett, le tuant net.

Si Kelly et Deasy purent rentrer sans mal aux États-Unis, les cinq volontaires du commando furent arrêtés à leur tour. L'un d'eux obtint un pardon, les autres se trouvèrent condamnés à la pendaison. Condon, à la suite des pressions exercées par le gouvernement américain, vit sa peine commuée en vingt ans de prison. Allen, Larkin et O'Brien avaient été pendus le 23 novembre 1867. Eithne avait trouvé les paroles d'une chanson sur les « martyrs de Manchester » dans un journal et la chantait à toutes les occasions.

Ce n'était que le premier épisode d'un feuilleton interminable. En novembre aussi, un autre fénien avait été mis aux arrêts pour avoir tenté d'acheter des armes à Birmingham. Alors qu'il logeait à la prison de Clerkenwell à Londres, en attente de son procès, la Fraternité résolut de le libérer. Pour cela, elle adopta une stratégie énergique : une charrette remplie de poudre fut placée contre le mur d'enceinte de l'édifice. L'explosion devait percer un trou suffisant pour permettre à un homme de passer. Sous le choc d'une charge très puissante, des logements ouvriers voisins s'effondrèrent, tuant douze personnes et en blessant dix fois plus, les laissant parfois avec d'horribles brûlures.

— Et dans une guerre, une action brutale peut ébranler l'ennemi, se justifiait Donovan. Le premier ministre du Royaume-Uni, William Gladstone, va retirer à l'Église d'Angleterre le statut d'Église officielle de l'Irlande. Douze tués pour mettre fin à deux siècles d'une situation honteuse !

— Des personnes innocentes, bredouilla Máire. Un meurtre, tout simplement.

La jeune fille avait plongé les yeux dans son potage, un peu pâle. C'était justement parce qu'elle n'entendait plus parler de ces sujets qu'elle aimait tellement sa vie de pensionnaire.

Les adultes échangèrent un regard, David espéra que ses compagnons affichent assez de raison pour changer de sujet. Cette action terroriste avait amené un effet bénéfique : alors que les protestants ne représentaient qu'une minorité en Irlande, leur Église accumulait des terres, des subventions, des privilèges dont les catholiques étaient privés. Cette anomalie prendrait fin.

Un peu plus tard, Donovan demanda à David :

— Après-demain, pourrions-nous nous voir ? J'aimerais t'entretenir des affaires de la société.

— Bien sûr. Ces dames veulent chercher des dentelles. Je les abandonnerai près des grands magasins, puis je te rejoindrai dans la 32ᵉ Rue.

— Entendu. Maintenant, Máire, auriez-vous l'extrême gentillesse de m'accorder cette danse ?

Elle protesta de son ignorance, puis en rougissant accepta enfin. La jeune fille montra un sens du rythme certain et finalement se tira assez bien d'affaire. David invita sa femme à le suivre sur la piste.

❦

Le quartier général de la Fenian Brotherhood, situé dans la 32ᵉ Rue, était désert le 26 décembre. Cela ne tenait pas qu'à la période de l'année. Les événements de l'automne avaient jeté les militants dans la morosité. Aussi purent-ils converser dans la grande pièce qui servait de bibliothèque, un verre à la main, sans craindre les oreilles indiscrètes.

— Nous avons tenté de nous rapprocher de la faction dissidente de la Fraternité, expliquait Donovan, depuis que John Savage a succédé à John O'Mahony. En mettant fin à la division, nous aurions pu limiter les coûts. Finalement, cela a échoué. Beaucoup d'Irlandais préfèrent demeurer membres de l'amicale de Savage. Organiser des pique-niques, parader dans les rues le jour de la Saint-Patrick et prononcer des discours creux sur l'indépendance de l'Irlande, cela leur convient tout à fait.

— Les finances sont à ce point mauvaises ?

— Cet appartement a été payé par William Randall Roberts depuis le début. Mais les affaires fonctionnent au ralenti depuis la fin de l'effort de guerre. Tu as vu tous les chômeurs qui errent dans les rues ? Dorénavant il compte moins investir de sa poche et il a même présenté sa démission : elle prendra effet le 1er janvier. En attendant le prochain congrès, le sénat va désigner John O'Neil.

Donovan paraissait navré de voir son mentor quitter la société.

— Au moins, celui-là aura satisfait ses ambitions, murmura David.

Toujours flanqué de Henry Le Caron comme principal collaborateur, le « seul fénien combattant », comme il aimait se désigner lui-même, aurait tout aussi bien pu confier tous ses projets à l'oreille du consul Archibald.

— Dans quel projet guerrier veut-il maintenant nous engager ? demanda encore le journaliste.

— La prise du Canada. De l'autre côté de l'Atlantique, l'explosion de Clerkenwell a refroidi bien des ardeurs, y compris chez nos militants.

— Comment diable financera-t-on une nouvelle invasion ?

— O'Neil veut demander une cotisation spéciale de dix dollars à chacun des membres.

Pareil optimisme semblait très naïf au visiteur. Il mesura ses paroles avant de commenter :

— À une époque où, comme tu le remarquais, le chômage augmente, il veut demander une semaine du salaire d'un ouvrier. Ce sera difficile. Mais pour toi, qui es lié à Roberts depuis le début, cela modifie quelque chose à ton statut ?

— O'Neil m'assure que je peux continuer avec lui, que rien n'est changé. Je vais rester à mon poste de secrétaire jusqu'au prochain congrès. Par la suite, je redeviendrai un simple capitaine. Tu me donnes l'exemple : il devient pressant que je me déniche une petite épouse… Pour cela, je dois d'abord consacrer plus de temps à mon bureau d'avocat.

L'homme marqua une pause, se demandant un instant comment continuer.

— De toute façon, je doute des entreprises nécessitant des milliers de participants. Je me rallie à ton opinion : on ne peut pas livrer une guerre conventionnelle sans jouir des pouvoirs d'un État. D'un autre côté, tu as vu l'effet de l'explosion de Clerkenwell ? En menant la lutte chez les Anglais, après quelques victimes parmi eux, l'Église anglicane se trouve désétablie. Avec la multiplication des interventions de ce genre, je parie que ce ne serait pas long avant que l'union de 1801 soit abrogée et que l'Irlande retrouve une Chambre d'assemblée responsable au moins des questions locales.

La tentation terroriste, déjà évoquée lors de l'assassinat de Lincoln, hantait toujours l'avocat. David essaya de l'en dissuader en disant :

— Cela peut aussi susciter l'inflexibilité de l'adversaire et faire en sorte qu'il décide de ne rien céder. Ensuite, tu n'obtiendrais pas une république, opposa David.

— Un gouvernement à la canadienne constituerait un début, pas une fin. Des attaques bien préparées, exécutées par un petit groupe de personnes déterminées, dans le plus grand secret, nous mèneraient à l'indépendance totale.

— Comme Clerkenwell? À ce sujet, je partage l'avis de Máire : la vie des innocents me préoccupe.

— Moi aussi, affirma Donovan avec passion. Mais si nous n'agissons pas, des innocents mourront de misère en Irlande, tandis que d'autres devront émigrer par dizaines de milliers, à cause de la domination des Britanniques qui pillent systématiquement les ressources du pays !

Le journaliste reconnaissait les échos du discours de Médéric Lanctôt : l'indépendance nationale apportant l'abondance aux masses laborieuses !

— Si nous nous donnons une petite organisation au sein de la Fenian Brotherhood, tout à fait secrète, seulement avec des hommes résolus à passer à l'action, capables d'effectuer de vraies opérations coup-de-poing, voudrais-tu en faire partie? Bien sûr, plutôt que de viser des cibles innocentes, je compte favoriser les symboles…

Dès la mort du président américain, l'avocat avait évoqué le meurtre de la reine Victoria. Ce symbole serait particulièrement bien choisi.

— … Bien sûr, je suis avec toi.

— J'en suis heureux. Je savais que je pourrais compter sur toi. La façon dont tu as réglé le problème de Fitzwilliam… nous aurons besoin d'une discipline inflexible, sinon nous serons découverts et exécutés.

Évidemment ! David venait de se porter volontaire pour faire partie d'un quarteron d'assassins. Au mieux, ce serait des assassinats sélectifs, au pire, des assassinats de masse.

❧

Plaidant la nécessité de rencontrer quelques éditeurs de journaux afin de concocter des travaux de rédaction, David avait convaincu son ami — et celui-ci avait accepté de bonne grâce — de conduire Eithne et Máire au concert. Le trio avait trouvé sans mal des places dans une loge d'un théâtre de la rue Broadway pour un spectacle donné l'après-midi. Une fois l'adolescente bien installée, captivée par la danse et la musique classique, les adultes avaient regagné le grand couloir circulaire qui ceinturait la salle pour prendre le thé. Après mille remerciements pour le séjour à New York, car elle comprenait le rôle de l'avocat dans sa concrétisation, la jeune femme hésita longuement avant de commencer :

— Vous êtes membre de la Fenian Brotherhood ?

— Ce n'est pas un secret. Aux États-Unis, il s'agit d'une société tout à fait respectable, qui maintient d'excellentes relations avec tous les partis politiques et les gouvernements.

— David en fait partie. Cependant, il demeure très secret là-dessus.

— Au Canada, cela lui causerait des ennuis. Mieux vaut se taire.

— Mais je suis sa femme !

Au sourire que lui adressa Donovan, elle comprit que lui aussi considérait que ces sujets ne devaient pas figurer au programme des confidences sur l'oreiller.

— Il n'y a pas que cela, se troubla-t-elle, des fois je me demande où va sa fidélité.

Elle parla des rapports cordiaux de son mari avec Thomas D'Arcy McGee, puis de la mésaventure survenue aux couilles de John Carroll.

— Les lui arracher, vraiment ! répondit l'autre en riant. Voilà pourquoi je l'aime autant. Il a tout à fait raison. La violence gratuite ne donne rien, sauf nous faire une réputation de voyous. Puis ce policier pouvait très bien être Irlandais, lui aussi. Il est mort?

— J'ai lu dans les journaux qu'il avait survécu.

— Tant mieux. Quant à David, c'est l'un des hommes les plus fiables dans l'organisation. Ici, il a réglé seul une affaire très délicate impliquant... un traître. Je voudrais organiser une sorte de corps d'élite au sein de la Fraternité. Il vient tout juste d'accepter. Mais chut, secret absolu.

Eithne marqua une longue pause, essayant en vain de se souvenir d'un événement survenu à New York. Elle possédait une collection d'articles publiés par son mari. Elle vérifierait dès son retour à la maison.

— Et moi, je pourrais faire partie de ce corps d'élite?

— Une femme, pourquoi pas, répondit l'autre, songeur. Nous en reparlerons, je passerai à Montréal quelques fois dans l'année. Nous retournons à l'intérieur, avant que le concert ne soit terminé?

⸺

David Devlin avait profité du fait qu'il était seul pour visiter ses éditeurs. Son projet de feuilleton sur ses expériences d'espion se boucla en une heure. Il avait pensé demander à Elizabeth Warne d'écrire une préface. Cette femme, maîtresse espionne, aurait été du meilleur effet sur les ventes. Trop tard: malade, elle serait bientôt morte de tuberculose. Ses affaires bouclées, il put rencontrer Édith dans un salon de thé pour lui communiquer le résultat de sa conversation avec Donovan.

Le 2 janvier, la petite famille reprenait le train en direction de Montréal. Máire, épuisée par tout ce qu'elle avait vu, somnola presque tout au long du voyage de retour. Quant à Eithne, elle fixait des yeux étonnés, à la fois admirateurs et craintifs, sur son époux. La mémoire lui était revenue sans même l'aide de sa collection d'articles : l'affaire Fitzwilliam, l'exécution à Central Park dont il avait lui-même rendu compte dans le *Herald*.

                                 ~

Comme David Devlin regagnait son domicile, deux hommes frappaient à la porte de Thomas D'Arcy McGee, rue Chatham, pour avoir la surprise de se retrouver en face d'un individu encore jeune, auquel ils demandèrent à parler au politicien.

— À cette heure-ci, mon beau-frère est déjà couché, se virent-ils répondre.

Les deux visiteurs échangèrent un regard. Chacun gardait la main droite, gantée, dans la poche de son paletot. Le rouquin avec de grands favoris, celui qui avait donné le nom de John Smith, jugea bon d'insister :

— Ne pouvez-vous pas le réveiller ? C'est important.

— Non. Il s'est couché avec un début de grippe. Vous pourrez repasser demain, à une heure décente.

Encore une fois, les intrus s'entre-regardèrent, celui qui s'était présenté sous le nom de Henry Murphy sortit la main de sa poche et convint finalement :

— Nous reviendrons.

Quand ils se trouvèrent dehors, en route vers la rue Notre-Dame, le rouquin remarqua :

— Nous aurions pu forcer notre chemin jusqu'à la chambre.

— Et tuer ce beau-frère ?

— Si nécessaire, oui.

— Sa femme et ses enfants aussi ?

L'homme ne cachait pas sa surprise.

— Patrick, je me demande où tu vas chercher des idées pareilles. Tu ferais mieux de retrouver Bridget. Ce serait une activité plus normale pour un jeune marié qui passe ses semaines à Ottawa tout seul!

Patrick James Whelan haussa les épaules. Une fois que la décision avait été prise d'exécuter D'Arcy McGee, pourquoi faire dans le détail? Si le beau-frère du traître y passait aussi, et même sa femme, cela inciterait tous les autres à serrer les fesses et à marcher droit. Sous une nouvelle présidence, le cercle fénien de Montréal n'avait-il pas décidé de faire sentir sa présence?

⟶

Pour la première fois, David Devlin ne rencontrait pas le commissaire Ermatinger dans un fiacre. L'amoncellement de neige sur le mont Royal avait rendu la chose impossible. Seuls les traîneaux circulaient encore, non sans difficulté. Les précipitations tombées sur la ville n'étaient pas ramassées. La population se contentait de les pelleter vers le milieu de la rue. Aussi, les carrioles glissaient sur une couche de neige durcie pouvant atteindre une bonne verge de hauteur. Dans les circonstances, les deux hommes avaient convenu de se voir tôt le matin du 10 février, dans une chambre d'hôtel louée par une amie.

— Comment trouvez-vous le nouveau «centre» du cercle de Montréal? demanda le policier.

— Patrick Doody? Depuis trois réunions qu'il préside, je crois entendre le prêcheur d'une religion exotique. Nous allons mettre Montréal à feu et à sang bientôt.

— Quand aura lieu le grand événement, et où?

— Le 17 mars, le jour de la Saint-Patrick. L'idée de s'attaquer à l'île Sainte-Hélène semble prévaloir, même si les baraquements situés à Montréal, à deux pas de la jetée Victoria, me paraîtraient un objectif plus raisonnable. Mais ils misent sur un homme à l'intérieur.

— Un soldat d'origine irlandaise nommé O'Brien doit leur donner accès aux bâtiments, n'est-ce pas ? ricana le policier.

David présenta une mine étonnée avant de dire :

— Je ne vous ai pas encore donné son nom.

— Lisez ceci, fit-il en tendant une feuille de papier. J'ai décodé le tout.

Il s'agissait d'une communication de Francis Lousada, le consul du Royaume-Uni à Boston. Ce diplomate racontait avoir reçu une lettre, écrite dans un anglais châtié à l'orthographe pitoyable, d'un certain James Rooney. Ce correspondant l'avertissait que les féniens attaqueraient l'île Sainte-Hélène le 17 mars, grâce à la complicité du soldat O'Brien. Le correspondant annonçait aussi que Ward, Gushen, McNamee, Conelly et Hughes se rendraient à Saint Albans le 9 mars, un dimanche, pour récupérer quatre caisses. Chacune contiendrait trente-deux fusils militaires.

— Ce Rooney est bien informé. Ces gars, ce sont des féniens de Montréal. Il en sait même un peu plus que moi : j'ai appris que des armes devaient venir de Saint Albans, mais j'ignorais la date de livraison et l'identité des personnes qui iront les chercher.

— À part vous, il y a donc un informateur dans le cercle. Vous devinez qui cela peut être ?

— … Un seul nom s'impose à mon esprit, vous me l'avez planté là dès notre première rencontre. Francis McNamee. Mais il écrit très bien l'anglais.

— Et il n'a pas un langage châtié. Le consul m'a dit que le vocabulaire était étonnamment riche, pour un correspondant qui ne savait pas épeler les mots les plus simples.

Tous les deux pensaient à qui s'exprimait si bien : Thomas D'Arcy McGee.

— Quand McNamee a laissé sa place à la tête du cercle, cela s'est déroulé dans l'harmonie ?

— Tout à fait. L'état de ses affaires ne lui permettait plus de consacrer autant de temps à la Fraternité. Tout le monde a compris, Patrick Doody a offert ses services. Ce fut réglé en cinq minutes.

— J'ai demandé au consul Lousada s'il possédait des contacts dans les milieux irlandais… pour apprendre qu'il avait travaillé au sein du gouvernement de Dublin Castle. Il a rencontré notre turbulent D'Arcy McGee lors de sa visite là-bas.

— Je vois ! McNamee peut très bien être celui qui informe D'Arcy McGee.

Le politicien était du genre à envoyer un message écrit dans un mauvais anglais pour adopter l'identité d'un travailleur et y glisser les mots les plus rares afin d'étaler sa culture. Le journaliste ajouta :

— Mais il aurait tout aussi bien pu s'adresser à vous, à moi, et même à George-Étienne Cartier dans un corridor obscur du parlement, à Ottawa.

— D'un autre côté, il a pu se sentir surveillé, menacé, et croire plus sûre cette stratégie.

— Qu'allez-vous faire à propos de l'attaque contre l'île Sainte-Hélène ?

— Le soldat O'Brien a déjà appris sa mutation à la garnison de Terre-Neuve. Et vous verrez plus de militaires que jamais auparavant dans les rues de Montréal à l'approche du 17 mars.

⌇

En fin d'après-midi, le 5 avril, David avait pris le train en direction d'Ottawa. Depuis des semaines, il suivait assidûment la session depuis la galerie de la presse. Comme toutes les institutions canadiennes étaient à construire, cela lui fournissait bien de la matière, sans compter que les députés des Maritimes possédaient dans leurs rangs des personnages jusque-là inconnus, dignes d'être présentés à la population du Canada central.

Les travaux se terminaient parfois tard. À minuit, le lundi 6 avril 1868, Thomas D'Arcy McGee commençait un assez long discours sur les droits scolaires des catholiques du Québec et de l'Ontario. Le politicien épiloguait sur son rôle dans les négociations de 1864, prélude à l'entente de 1867. Heureux, fier de lui, il réussit à étirer les choses jusqu'à une heure du matin, le 7 avril.

Quand il se tut enfin, quelques minutes suffirent pour ajourner les travaux au lendemain. David prit le temps de mettre de l'ordre dans ses papiers avant de sortir. Dans le grand hall du parlement, il se trouva au milieu de politiciens qui enfilaient leur paletot.

— Monsieur D'Arcy McGee, vous me forcez à me coucher tard, lança-t-il en voyant le petit homme.

— Je suis bien désolé pour vous. Mais je rentre à la maison demain. C'est mon anniversaire dans une semaine exactement, ma femme réclame ma présence pour préparer les festivités. Vous faites la route avec moi ?

— Avec plaisir.

Dehors, la pleine lune jetait une clarté fantomatique sur Ottawa. Devant et derrière eux, des petits groupes de députés regagnaient leur domicile.

—Une nuit magnifique, remarqua le politicien.

— Je vous trouve très satisfait de vous. Vous éloigner d'Ottawa pendant la session, même à la veille de votre anniversaire, ce n'est pas votre genre.

— Mon calvaire se termine. Macdonald vient de me promettre un poste de fonctionnaire. Je pourrai faire vivre ma famille décemment, sans que personne me crache au visage… Tous mes loisirs iront à l'écriture. Le paradis.

— Je me réjouis que vous l'ayez trouvé avant votre décès. Mais je dois vous quitter ici, déclara David au coin des rues Metcalfe et Sparks. J'en profite pour vous souhaiter un bon anniversaire : je ne vous reverrai pas d'ici là.

Après une dernière poignée de main, les deux hommes se séparèrent. D'Arcy McGee se dirigea vers sa maison de chambres de la rue Sparks. Le politicien vit bien un individu sortir d'une encoignure de l'autre côté de l'artère mais n'y prêta pas attention, car il cherchait sa clef dans le fond de sa poche. Tout à coup, un rouquin apparut devant lui, ses favoris d'une curieuse teinte argentée à la lueur de la lune.

— Bonsoir, monsieur, fit-il de sa voix la plus joviale.

— … Bonsoir, répondit l'autre.

L'inconnu le dévisagea, puis tourna les talons et regagna la grande zone d'ombre créée par un angle du mur. Une voix impatiente l'accueillit :

— Qu'est-ce qui se passe ?

— Je n'ai pas été capable…

— Imbécile ! Donne…

L'homme plaça un petit revolver dans la main que lui tendait la jeune femme. D'un pas décidé, celle-ci sortit de l'obscurité à son tour et marcha vers l'entrée de la maison de chambres de D'Arcy McGee, tenant l'arme dissimulée dans les replis de ses jupes. Le politicien avait enfin pu glisser sa clef dans le trou de la serrure. Il se retourna en entendant les petits talons taper sèchement sur le trottoir de bois. Intrigué, il s'exclama gaiement :

— Madame Ryan ! Pardon, madame Devlin… Je viens tout juste de quitter votre époux.

— Puis-je vous parler un instant, en privé ? C'est important.

— … Bien sûr. Montez chez moi.

Thomas D'Arcy McGee se retourna, fit jouer la clef dans la serrure, n'entendit pas le coup de feu. La balle entra à l'arrière du crâne pour sortir par le front. Il s'écroula, sa bouche entrouverte heurta le pas de la porte si violemment que deux dents s'y incrustèrent. Derrière lui, les petits bruits secs d'une course éclataient, avec un bruissement de jupons.

Au lever du jour, tous les Irlandais qui avaient été vus dans la rue après minuit se retrouvèrent en état d'arrestation. Même le cocher de John Alexander Macdonald, venu chercher son patron après les débats de la Chambre, fit partie du lot. L'occasion était trop belle : Ermatinger en profita pour arrêter tous les officiers féniens, dont le « centre » Patrick Doody. Au total, une quarantaine de personnes furent enfermées et longuement interrogées par les policiers, dont Patrick James Whelan.

Comme celui-ci portait un revolver de calibre 32 dont une balle venait d'être tirée, les soupçons se cristallisèrent sur lui. Le lundi 13 avril 1868, l'État canadien organisait à Montréal des funérailles grandioses à Thomas D'Arcy McGee. Les écoles, les commerces, les usines et les ateliers demeurèrent fermés. Les journaux rapportèrent que soixante-dix mille citoyens s'étaient massés sur les trottoirs pour voir le cortège funèbre traverser tous les quartiers, suivi de vingt mille personnes. Bien sûr, cette arithmétique souffrait d'une terrible inflation, puisque la ville comptait, avec ses banlieues, cent mille habitants.

Tout de même, le cortège mit trois heures à atteindre l'église Saint-Patrick, pour fournir à tous l'occasion d'un dernier hommage. Le politicien, pour ce jour en tout cas, avait atteint son objectif : réunir une nation, au-delà des divisions nées des appartenances raciales ou religieuses. Eithne, restée derrière la porte close de sa chambre, manquait à ce rassemblement. Dès le vendredi suivant commençait le procès de Whelan, sous la présidence du juge William Buell Richards… avec John Alexander Macdonald assis près de lui sur le banc! Comme pour prouver que l'argent ne possédait vraiment pas d'odeur politique pour les avocats, John Hillyard Cameron, grand maître de l'ordre d'Orange au Canada, assurait la défense de l'accusé, payé par les cotisations des féniens.

Le premier jour du procès, Whelan se présenta assez confiant devant la cour, une cocarde verte à sa veste, des boutons de manchette grenat pour accompagner ses favoris roux. Après tout, avoir sur soi un revolver, alors que de très nombreux citoyens en portaient un, ne constituait pas une preuve! Son humeur s'assombrit quand un Canadien français nommé Lacroix affirma l'avoir vu commettre le meurtre. La récompense de deux mille dollars offerte à toute personne dont le témoignage conduirait à la condamnation du coupable stimulait les imaginations. Au dernier jour du procès, après avoir entendu la sentence de mort prononcée contre lui, Whelan déclara, du banc des accusés: «Voilà que maintenant on me tient pour un assassin, et mon sang se glace. Mais je suis innocent. Je n'ai jamais versé le sang de cet homme.»

Peu après ce verdict, un David Devlin soucieux — Eithne affichait une mine abattue depuis l'assassinat du politicien, comme si elle avait perdu quelqu'un de sa famille —, rencontrait George-Étienne Cartier dans ses bureaux du parlement.

— Monsieur Devlin, avez-vous entendu parler de cet assassinat chez les féniens?

— Pas un mot avant l'événement. Depuis, des dénégations, les cris «à l'injustice» pour la détention de Patrick

Doody et ses camarades fusent de toute part. Mais pas l'ombre d'une admission de culpabilité.

— Comme si la chose avait été commandée ailleurs.

— Je le crois. Henry Murphy s'est rendu à New York le 8 avril. Depuis, il demeure muet comme une carpe.

Aux yeux du journaliste, même les plus excitables des militants féniens ne lui paraissaient pas capables d'une exécution de sang-froid.

— Pourquoi ce meurtre?

— Ermatinger soupçonnait D'Arcy McGee d'avoir envoyé des informations au consul, à Boston. Je me sens particulièrement mal à l'aise. J'ai en quelque sorte mis en vogue l'assassinat des traîtres, avec la petite mascarade au sujet de Fitzwilliam.

Le ministre laissa échapper un long soupir, avant de conclure:

— Si D'Arcy McGee a fait cela, quel imprudent. Il se trouvait à trente pas de mon bureau.

— Mais après la dernière élection, peut-être pensait-il ne pas pouvoir compter sur votre soutien.

George-Étienne Cartier fixa sur lui un regard attristé, secoua la tête, changea de sujet:

— Dans quelques jours, vous passerez à l'emploi de la Police du dominion, vouée à la protection des édifices et des équipements publics. Il a fallu un meurtre pour que le budget soit débloqué. Macdonald tient à placer Gilbert McMicken à sa tête. J'essaierai de retarder cette nomination, mais il finira par arriver à ses fins. Heureusement, vous n'aurez jamais à lui parler. Ermatinger demeurera votre officier de liaison. De votre côté, du nouveau?

— Rien de dramatique. Dennis Doody, le frère de Patrick, veut réunir deux ou trois cents féniens au jardin Guilbeault, pour protester contre la détention de ses camarades. Je donnerai la date à Ermatinger dès que je la connaîtrai.

～

Un soir de septembre, quelques centaines de féniens trouvèrent les portes du jardin Guilbeault fermées avec de lourdes chaînes, et soixante policiers déterminés. L'affrontement laissa des dizaines de blessés sur le pavé. Bernard Devlin, convaincu de se faire élire dans une élection complémentaire prochaine, condamna la réunion, ce qui lui valut d'être désigné comme un traître par ses alliés de l'année précédente.

Aux États-Unis, David Devlin put assister à un congrès plutôt martial de la Fenian Brotherhood à Philadelphie, les 28 et 29 novembre 1868 : six mille soldats de l'armée républicaine irlandaise défilèrent en uniforme dans les rues. Le président O'Neil dut cependant admettre que le manque de fonds empêchait de mener tout de suite une attaque contre le Canada.

Après ses appels infructueux et le refus du premier ministre de commuer sa peine en emprisonnement à vie, l'exécution de Patrick James Whelan fut finalement fixée au 11 février 1869. Son statut de journaliste valut à David Devlin le douteux privilège d'obtenir une entrevue avec le condamné deux jours avant la date fatidique. Pendant tout le trajet de sa maison de chambres jusqu'à la prison de comté, dans la rue Nicholas, tout près du canal Rideau, il se remémora ses quelques rencontres avec lui. Il y avait eu l'expédition à Cornwall bien sûr, et deux ou trois visites de courtoisie en compagnie de Eithne au couple qu'il formait avec Bridget Boyle. Quel fiasco le jeune tailleur d'habits aurait créé en confessant ses activités féniennes ! Au contraire, l'homme niait avec la dernière énergie connaître la Fraternité.

Un geôlier conduisit le journaliste dans une petite salle discrète de l'édifice carcéral. Un Whelan au teint grisâtre, l'inquiétude transpirant sur son visage, le reçut. Après les premières salutations, un long silence s'installa entre eux. À la fin, hésitant, David commença :

— Je vous remercie de n'avoir rien révélé des activités de l'association. Mais pouvez-vous me dire qui vous a commandé cet assassinat ?

L'autre le regardait, totalement incrédule. David insista :

— Bien sûr, je ne vous demande pas cela à titre de journaliste.

Cette affirmation ne changea rien au visage ahuri de son vis-à-vis. Il articula à la fin :

— Je n'ai tué personne.

— Vous avez affirmé cela à la presse. Vous avez ajouté savoir qui l'a fait. Pouvez-vous me le dire ?

Whelan ouvrit la bouche, la referma, essaya de déglutir, réussit enfin à prononcer :

— Vous ne savez vraiment pas ?

Un nouveau silence, puis il chuchota :

— … Je veux être enterré auprès de Patrick Doody.

Le chef du cercle de Montréal était décédé en prison de la tuberculose, un mois plus tôt. « Quelle curieuse fidélité à la cause », songea David. Le journaliste resta encore quelques minutes dans la pièce, sans que le prisonnier ne dise un mot de plus, puis quitta les lieux.

Deux jours plus tard, Whelan montait sur l'échafaud, plus pâle que jamais, vêtu de noir. Néanmoins, il gravit les marches sans aide. Le bourreau s'apprêtait à lui glisser la cagoule sur la tête, quand il lança d'une voix forte : « Je suis innocent, mais je connais la personne qui a tué ! » Voulait-il tout simplement que l'on retarde l'exécution de la sentence pour l'interroger à nouveau ?

En une minute, il se retrouva cagoulé, la corde autour du cou, puis la trappe s'ouvrit dans un grand bruit. Cinq mille personnes laissèrent échapper un « ah ! » : elles venaient d'assister à la dernière exécution publique au Canada.

Chapitre 26

Les mois filaient, tranquilles. L'assassinat de Thomas D'Arcy McGee avait rallié la plupart des Irlandais à la cause du gouvernement du Canada, auquel ils accordaient leur loyauté. Aussi l'effectif du cercle fénien de Montréal s'effritait un peu, même si le quarteron d'irréductibles ressassait les mêmes déclarations enflammées. À l'été de 1869, John O'Neil tint un congrès où il réitéra son intention d'envahir le Canada.

Sur le front domestique, Eithne retrouvait lentement son entrain. David voyait là une petite dépression, due sans doute au fait que malgré des efforts répétés et enthousiastes, elle ne devenait pas enceinte. Máire poursuivait sa vie de couventine, accueillant les grandes vacances d'été avec plaisir et la rentrée scolaire avec joie. Deux fois l'an, la famille séjournait à New York grâce à la complicité de Donovan qui dénichait un appartement vide où les caser, car les séjours en Irlande de vétérans de la guerre de Sécession se poursuivaient. En contrepartie, lors de toutes ses visites à Montréal, l'avocat logeait dans la maison de la rue Saint-Denis.

Aux fêtes qui marquèrent le passage de 1869 à 1870, ils se retrouvèrent tous les quatre à l'hôtel *American* pour un souper festif. Pour taquiner le journaliste, Donovan remarqua :

— J'ai parcouru avec attention ton article dans le *Herald*, sur le bal offert par la ville de Montréal pour le prince Arthur. Tu excelles dans le carnet mondain.

— Je ne savais pas que tu lisais ce genre de texte. Les sujets montréalais susceptibles d'intéresser les New-Yorkais demeurent rares, mais dans la grande république on aime entendre parler de monarchie. Surtout anglaise.

— Le fils de ta gracieuse souveraine habite toujours Montréal?

— Bien sûr. Depuis novembre il occupe la maison Rosemount, sur le mont Royal. Il accompagne son régiment, le Royal Engineers, mais pas question de loger avec les autres dans les baraquements de la garnison.

Ce prince accomplissait une bien curieuse carrière militaire, toute composée de bal et de dîner d'apparat.

— Tout ce qui manque donc à votre jolie ville, c'est Henry James O'Farrell.

En disant cela, Donovan avait jeté un coup d'œil du côté de Máire. L'adolescente, à qui l'âge donnait de plus en plus des allures de jeune femme, ne cilla pas. Elle n'avait guère accès aux journaux dans son couvent: sans doute le fait divers lui avait-il échappé. Le 18 mars 1868, à Clontarf, près de Sydney en Australie, un fénien nommé O'Farrell avait marché d'un pas ferme vers le prince Alfred, fils aîné de Victoria, pour lui décharger son revolver dans la poitrine. L'aristocrate honorait de sa présence un pique-nique: il avait été facile de l'approcher. Son Altesse guérit rapidement de sa blessure, et l'Irlandais se balança au bout d'une corde.

David réfléchit, puis se risqua à demander:

— Le petit corps d'élite dont tu m'as déjà parlé aurait-il eu dès 1868 une antenne en Australie?

— Quand nous nous sommes connus, tu me soulignais qu'une entreprise comme la nôtre qui s'annonce dans les journaux est vouée à l'échec. J'ai retenu la leçon, surtout avec les avatars de nos missions canadiennes. Les cellules doivent demeurer complètement étanches les unes des autres, afin que les membres de celle de Montréal ne sachent pas s'il y en a une à Sydney. Mais nous embêtons nos compagnes avec ces discussions d'affaires. Máire, venez me montrer si vous dansez aussi bien que l'an dernier.

En se levant, Donovan avait tendu la main à la jeune fille, qui accepta sans hésiter. Quant à Eithne, songeuse, elle accompagna son époux dans la danse très gaie de la Saint-Sylvestre. David venait de se faire dire qu'il n'en saurait pas plus. Devait-il prendre la dérobade pour un oui ou un non ?

—◆—

Quand la Fenian Brotherhood ne parlait pas d'une révolte imminente en Irlande, ses membres déclenchaient les hostilités en son sein. Alors que John O'Neil proposait une invasion du Canada le 8 février 1870, le sénat se rebiffa. S'ensuivit une discussion des plus vives : un secrétaire sortit son revolver pour tirer sur un sénateur, sans l'atteindre. À la fin, le président dut se résoudre à tenir un congrès afin de permettre aux militants de se prononcer, ce qui retarda toutes les opérations militaires. Mais la scission était déjà consommée. Le 11 avril 1870, le sénat organisait son propre colloque à Chicago, où les délégués condamnèrent le projet d'invasion ; le 19 avril, John O'Neil réunissait le sien à New York et obtenait l'accord des personnes présentes. À compter de ce jour, la Fraternité compterait trois sections en lutte entre elles. Le président américain Ulysses Grant, élu en 1868, ne faisait rien pour calmer les féniens, mais le secrétaire d'État tenait les Britanniques informés de tous les préparatifs dont il avait connaissance.

Le 22 mai 1870, David entendit d'abord un atte-
lage s'arrêter devant chez lui, puis le cocher frappa à sa
porte.

— Qu'est-ce qu'il y a ? demanda-t-il en ouvrant.

— Un rendez-vous urgent. Je dois vous y conduire.

— Avec qui ?

— Je ne peux pas vous le dire. Venez.

David échangea un regard avec Eithne, puis sortit.
Quelques minutes plus tard, après un galop dans les rues
encombrées de badauds en ce dimanche, le fiacre s'arrêtait
chez George-Étienne Cartier. Le ministre le reçut avec un
« Vous voilà enfin ! » et l'invita à passer au salon. Deux
hommes se trouvaient déjà dans la pièce : le général James
Lindsay et le commissaire Charles-Joseph Coursol. Ce
magistrat avait libéré les sudistes coupables du raid de 1864
contre Saint Albans. Tout à fait incompétent, il remplaçait
à la tête de la police Frederick William Ermatinger, décédé
subitement un an plus tôt.

Heureusement, son incompétence s'appliquerait très vite
à un autre office : celui de maire de Montréal.

— Prenez place, messieurs. Nous pouvons parler librement, ma famille et les domestiques ont été expédiés à ma
maison de campagne. Je vous lis ce que je viens de recevoir
de Gilbert McMicken. « Le 24 mai prochain, une force
fénienne estimée à deux mille hommes stationnés à Saint
Albans traversera la frontière dans la région de Huntingdon,
le colonel O'Neil à leur tête. »

« Henry Le Caron fait du bon travail », pensa David. Le
24 mai, c'était le jour de l'anniversaire de la reine Victoria,
une date symbolique. Quand la nouvelle eut pénétré tous
les esprits, le politicien demanda :

—Monsieur Devlin, croyez-vous que nos concitoyens d'origine irlandaise aient envie de prendre parti pour les féniens?

— Je ne pense pas. Maintenant leur fidélité se partage entre les trois factions de la Fraternité. Ils sont trop occupés à se disputer entre eux pour faire la révolution. Cependant, il serait bon que les policiers se fassent remarquer.

— Monsieur Coursol, vous y verrez, ordonna le politicien.

Plutôt que d'acquiescer, le commissaire de police répondit:

— Il faut annuler les cérémonies de mardi prochain, envoyer toutes les forces militaires à la frontière tout de suite...

— Ce serait une piètre idée, observa le général Lindsay.

— ... Pourquoi? l'interrogea Cartier après une hésitation.

— Pourquoi montrer de l'affolement, changer nos projets, nous précipiter à la première alerte? Le fils de notre souveraine est ici. Nous allons célébrer dignement l'anniversaire de Sa Majesté, la milice défilera dans les rues, restera en armes et se rendra à la gare dans le plus grand calme.

Le militaire s'arrêta, puis se tourna vers le nouveau venu pour demander:

— Monsieur Devlin, les féniens peuvent-ils vraiment rallier deux mille hommes?

— L'expérience nous a appris qu'ils regroupent environ le quart de l'effectif attendu pour une opération militaire. Plus nous nous éloignons de la guerre de Sécession, moins il y a de vétérans nostalgiques susceptibles de s'engager dans une aventure pareille.

Tous les yeux se tournèrent vers le ministre, qui prendrait la décision. Après un moment, Cartier affirma d'un ton résolu:

— Général Lindsay, vous avez raison. Inutile de changer notre programme. Vos hommes arriveront bien assez tôt à la frontière pour enlever à ces gens tout désir de tenter de nous envahir une fois encore.

~

Une estrade avait été dressée sur le Champ-de-Mars, où le prince Arthur, le maire de la ville, George-Étienne Cartier et d'autres notables devaient admirer quelques milliers de miliciens marchant l'arme à l'épaule. Au lieu de cela, cet aréopage regardait une averse s'abattre contre les grandes fenêtres de l'hôtel de ville. Pendant ce temps, les militaires attendaient une accalmie dans leurs baraquements. Un peu avant midi, le ministre de la Milice et de la Défense déclara forfait :

— Colonel Osborne Smith, demandez aux miliciens de se réunir sur le Champ-de-Mars à seize heures avec leur équipement. De là, ils marcheront jusqu'à la gare du Grand Tronc. Espérons pour eux que ce sera au sec.

— Je vais me joindre à eux avec mon régiment.

Le prince Arthur avait été privé d'une parade, il voulait à tout le moins profiter d'un spectacle. Même si le moindre de ses désirs ne se discutait pas, le général Lindsay commença :

— Votre Altesse, votre sécurité…

— Sera très bien assurée par le Royal Engineers. Faites préparer mon train.

Insister ne se faisait pas. Lindsay claqua les talons, partit au pas de course.

— Votre Altesse, intervint George-Étienne Cartier à voix basse, puis-je demander à David Devlin de monter à bord de votre voiture ? Non seulement manie-t-il bien la plume, mais c'est un excellent agent de mon gouvernement.

Le prince Arthur détailla le journaliste des pieds à la tête, puis déclara dans un sourire :

— Pourquoi pas. Je ne risque rien, mais à tout le moins votre homme pourra publier un article dans le *Canadian Illustrated News*.

Depuis son arrivée à Montréal en novembre 1869, les allées et venues du prince avaient alimenté un flot ininterrompu de textes, souvent accompagnés d'illustrations réalisées à partir de photographies de William Notman : l'aristocrate sur un toboggan, en raquetteur, en carriole, à la chasse, etc. Le manque d'imagination avait même amené la publication de deux images du cheval du prince sans son royal fardeau. On en serait bientôt à publier des gravures des fauteuils où il se serait assis.

Susceptible de s'absenter pendant deux, peut-être trois jours, David demanda à un gamin de porter un message à Eithne. « Je dois accompagner le prince jusqu'à la frontière américaine, dans son train personnel en plus. Quand je reviendrai, je t'enverrai un télégramme depuis la gare de Saint-Jean. »

❧

En fin d'après-midi, six compagnies de miliciens se dirigeaient vers la gare du Grand Tronc, sous les hourras de la foule massée sur les trottoirs pour les voir passer. Les journaux arrivés des États-Unis vers midi annonçaient que les féniens se regroupaient dans les villes frontalières. Certains faisaient état de huit mille hommes et d'un régiment d'artillerie. Machinalement, rompu aux exagérations des journalistes, David enlevait un zéro à ce chiffre et remplaçait les canons par des carabines.

Le train royal, gracieusement mis à la disposition du prince Arthur par la Compagnie du Grand Tronc, se trouvait placé juste derrière celui qui conduirait les miliciens jusqu'à la gare de Saint-Armand, la plus proche de la frontière. En plus de la locomotive, il comptait un wagon-salon, transformable en chambre à coucher, un autre pour la cuisine et la domesticité, un troisième pour la «suite» de Son Altesse, deux encore pour cent vingt hommes du Royal Engineers, puis cinq de plus pour les chevaux. Une véritable petite cour composée de fonctionnaires et d'officiers britanniques collait aux basques du grand personnage.

— Ce gars-là aime voyager léger! ironisa le journaliste.

Un majordome le conduisit au troisième wagon. En y pénétrant, il découvrit une Édith Archibald fort souriante, à qui il ne trouva rien de mieux à dire que:

— Mais que faites-vous là?

— Bonjour!

— … Bonjour, ou plutôt bonsoir, mademoiselle Archibald. Qu'est-ce qui me vaut l'honneur d'une rencontre aussi imprévue qu'agréable?

— Je représente mon père à la réception que Son Altesse devait offrir ce soir pour souligner l'anniversaire de la reine. Deux ou trois consuls et le gouverneur général Monck s'étaient déplacés. L'ambassadeur du Royaume-Uni à Washington devait venir aussi, mais les féniens l'ont retenu auprès du secrétaire d'État américain. Tout comme ils ont forcé l'annulation du souper.

L'évocation de tout ce beau monde donna le vertige à David. Comme il avait été naïf de s'enticher d'elle!

— Et vous vous êtes dit qu'assister à une petite guerre ferait un divertissement?

— Si vous voulez, en compagnie des consuls et de quelques fonctionnaires. George-Étienne Cartier a insufflé son assurance à tous. Ces gens semblent aller à une fête champêtre.

Sans trop savoir pourquoi, le journaliste se sentit un peu vexé de voir tous ces gens prendre à la légère le mouvement révolutionnaire irlandais.

— Tout de même, en tant que femme, je ne dois pas bouger du train, précisa-t-elle. Venez, je vais vous faire connaître mes compagnons de voyage.

Elle lui présenta une demi-douzaine d'hommes en civil, le même nombre en uniforme avec des galons en abondance, tous Britanniques à en juger par leurs accents. Quand le couple reprit place dans un compartiment — celui de la jeune femme : elle devait à son sexe le privilège de voyager seule, convenances obligent —, David ne put s'empêcher de remarquer :

— Je suis vraiment le parent pauvre, dans cette compagnie, un personnage de Dickens.

— Vous m'avez déjà joué le rôle du type impressionné par les riches et les puissants. Je vous ai dit ce que j'en pensais. Alors entretenez-moi de ce que vous avez lu récemment, ou allez fumer un cigare avec les autres.

Comme David n'avait jamais fumé et que cette habitude lui paraissait répugnante, mieux valait obtempérer !

— Vous connaissez *Les Misérables* ?

— Évidemment ! Pour qui me prenez-vous ?

Elle avait dit cela en riant.

❦

Au matin du 25 mai, le colonel John O'Neil rassembla un peu plus de cinq cents hommes à Franklin, pour les mener à l'assaut du Canada. Capable d'en équiper deux mille, il en attendait plus : pour une fois que l'intendance avait suivi au-delà de ses espérances, la mobilisation des volontaires le décevait. Henry Le Caron avait procuré des armes aux soldats... tout en informant le consul Archibald de chacune de ses actions. Les envahisseurs ne se rendirent pas très loin : les miliciens canadiens, dissimulés derrière une ligne de défense hâtivement érigée, se trouvaient à

Eccles Hill. Quand les féniens arrivèrent à portée de leurs fusils, un feu nourri les accueillit, laissant plusieurs morts sur le terrain. Les autres prirent la fuite sans insister. O'Neil se retrouva tout fin seul à faire face à la ligne ennemie, les balles sifflant autour de lui. Il tira la bride de son cheval et partit au galop vers les États-Unis.

— Je n'ai jamais vu une guerre d'invasion aussi courte, jeta le prince Arthur.

Sur un étalon, au milieu de sa suite, il esquissait un sourire désabusé.

— Votre Altesse, je dois m'assurer qu'il n'en restera pas un seul de ce côté-ci de la frontière, déclara le colonel Osborne Smith.

— Bien sûr, allez-y.

L'officier éperonna sa monture pour rejoindre la troupe. Aucun fénien capable de tenir sur ses jambes ne demeurerait en territoire canadien. David Devlin regarda longuement la dizaine de morts étendus sur le sol, des jeunes hommes sortis de leur atelier ou de leur boutique le temps de chercher la gloire dans cette entreprise ridicule. Non seulement aucun Canadien n'avait été tué, mais très peu de balles avaient été tirées dans leur direction.

❧

John O'Neil imaginait pouvoir inciter ses hommes à se regrouper pour reprendre la route du Canada. Pendant tout le trajet jusqu'à Saint Albans, trois bonnes heures, il s'était vainement égosillé sur les pauvres types qui, ayant jeté leurs armes au sol, fuyaient par groupes de deux ou trois. Quand il entra dans la petite ville, devant la gare, un homme vêtu de noir, le marshall Foster, un revolver à la ceinture, lui cria :

— Colonel O'Neil, descendez de ce cheval. Vous êtes en état d'arrestation pour avoir contrevenu à la *Loi de neutralité*.

— Mais j'ai l'appui de Grant. Voyez, en plus, des renforts arrivent.

En effet, des Irlandais fraîchement débarqués du train se massaient autour d'eux.

— Descendez de ce cheval, répéta l'homme en posant la main sur la crosse de son arme. Et vous autres, si vous n'avez pas encore commis de crimes, retournez d'où vous venez. Le général Meade sera bientôt ici avec des troupes pour vous arrêter.

Les témoins de la scène se dispersèrent sans tarder. Parmi eux, un homme élégant, portant redingote et chapeau, se dirigea vers la gare. Mais il n'attendrait pas le prochain train vers New York. Montréal lui paraissait une destination plus prometteuse. Auparavant, John Donovan aurait le temps d'envoyer un télégramme à Eithne Devlin : « Il est temps de s'en remettre à Clontarf. »

Après une hésitation, O'Neil descendit de cheval pour accompagner le marshall Foster jusqu'à la prison de la ville. Un juge le condamnerait à deux ans de détention. Dès octobre, le président Grant lui accorderait son pardon. Cela lui permettrait de tenter d'envahir le Manitoba l'année suivante, une entreprise grotesque dont la seule qualité fut de ne coûter aucune vie humaine.

❧

Généreux de son temps, le prince Arthur se déplaça d'un groupe de miliciens à l'autre pour les féliciter de leur courageux combat. De son côté, David se tenait à distance, profitant de tous les instants pour interroger les hommes, griffonner quelques mots dans son carnet. À moins de disserter sur la noble bravoure de Son Altesse, qui n'avait pas couru d'autre risque que celui de tomber de cheval, impossible de tirer plus de dix lignes de toute cette expédition. Vers seize heures, le prince et sa suite regagnaient le train spécial. À Édith qui vint aux nouvelles, le journaliste raconta la pitoyable équipée des féniens.

— Pauvres types, commenta-t-elle enfin.

— À les fréquenter pour les espionner, je me suis pris d'affection pour plusieurs d'entre eux. Mon seul ami est un fénien. Mais je ne devrais pas dire cela…

— Pourquoi ? Vous apprenez des choses parce que ces gens vous font confiance. Vous êtes certainement aimé de plusieurs d'entre eux, respecté des autres. Cela n'est pas facile, comme situation.

— Je les regarde avec commisération, souffla-t-il. Se faire tuer pour obtenir l'indépendance d'un pays qui n'est plus le leur, menés par des aventuriers dont il faut se demander s'ils jouissent de toutes leurs facultés, quelle farce. O'Neil a conduit cinq cents hommes à la conquête d'un territoire qui compte trois millions d'habitants.

Le train spécial progressait vers Montréal. Pendant l'arrêt à Saint-Jean, David eut le temps d'envoyer un télégramme à Eithne : « Je rentre avec le train royal. Je pourrai coucher dans mon lit ce soir. » L'avant-dernier segment du trajet le conduisit à Saint-Lambert. Là, l'employé du bureau du télégraphe se rendit jusqu'à la voiture de tête du train, expliqua au majordome qu'il cherchait David Devlin, le journaliste. Le gros homme désigna le wagon des invités de Son Altesse. À vingt et une heures trente, l'agent secret se désespérait de parler au colonel Russell, le commandant du Royal Engineers, un bout de papier à la main.

— Empêchez ce train de bouger, il ne doit repartir sous aucun prétexte. Puis il me faut une monture.

— Expliquez-vous, répondit le militaire.

— Pas le temps. Un cheval, vite.

Les colonels, surtout issus de la vieille noblesse britannique, n'obéissent habituellement pas aux Irlandais un peu débraillés qui n'ont pas dépassé le grade de caporal. Mais quelque chose dans le ton de son interlocuteur l'incita à se rendre jusqu'au wagon de tête, dont il ramena un prince tout étonné d'avoir été tiré de son assoupissement.

— Que se passe-t-il ?

— Altesse, votre vie est menacée. Immobilisez ce train et donnez-moi un cheval.

— Colonel, faites ce qu'il vous demande.

Le prince choisit de croire que George-Étienne Cartier n'avait pas exagéré quand il l'avait prié d'accepter le journaliste dans son entourage. D'un autre côté, il ne convenait pas de se fier à lui seul. Dès que Devlin eut quitté la voiture, il ajoutait à l'intention de l'officier :

— Dites à deux hommes de le suivre !

Un bon quart d'heure fut nécessaire pour ouvrir l'un des wagons qui servait d'écurie, placer deux larges madriers de la porte au sol pour faire descendre une première monture. David sauta sur son dos, partit à bride abattue. En montant, il avait jeté un bout de papier par terre. Édith, derrière lui, le ramassa, échappa un petit « Oh ! » en découvrant les trois lignes. « Ne traverse pas le pont Victoria. Ce sera Clontarf. La huitième merveille du monde va plonger. Eithne qui t'aime. »

Alors qu'un lieutenant ordonnait qu'on fasse descendre deux autres montures du wagon, Édith posa sa main sur le bras du militaire en disant :

— Trois. Il faut trois chevaux. Je vais avec vous.

— Mais, madame…

— Je suis l'agent de liaison de cet homme. Je vous accompagne.

— Nous n'avons pas de selle pour vous…

La jeune femme s'impatienta, se fit abrasive :

— Une femme peut aussi mettre ses jambes des deux côtés d'une bête, vous savez. Vous aurez juste à détourner le regard de mes jupons, s'ils vous gênent.

Comme elle se trouvait dans la suite du prince, que son ton n'admettait aucune réplique, l'officier ne discuta plus et fit descendre et seller une monture de plus.

꘎

David conservait au moins cinq minutes d'avance sur ses poursuivants et il savait très bien où aller. Le pont Victoria, identifié comme la huitième merveille du monde dans les journaux, ressemblait à une étroite et interminable boîte de fonte posée sur des piliers de maçonnerie plongeant dans le lit du fleuve. À chacune de ses extrémités, un escalier de fer, doté d'une rampe, permettait de monter sur le dessus.

Dans cette nuit d'encre, le jeune homme se trouvait comme sur une longue rue de moins de douze pieds de large, battue par un vent froid. Son melon disparut dans le vide dès les premiers pas. Sous ses pieds s'étalait une surface convexe et irrégulière, à cause des gros rivets utilisés pour fixer chacune des plaques de métal. Une faible lueur, celle d'un fanal, brillait à peu près à mi-distance, au milieu du fleuve. À trente pas de celle-ci, il demanda :

— Qu'est-ce que vous faites ?

— David, c'est bien toi ? Pourquoi être venu ici ? Tu n'avais qu'à rester à Saint-Lambert, nous pouvons nous occuper de tout.

Eithne vint vers lui d'un pas léger, sa chevelure comme une flamme sombre agitée par le vent. David encercla ses épaules avec son bras gauche. L'autre personne continuait de s'activer au-dessus d'une forme arrondie posée sur la surface métallique.

— Qu'est-ce que vous fabriquez? demanda-t-il encore.

— Tu le vois bien, j'installe ma petite machine infernale, répondit Donovan. Deux tonnelets de poudre pour les canons. Bien sûr, les disposer sur les rails serait préférable. Mais si à Londres une charge de ce genre a suffi à faire s'écrouler des maisons, la locomotive plongera dans le fleuve.

— Comment se fera la mise à feu?

— J'ai quarante verges de mèche. Quand on entendra le train venir, je l'allumerai. Si je ne m'attarde pas, je rejoindrai l'extrémité nord du pont assez tôt pour échapper au feu d'artifice. Allez-y tout de suite, je vous rejoindrai. Nous serons aux premières loges pour le spectacle.

Donovan s'était levé, le fanal à la main, pour marcher à droite de la longue mèche, vérifiant si elle demeurait intacte. À toutes les trois verges, il avait pris la précaution de placer une pièce de bois sur elle, afin d'éviter que la brise ne la déplace. David éloigna sa femme de lui, sortit le revolver qu'il portait entre ses reins, sous sa redingote, l'arma avant de dire très fort, pour être entendu malgré le bruit du vent:

— John, je t'arrête. Ne bouge plus.

L'autre se retourna. Le fanal tenu de la main gauche l'éclairait des pieds aux épaules, mais laissait la tête dans l'obscurité. Cela permettait à Devlin d'oublier à qui il parlait.

— Qu'est-ce que tu racontes? Ne joue pas à l'idiot.

— Je t'arrête. Je ne te laisserai pas tuer ces gens.

Pendant quelques secondes, Donovan demeura immobile, muet. Quand il parla encore, ce fut d'une voix changée, chargée d'incrédulité:

— Tu veux trahir la Fraternité?

— Je t'empêcherai de tuer des innocents.

Sur la gauche de David, une plainte étouffée se fit entendre. Eithne. Elle s'éloigna un peu.

— Sale traître, hurla Donovan.

— Je n'ai jamais trahi, ni toi ni la Fraternité. Dès le jour où nous nous sommes rencontrés, je travaillais pour les Britanniques. Je cherchais un moyen d'infiltrer l'association. Tu as été mon cheval de Troie.

L'intense surprise sur les traits de l'avocat lui échappa tout à fait.

— ... Mais Fitzwilliam ?

— Dans un pays lointain, en bonne santé. Du moins, je le suppose. Comme il ne voulait plus agir comme informateur, j'ai arrangé cette mise en scène. Le cadavre dans Central Park était celui d'un homme décédé de façon tout à fait naturelle.

— Non !

Le cri sur sa gauche troubla l'agent. Eithne, accroupie, les bras repliés sur son propre corps, geignait. Quand David retourna la tête, l'avocat sortait quelque chose de sa poche. La lueur du fanal permit de voir une arme.

— Ne fais pas cela.

Le revolver du fénien cracha une courte flamme avec un bruit sec, David fit claquer le sien. Donovan pivota à demi sur lui-même, s'affala sur le dos. Le fanal roula sur une verge, sans se casser. En s'approchant, l'agent constata que son adversaire geignait faiblement, un petit trou un peu à gauche du sternum, un filet de sang coulant de la commissure de sa bouche. Agonisant. Un mouvement pour se pencher, ramasser le luminaire, faire un demi-tour, et Eithne était sur lui, le frappant du poing à la poitrine.

Une piqûre, une brûlure. Le fanal tomba encore, ses genoux plièrent sous son poids. David entendit alors un

«Salaud!» strident. En s'écroulant vers l'arrière, il se rendit compte que le manche de la petite lame de sa femme dépassait de sa poitrine. Sur le dos, à une verge à peine de l'abîme, il la vit très grande, lointaine, puis sentit son pied chaussé de bottines pointues dans ses côtes, dans une écume de jupons.

— Salaud! J'ai tué D'Arcy McGee juste pour être ton égale...

Encore des coups, elle essayait de le faire rouler dans le vide. Puis un cri, très loin :

— Mais tirez! Tirez avant qu'il ne tombe...

Édith, à la fois éloignée et proche. Un autre coup de feu, Eithne fut comme secouée d'un hoquet, trébucha, buta du pied dans le corps de son époux, plongea par-dessus lui jusque dans l'eau noire. Puis plus rien.

<hr />

À quelques reprises, il avait marmonné, réclamé de l'eau, pour se rendormir tout de suite. Un petit homme à lunettes parlait de fièvre, de sulfamides. Puis presque subitement, il émergea, reconnut sa chambre dans la maison de la rue Saint-Denis, Édith dans une grande chaise près de lui, le roman *Notre-Dame de Paris* à la main.

— Quelle date sommes-nous? arriva à articuler David malgré ses lèvres craquelées.

— Le 29 mai. Dimanche.

— Trois jours.

La jeune femme s'approcha du lit, se pencha vers lui.

— Elle a tué D'Arcy McGee, souffla-t-il.

— Je sais. Les policiers ont trouvé des lettres venues de New York, de John Donovan.

— Elle voulait devenir mon égale. Faire autant que moi. Donovan lui a sans doute monté la tête avec l'histoire de Fitzwilliam.

Édith posa la main sur la poitrine recouverte d'un épais bandage.

— Je sais. J'ai entendu. J'étais sur le pont avec deux soldats.

— Pauvre femme. Quel gâchis.

Il n'y avait rien à répondre à cela. La visiteuse eut la présence d'esprit de se taire. David pleurait, à la fois sur son ami et sur son épouse. Deux vies en échange des cent trente du train. De quel côté penchaient les plateaux de la balance dans cette équation? Pour lui, le prix semblait démesuré.

Le lendemain matin, David retrouvait petit à petit ses esprits, assez pour soutenir une conversation.

— Comment se fait-il que vous jouiez à l'infirmière? Vous voulez imiter Florence Nightingale?

— Ce ne serait pas une mauvaise occupation. Selon une tradition écossaise, il faut s'occuper des personnes à qui on a sauvé la vie. J'ai lu le télégramme... Ces soldats ne seraient jamais montés sur le pont si je ne l'avais pas fait la première.

Lui devoir la vie. Le jeune homme se troubla.

— N'est-ce pas plutôt une tradition chinoise?

— Je ne connais rien à la Chine.

Assise sur une chaise placée tout près de son lit, elle lui adressait un sourire un peu timide.

— Donovan a préparé cet attentat, je suppose? voulut encore savoir le blessé.

— Avec l'aide de quelques hommes et de Eithne. Dans la correspondance échangée, aucun nom, seulement des pseudonymes. Ils échapperont aux autorités. Nous avons eu de la chance: le train royal aurait pu passer à Saint-Lambert sans s'arrêter. Dans cette éventualité, l'employé du télégraphe n'aurait pas pu remettre le message, vous seriez mort avec nous.

Cette pensée le troubla un peu. Édith renchérit :

— Votre ami n'éprouvait visiblement aucun remords à vous sacrifier.

Sans doute. L'avocat acceptait que la guerre fasse des victimes. À ses yeux, l'importance de la cible justifiait sans doute le risque de tuer un camarade. À tout le moins, David voulait croire que Eithne avait eu la conviction sincère qu'il s'en tirerait. L'idée qu'elle avait pu jouer à la roulette avec sa vie lui répugnait.

— Que va-t-il se passer à présent ? demanda-t-il.

— La reine Victoria vous enverra un message de remerciements, tout en demandant de ne pas ébruiter cette affaire. Elle ne voudra pas donner des idées à d'autres illuminés en rendant publique cette histoire. Une médaille suivra sans doute. George-Étienne Cartier fait dire de ne vous inquiéter de rien.

— Cartier ! Il n'est même pas foutu de payer une pension à la veuve de Ermatinger, un homme qui s'est décarcassé à la tâche pour lui. Cette promesse de politicien ne me rassure pas.

— Dans ce cas, autant faire confiance aux traditions écossaises.

David esquissa un sourire, redevint tout de suite inquiet :

— Máire ! Elle a déjà perdu ses parents…

— Je suis allée la voir. Ne craignez rien, on s'occupe d'elle aussi bien que possible dans les circonstances.

Mieux valait fermer les yeux, dormir encore, faire confiance à la vie… ou à l'Écosse.

Quelques mots…

Je livre ici un roman historique, un ouvrage de fiction.

J'ai tout de même tenté de respecter scrupuleusement la chronologie et les événements survenus entre 1863 et 1870. La très grande majorité des personnages évoqués jouent leur propre rôle sur la scène que je leur ai créée. Bien sûr, aucun d'entre eux n'a exactement prononcé les paroles que je leur mets dans la bouche, mais j'ai par contre essayé de retrouver leur ton en parcourant leurs écrits. Par exemple, dans une lettre, Gilbert McMicken a réellement suggéré d'utiliser des prostituées pour connaître les projets de la Fraternité fénienne…

Tous les personnages ne sont pas tirés de l'histoire. David Devlin, John Donovan, Eithne Ryan et sa sœur n'existent que dans mon imagination. Ils sont presque les seuls dans ce cas. En effet, le consul Archibald et sa fille Édith, qui écoutait les conversations de son père avec des informateurs cachée derrière un passe-plat, ont bien existé. Il en va de même pour Elizabeth Warne, la responsable des détectives de sexe féminin, puis des espionnes figurant dans le service de renseignements dirigé par Allan Pinkerton. Elle mourut prématurément de la tuberculose. Parfois, j'ai donné un nom d'emprunt à un personnage réel : l'assistant du secrétaire aux finances de la Fraternité, que j'appelle

Rudolph Fitzwilliam, s'appelait en réalité Rudolphus Fitzpatrick. Lui trouver un patronyme ne m'a pas demandé grand effort.

Cet homme a été soupçonné d'être un informateur en 1867, mais il aurait participé à l'invasion de 1870. La petite sortie de scène que je lui ai concoctée n'a pas eu lieu.

Habitués aux récits d'espionnage contemporains, la lectrice ou le lecteur trouveront peut-être mon personnage central bien désinvolte, et miraculeusement chanceux d'échapper à tous les soupçons. Des agents secrets pouvaient-ils se comporter comme des amateurs, et les organisations révolutionnaires faire preuve de tant de naïveté ?

En fait, pour composer le personnage de David Devlin, j'ai utilisé l'autobiographie d'un autre personnage du roman, bien réel celui-là, parue sous son nom d'espion de Henry Le Caron (*Twenty-five Years in the Secret Service. Recollections of a Spy*, 1892), plutôt que le sien propre : Thomas Miller Beach. Cet homme a pu œuvrer comme premier collaborateur de John O'Neil alors que celui-ci était secrétaire à la guerre, puis président de la Fraternité fénienne. Lors de l'invasion de 1870, il a bel et bien fait en sorte de fournir des armes pour deux mille hommes, alors qu'il ne s'en présenta que cinq cents. Aucun de ses prédécesseurs n'avait pu faire preuve d'une pareille efficacité !

Au fil des ouvrages que j'ai consultés, ce qui m'a le plus étonné, c'était l'omniprésence des informateurs britanniques auprès des officiers de la société révolutionnaire. Je le dis dans le roman : cela doit être un record absolu. Non seulement James Stephens employait un secrétaire particulier qui informait Dublin Castle, mais ce fut aussi le cas de son successeur, Kelly ! Et pendant un temps, il semble bien que trois des quatre secrétaires de l'organisation américaine aient eu un espion parmi leurs collaborateurs immédiats.

Il faudra attendre les années 1870 pour voir à la fois une radicalisation du mouvement fénien, son recours au terrorisme (favorisé par l'invention de la dynamite par Alfred Nobel en 1860 : quelques années seront nécessaires avant que des militants réalisent le potentiel de ce produit...) et l'exécution pure et simple des informateurs. Cela a correspondu à la création d'une « organisation dans l'organisation », le Clan na Gael, dont je donne ma petite version issue du cerveau de John Donovan. À compter de ce moment, le mouvement devint dangereusement efficace. Pour connaître les activités révolutionnaires irlandaises dans les années 1870 et 1880, l'ouvrage de Christy Campbell s'avère très intéressant. (*Fenian Fire. The British Government Plot to Assassinate Queen Victoria*, London, Harper Collins, 2003)

Dans ce texte, la cohérence du récit exigeait que je donne ma version — imaginaire — de l'assassinat de Thomas D'Arcy McGee. À cet égard, je me suis beaucoup inspiré, tout en me donnant une immense licence littéraire, d'un article de David A. Wilson (« The Fenians in Montreal, 1862-68 : invasion, intrigue, and assassination », *Journal of Irish Studies*, Fall-Winter, 2003). En fait, toute ma présentation des activités féniennes à Montréal s'inspire de ses travaux, de même que le rôle que je fais jouer à James Patrick Whelan. Je transforme certains de ses soupçons en certitude. Cet homme affirmait ne pas être le meurtrier, mais connaître le coupable. Évidemment, ne sachant pas qui a fait le coup, je charge l'un de mes « personnages inventés » du crime.

Le prince Arthur résida à Montréal à l'époque où je l'indique, il se rendit à la frontière américaine avec les troupes de volontaires lors de l'invasion fénienne de 1870. Je ne sais pas si on voulut attenter à sa vie. Cependant, son frère Alfred a bien été attaqué dans la banlieue de Sydney en Australie : l'événement m'a inspiré, comme il a inspiré John Donovan.

Jean-Pierre CHARLAND
Montréal, le 20 avril 2005